50
inzichten
scheikunde
Onmisbare basiskennis

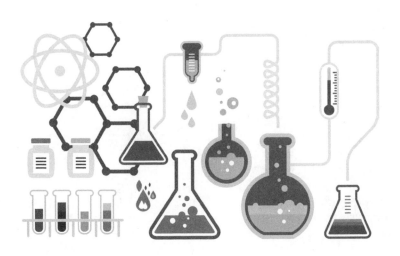

Hayley Birch

Inhoudsopgave

Inleiding

Scheikunde beschouwt men vaak als het stiefkindje van de wetenschappen. Onlangs sprak ik met een scheikundige die me vertelde dat ze het zat was dat mensen haar vakgebied zagen als 'slechts wat mensen die in hun laboratoria aanrommelen met stinkende stofjes'. Om de een of andere reden ziet men scheikunde als minder belangrijk dan biologie en minder interessant dan natuurkunde.

Als auteur van een boek over scheikunde vind ik het mijn uitdaging om je te verlossen van het beeld dat scheikunde een soort ondergeschoven vakgebied is. In feite, en niet veel mensen weten dat, is scheikunde daadwerkelijk de allerbeste wetenschap.

Scheikunde vormt het wezen van vrijwel alles. Bouwstenen – de atomen, moleculen, verbindingen en mengsels – vormen vrijwel elk onsje materie op deze planeet. Reacties zorgen voor het bestaan van leven en het maken van alles waarvan het leven afhankelijk is. Een scala aan producten toont de vooruitgang in ons moderne bestaan – van bier tot elastische textielvezels zoals elasthaan.

Een reden voor het imagoprobleem van de scheikunde is denk ik dat, in plaats van de aandacht te richten op belangrijke, interessante onderwerpen, we verzanden in het proberen aan te leren van een verzameling wetten hoe scheikunde werkt, formules voor molecuulstructuren, recepten voor reacties, enzovoort. En hoewel scheikundigen zich er sterk voor kunnen maken dat al die wetten en recepten belangrijk zijn, zullen de meesten het ermee eens zijn dat die in feite niet bijzonder opwindend zijn.

We laten daarom in dit boek die wetten een beetje links liggen. Je kunt ze elders opzoeken als je dat wilt. Ik heb geprobeerd de aandacht te richten op wat volgens mij in de scheikunde van belang en interessant is. Gaandeweg heb ik geprobeerd de geestdrift van meneer Smailes over te dragen, mijn scheikundeleraar, die me liet zien hoe je zeep en nylon kunt maken, en die enkele werkelijk prachtige stropdassen droeg.

01 Atomen

Atomen zijn de bouwstenen van de scheikunde, en van ons heelal. Ze vormen de elementen, de planeten, de sterren en jou. Het begrijpen van atomen, waaruit ze bestaan en hoe ze met elkaar wisselwerken, verklaart bijna alles wat er gebeurt bij chemische reacties in het laboratorium en in de natuur.

En beroemde zinsnede van Bill Bryson luidt dat elk van ons wel een miljard atomen kan bevatten die oorspronkelijk deel uitmaakten van William Shakespeare. 'Enorm,' kun je dan denken, 'dat zijn een boel dode-Shakespeare-atomen.' Dat zijn het inderdaad, maar ook weer niet. Enerzijds is een miljard (1.000.000.000) het aantal seconden dat ieder van ons op onze 33e verjaardag heeft geleefd. Anderzijds is een miljard het aantal zoutkorrels dat een doorsnee badkuip kan vullen en nog geen miljardste van een miljardste van het aantal atomen in je gehele lichaam. Dat geeft een idee van hoe klein een atoom is – jij alleen al bevat er meer dan een miljard maal een miljard maal een miljard – en het doet vermoeden dat je zelfs niet voldoende dode-Shakespeare-atomen hebt om een enkele hersencel te vormen.

HET LEVEN IS EEN PERZIK

Atomen zijn zo klein dat het tot voor kort onmogelijk was om ze te zien. Dat veranderde met de ontwikkeling van microscopen met een supergroot oplossend vermogen, tot het punt waarop in 2012 Australische wetenschappers zelfs een foto konden nemen van de schaduw die een enkel atoom wierp. Scheikundigen hebben atomen niet altijd hoeven te zien om te begrijpen dat, op een fundamenteel niveau, die konden verklaren wat er gebeurt in een laboratorium en in het leven. Veel scheikunde komt neer op de activiteiten van zelfs nog klei-

TIJDLIJN

ca. **400** v.Chr.	**1803**	**1904**	**1911**
De Griekse filosoof Democritus beschrijft ondeelbare atoomachtige deeltjes	John Dalton presenteert zijn atoomtheorie	Het 'krentenbolmodel' van een atoom van Joseph John Thomson	Ernest Rutherford beschrijft de atoomkern

nere, subatomaire deeltjes genaamd elektronen, die de buitenste lagen van het atoom vormen.

Als je een atoom kon vasthouden in je hand zoals een perzik, komt de pit in het midden overeen met de atoomkern, die bestaat uit protonen en neutronen, en het sappige vruchtvlees bestaat dan uit de elektronen. In feite zou de perzik, als die daadwerkelijk als een atoom was, vrijwel volledig uit vruchtvlees bestaan en de pit was dan zo klein dat je die kunt doorslikken zonder dat je het merkt – zoveel van het atoom wordt ingenomen door de elektronen. Het is die kern die voorkomt dat het atoom uiteenvalt. Die bevat de protonen, positief geladen deeltjes die net voldoende aantrekkingskracht hebben voor de negatief geladen elektronen om te voorkomen dat die in alle richtingen wegvliegen.

Atoomtheorie en chemische reacties

In 1803 gaf de Engelse scheikundige John Dalton een lezing waarin hij een theorie van de materie uiteenzette die was gestoeld op onverwoestbare deeltjes genaamd atomen. Hij zei in essentie dat verschillende elementen bestaan uit verschillende atomen die kunnen combineren tot verbindingen, en dat chemische reacties een herschikking van deze atomen inhouden.

WAAROM IS EEN ZUURSTOFATOOM EEN ZUURSTOFATOOM?

Niet alle atomen zijn gelijk. Je beseft inmiddels wellicht dat een atoom niet veel overeenkomsten met een perzik heeft, maar laten we toch even doorgaan met de vruchtenanalogie. Atomen komen voor in vele smaakvariëteiten. Als onze perzik een zuurstofatoom is, dan kan een pruim bijvoorbeeld een koolstofatoom zijn. Allebei zijn het kleine wolken van elektronen die een protonpit omhullen, maar met volledig andere kenmerken. Zuurstofatomen komen voor in paren (O_2) terwijl koolstofatomen massaal samenklonteren en harde materialen zoals diamant en potloodvulling vormen (C). Wat ze verschillende elementen maakt (zie pagina 8), is dat hun respectievelijke aantal protonen verschilt. Zuurstof heeft met acht protonen er twee meer dan koolstof. Werkelijk grote, zware elementen zoals seaborgium en nobelium hebben meer dan honderd protonen in hun atoomkernen. Wanneer er veel positieve ladingen zijn samengepropt in de alsmaar kleinere ruimte van de atoomkern, die elkaar allemaal afstoten, raakt

1989

Onderzoekers van IBM verplaatsen afzonderlijke atomen en spellen daarmee IBM

2012

De ontdekking van het higgsboson breidt het standaardmodel van het atoom uit

Atoomsplijting

Volgens het vroege krentenbroodmodel van het atoom van J.J. Thomson bestond het atoom uit een positief geladen 'deegbal' met negatief geladen 'krenten' (elektronen) die gelijkmatig daarin waren verspreid. Dat model is veranderd. We weten nu dat protonen en andere subatomaire deeltjes genaamd neutronen het minuscule, dichte centrum van het atoom vormen, en de elektronen een wolk daaromheen. We weten ook dat protonen en neutronen zelfs nog kleinere deeltjes genaamd quarks bevatten. Scheikundigen staan doorgaans niet stil bij die kleinere deeltjes – die behoren tot het rijk van de natuurkundigen die atomen in deeltjesversnellers verpletteren om ze te vinden. Het is belangrijk te onthouden dat het wetenschappelijke model van het atoom, en van hoe materie in ons heelal past, zich nog steeds ontwikkelt. De ontdekking van het higgsboson in 2012, bijvoorbeeld, bevestigde het bestaan van een deeltje dat natuurkundigen al in hun model hadden opgenomen en gebruikten om voorspellingen over andere deeltjes te maken. Er is echter nog veel werk nodig om te bepalen of er sprake is van hetzelfde type higgsboson als waar ze naar zochten.

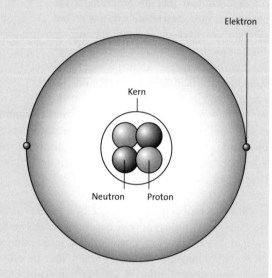

De ongelooflijk dichte kern van een atoom bevat positief geladen protonen en neutrale neutronen, waaromheen negatief geladen elektronen cirkelen

het evenwicht gemakkelijk verstoord en daardoor zijn zware elementen onstabiel.

Gewoonlijk bevat een atoom, ongeacht zijn smaak, net zoveel elektronen als er protonen in zijn kern zitten. Als er een elektron ontbreekt of als het atoom er eentje extra oppakt, houden de positieve en negatieve ladingen elkaar niet meer in evenwicht. Dan verandert het atoom in wat scheikundigen een ion noemen – een geladen atoom of molecuul. Ionen zijn belangrijk omdat hun ladingen ervoor zorgen dat allerlei soorten stoffen bijeenblijven, zoals het natriumchloride van tafelzout en het calciumcarbonaat van kalksteen.

DE BOUWSTENEN VAN HET LEVEN

Atomen vormen niet alleen alle ingrediënten in een keukenkastje, maar ook alles dat kruipt, ademt of wortels vormt, en verbazingwekkend ingewikkelde moleculen zoals DNA en de eiwitten waaruit spieren, beenderen en haren bestaan. Ze doen dat door het koppelen (zie pagina 20) aan andere atomen. Het interessante van al het leven op aarde is dat ondanks de overweldigende diversiteit er zonder uitzondering alsmaar sprake is van een bepaalde atoomsmaak: koolstof.

Van de bacteriën die proberen te overleven rond de rokende, hete bronnen in de diepste, donkerste delen van de oceaan tot de vogels die hoog in de lucht zweven, is er geen levend schepsel op de planeet dat niet dat element, koolstof, gemeen heeft. Omdat we elders nog geen leven hebben gevonden, weten we niet of het zuiver willekeur is dat het leven zich zo heeft ontwikkeld of dat leven met andere typen atomen kan gedijen. Sciencefictionfans zullen wel bekend zijn met alternatieve vormen van biologie – op silicium gebaseerde wezens komen voor in *Star Trek* en *Star Wars* als buitenaardse levensvormen.

ATOOM VOOR ATOOM

Vooruitgang op het gebied van nanotechnologie (zie pagina 180), die beloften inhoudt variërend van meer efficiënte zonnepanelen tot geneesmiddelen die kankercellen opsporen en vernietigen, hebben de wereld van het atoom nauwkeuriger in beeld gebracht. De gereedschappen van de nanotechnologie werken op een schaal van een miljardste meter – nog steeds groter dan een atoom, maar op deze schaal is het mogelijk om te denken over het manipuleren van afzonderlijke atomen en moleculen. In 2013 maakten IBM-onderzoekers de allerkleinste stopmotionanimatiefilm van de wereld, met daarin een jongen die met een bal speelt. Zowel de jongen als de bal waren gevormd uit koperatomen, elk afzonderlijk zichtbaar in de film. Eindelijk begint de wetenschap te werken op een schaal die overeenkomt met hoe een scheikundige onze wereld ziet.

> **Het mooie van een levend wezen is niet de atomen die erin zitten, maar de manier waarop die atomen zijn samengevoegd.**
> Carl Sagan

Het idee in een notendop
Bouwstenen

02 Elementen

Scheikundigen doen veel moeite voor het ontdekken van nieuwe elementen, de meest basale chemische stoffen. Het periodiek systeem verschaft ons een manier om hun ontdekkingen te ordenen, maar het is meer dan een handige catalogus. Patronen in het periodiek systeem geven aanwijzingen over de aard van elk element en hoe ze zich kunnen gedragen als ze andere elementen tegenkomen.

D e zeventiende-eeuwse alchemist Hennig Brand was een goudzoeker. Na zijn huwelijk nam hij ontslag als legerofficier en financierde met geld van zijn echtgenote zijn speurtocht naar de Steen der Wijzen. Dat is een mystieke verbinding of mineraal waarnaar alchemisten eeuwenlang hebben gezocht. Volgens de legende kon de Steen gewone metalen zoals ijzer en lood 'transmuteren' naar goud. Toen zijn vrouw overleed, vond Brand een andere vrouw en hij ging op de ingeslagen weg verder met zijn speurtocht. Blijkbaar was het in hem opgekomen dat de Steen der Wijzen kon worden vervaardigd uit lichaamsvloeistoffen en daarom had Brand gestaag ongeveer zevenduizend liter menselijke urine verzameld om daaruit de Steen te verkrijgen. Eindelijk, in 1669, deed hij een verrassende ontdekking, maar dat was niet de Steen. Dankzij zijn experimenten, die bestonden uit het koken en scheiden van urine, was Brand nietsvermoedend de eerste persoon geworden die op chemische wijze een element had ontdekt.

Brand had een verbinding gevormd die fosfor bevatte, waarnaar hij verwees als 'koud vuur' omdat die gloeide in het donker. Het duurde tot de jaren zeventig van de achttiende eeuw voordat fosfor als een nieuw element werd

TIJDLIJN

1669	1869	1913
Eerste element – fosfor – dat met chemische middelen wordt ontdekt	Mendelejev publiceert de eerste versie van zijn periodiek systeem	Henry Mosely definieert elementen met hun atoomgetal

beschouwd. Tegen die tijd werden overal elementen ontdekt, en scheikundigen isoleerden zuurstof, stikstof, chloor en mangaan binnen nog geen tien jaar tijd.

In 1869, twee eeuwen na de ontdekking van Brand, ontwierp de Russische scheikundige Dimitri Mendelejev een periodiek systeem waarin fosfor zijn rechtmatige plek kreeg toebedeeld, tussen silicium en zwavel.

Ontcijferen van het periodiek systeem

In het periodiek systeem (zie pagina 204-205) worden elementen voorgesteld door letters. Sommige zijn voor de hand liggende afkortingen, zoals Si voor silicium, terwijl andere, zoals Hg voor kwik, onzinnig lijken. Die lettercodes verwijzen vaak naar archaïsche namen. Het getal linksboven van de lettercode is het massagetal – het aantal deeltjes (protonen en neutronen) in de kern van een element. Het getal linksonder is het aantal protonen, ofwel het atoomgetal.

WAT IS EEN ELEMENT?

Gedurende een groot deel van de menselijke geschiedenis beschouwde men vuur, lucht, water en aarde als 'de elementen'. Een mysterieus vijfde element, ether, werd daaraan toegevoegd vanwege de sterren, omdat die niet, zoals de filosoof Aristoteles beweerde, uit enige aardse elementen konden worden gevormd. Het woord element stamt uit het Latijn (*elementum*) en betekent 'eerste principe' of 'meest basale vorm' – dat is geen slechte beschrijving, maar het doet wel vragen rijzen over het verschil tussen elementen en atomen.

Het verschil is eenvoudig. Elementen zijn materialen, ongeacht hun hoeveelheid. Atomen zijn fundamentele eenheden. Een vaste klonter van Brands fosfor – overigens een giftige verbinding en een bestanddeel van zenuwgas – is een verzameling van atomen van een bepaald element. Vreemd genoeg ziet echter niet elke klomp fosfor er hetzelfde uit, omdat de atomen op verschillende manieren kunnen zijn gerangschikt. Dat verandert de inwendige structuur en ook de uiterlijke verschijning. Afhankelijk van hoe de atomen zijn gerangschikt in fosfor, ziet het er wit, zwart, rood of violet uit. Deze verschillende variëteiten gedragen zich ook verschillend, ze smelten bijvoorbeeld bij totaal andere temperaturen. Witte fosfor smelt op een hete zomerse dag in het volle zonlicht, terwijl zwart fosfor daarvoor in een bulderende smeltoven tot meer dan 600 °C

1937

Het eerste kunstmatig gevormde element – technetium

2000

Russische wetenschappers maken het superzware element livermorium

2010

Aankondiging van de ontdekking van een element met atoomgetal 117 (ununseptium)

moet worden verhit. Niettemin bestaan ze allebei uit precies dezelfde atomen met vijftien protonen en vijftien elektronen.

PATRONEN IN HET PERIODIEK SYSTEEM

Voor het ongeoefende oog lijkt het periodiek systeem (zie pagina's 204-205) op een nogal ongebruikelijk situatie van het spel Tetris waarbij, afhankelijk van de versie die je bekijkt, sommige blokken niet helemaal onderaan zijn beland. Het lijkt alsof het flink moet worden opgeruimd. In feite is het goed geordend en kan elke scheikundige in de ogenschijnlijke warboel snel vinden waarnaar hij zoekt. Dat is omdat het ingenieuze ontwerp van Mendelejev verscholen patronen bevat die elementen aan elkaar koppelen naar gelang hun atomaire structuren en hun chemische gedrag.

Langs de rijen van het systeem, van links naar rechts, zijn de elementen gerangschikt naar hun atoomgetal – het aantal protonen dat elk element in zijn kern heeft. Het geniale van Mendelejevs uitvinding was het ontwaren wanneer de eigenschappen van de elementen zich herhaalden en een nieuwe rij moest worden gestart. Daarom leveren de kolommen een glimp van enkele van de meer subtiele inzichten. Neem de kolom aan de rechterzijde, die gaat van helium tot radon. Dat zijn de edelgassen, allemaal onder gewone omstandigheden kleurloze gassen die uitzonderlijk lui zijn als het aankomt om betrokkenheid bij enige vorm van chemische reactie. De reactiviteit van neon is bijvoorbeeld zo gering dat het zich niet laat verleiden tot een verbinding met enig ander element. De reden daarvoor houdt verband met zijn elektronen. In elk atoom zijn de elektronen gerangschikt in concentrische lagen, of schillen, waarin slechts een bepaald aantal elektronen passen. Als een schil vol is, moeten verdere elektronen beginnen met een nieuwe, buitenste laag te vullen. Aangezien het aantal elektronen in elk gegeven element stijgt met het toenemende atoomgetal heeft elk element een andere elektronenconfiguratie. De kenmerkende eigenschap van de edelgassen is dat ze allemaal een gevulde buitenste schil hebben. Die opgevulde structuren zijn zeer stabiel wat inhoudt dat de elektronen maar moeilijk tot enige actie kunnen worden aangezet.

> **De wereld van chemische reacties is als een podium... de acteurs daarop zijn de elementen.**
> Clemens Alexander Winkler, ontdekker van het element germanium

We kunnen veel andere patronen herkennen in het periodiek systeem. Het kost meer moeite (energie) om een elektron uit een atoom van een element te halen als je van links naar rechts gaat, richting edelgassen, en van onder naar boven.

In het midden van het systeem komen vooral metalen voor, die alsmaar metallischer worden naarmate je dichter bij de hoek linksonder komt. Scheikundigen gebruiken hun begrip van deze patronen om te voorspellen hoe elementen zich zullen gedragen bij reacties.

SUPERZWAARGEWICHTEN

Een van de weinige zaken die de scheikunde gemeen heeft met de bokssport is dat ze beide superzwaargewichten hebben. Terwijl de vlieggewichten boven in het periodiek systeem zweven – waarbij de atomen van waterstof en helium samen slechts drie protonen hebben – zijn de onderste rijen gevuld met atomen die zo diep zijn gezonken dankzij hun zware atomaire last. Het systeem is door de jaren heen gegroeid als nieuwe ontdekkingen en zwaardere elementen erin werden opgenomen. Bij nummer 92 is het radioactieve element uraan het werkelijk laatste element dat in de natuur kan worden aangetroffen. Alhoewel het natuurlijke verval van uraan plutonium oplevert, zijn de hoeveelheden verwaarloosbaar klein. Plutonium is ontdekt in een kernreactor en andere superzwaargewichten zijn gemaakt door in deeltjesversnellers atomen op elkaar te laten inslaan. De jacht is nog niet voorbij, maar het is zeker veel ingewikkelder geworden dan het indampen van lichaamsvloeistoffen.

De jacht op de zwaarste zwaargewicht

Niemand stelt bedrog op prijs, maar je komt het in elk vakgebied tegen en wetenschap vormt daarbij geen uitzondering. In 1999 publiceerden wetenschappers van het Lawrence Berkeley Laboratory in Californië een artikel waarin ze hun ontdekking van de superzware elementen 116 (livermorium) en 118 (ununoctium) vierden. Er klopte echter iets niet. Na het lezen van het artikel probeerden andere wetenschappers het experiment na te doen, maar wat ze ook deden, het leek onmogelijk om ook maar een enkel atoom 116 tevoorschijn te toveren. Het bleek dat een van de 'ontdekkers' de meetgegevens had verzonnen, waarop een overheidsinstelling in de VS zeer beschaamd afstand moest nemen van uitspraken over de wetenschap van wereldklasse die ze financierde. Het artikel werd ingetrokken en alle lof voor de ontdekking van livermorium ging een jaar later naar een Russische onderzoeksgroep. De onderzoeker die de oorspronkelijke gegevens had verzonnen, werd ontslagen. Het prestige verbonden aan de ontdekking van een nieuw element is tegenwoordig zo groot dat wetenschappers bereid zijn om hun volledige carrière daarvoor op het spel te zetten.

Het idee in een notendop
De eenvoudigste stoffen

03 Isotopen

Isotopen zijn niet alleen dodelijke stoffen gebruikt voor het maken van bommen en vergiftigen van mensen. Het concept van een isotoop omvat veel chemische elementen waarin de verhouding van de subatomaire deeltjes lichtelijk veranderd is. Isotopen komen voor in de lucht die we inademen en het water dat we drinken. Je kunt er zelfs (totaal ongevaarlijk) ijs mee doen zinken.

IJs drijft. Behalve als het dat niet doet. Net zo zijn alle atomen van een enkel element hetzelfde, behalve als ze verschillen. Als we het eenvoudigste element nemen, waterstof, kunnen we het erover eens zijn dat alle atomen van dat element slechts een proton en een elektron bevatten. Je kunt een waterstofatoom geen waterstofatoom noemen tenzij het slechts één proton in de kern heeft. Maar wat als het enkele proton vergezeld is van een neutron? Is het dan nog steeds waterstof?

Het neutron was het ontbrekende puzzelstukje dat voor scheikundigen en natuurkundigen tot de jaren dertig van de twintigste eeuw ongrijpbaar was (zie De missende neutronen, rechterpagina). Deze neutrale deeltjes maken absoluut geen verschil op de volledige ladingsbalans in een atoom, maar veranderen drastisch de massa daarvan. Het verschil tussen een en twee kerndeeltjes in de kern van een waterstofatoom is voldoende om ijs te doen zinken.

ZWAAR WATER
Het stoppen van een extra neutron in een waterstofatoom maakt een groot verschil – voor deze vlieggewichtatomen is het een verdubbeling van het aantal

De missende neutronen

De ontdekking van neutronen door natuurkundige James Chadwick, die later werkte aan de atoombom, loste een knagend probleem met de atoomgewichten op. Jarenlang was het duidelijk dat atomen van elk element zwaarder waren dan ze zouden moeten zijn. Wat Chadwick betrof, konden atoomkernen onmogelijk zoveel wegen als ze deden als ze uitsluitend protonen bevatten. Het was alsof de elementen waren komen opdagen voor hun zomervakantie met hun bagage vol bakstenen. Niemand kon echter die bakstenen vinden. Chadwick was door zijn leermeester Ernest Rutherford ervan overtuigd dat atomen subatomaire deeltjes meesmokkelden. Rutherford beschreef deze zo genoemde neutrale doubletten of neutronen in 1920. Het duurde tot 1932 voordat Chadwick concreet bewijs kon vinden dat de theorie ondersteunde. Hij ontdekte dat als hij het zilverachtige metaal beryllium bestookte met straling van polonium dit metaal neutrale, ongeladen subatomaire deeltjes uitstootte – neutronen.

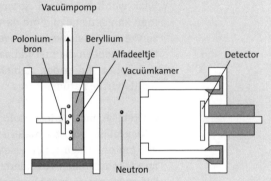

De reactie die neutronen (n) uit het beryllium vrijmaakt is: $^4_2\text{He} + ^9_4\text{Be} \rightarrow ^1_0\text{n} + ^{12}_6\text{C}$

kerndeeltjes. Het ontstane 'zware waterstof' wordt deuterium genoemd (D of ^{2}H) en, net als gewone waterstofatomen, koppelen deuteriumatomen aan zuurstof om water te vormen. Ze vormen natuurlijk geen gewoon water (H_2O). Ze maken water met extra neutronen erin: 'zwaar water' (D_2O), of om er de juiste naam aan te geven: deuteriumoxide. Neem zwaar water, gemakkelijk online te kopen, en laat het bevriezen in een ijsklontjesmal. Werp het ijsklontje in een glas gewoon water en bingo, het zinkt! Ter vergelijking kun je een gewoon ijsklontje eraan toevoegen en je verwonderen over het verschil dat een subatomair deeltje per atoom maakt.

1932

James Chadwick ontdekt het neutron

1960

Nobelprijs voor scheikunde toegekend aan Willard Libby voor radiokoolstofdatering met koolstof-14

2006

Alexander Litvinenko sterft aan vergiftiging met radioactief polonium

In de natuur beschikt een op elke 6400 waterstofatomen over een extra neutron. Er is echter nog een derde type – of isotoop – van waterstof, en dat is veel zeldzamer en minder veilig voor thuisgebruik. Tritium is een waterstofisotoop die een proton en twee neutronen bevat. Tritium is echter onstabiel en ondergaat net als andere radioactieve elementen radioactief verval. Het wordt gebruikt in een mechanisme dat waterstofbommen activeert.

RADIOACTIVITEIT

Vaak wordt het woord isotoop voorafgegaan door het woord radioactief, dus men kan geneigd zijn om aan te nemen dat alle isotopen radioactief zijn. Dat zijn ze niet. Zoals we juist zagen, is het volstrekt mogelijk om een waterstofisotoop te hebben die niet radioactief is. Met andere woorden: het is een stabiele isotoop. Zo zijn er ook stabiele isotopen van koolstof, zuurstof en andere elementen in de natuur.

Onstabiele, radioactieve isotopen vervallen, en dat betekent dat hun atomen uiteenvallen, waarbij materie uit hun kernen wordt uitgestoten in de vorm van protonen, neutronen en elektronen (zie Stralingstypen). Het resultaat is dat hun atoomgetallen veranderen en ze kunnen veranderen in andere elementen. Dat moet magisch hebben geleken voor de zestiende- en zeventiende-eeuwse alchemisten die geobsedeerd waren met het vinden van een manier om het ene element in het andere te veranderen (en in het ideale geval is dat andere element goud).

Stralingstypen

Alfastraling bestaande uit twee protonen en twee neutronen komt overeen met de kern van een heliumatoom. Zij is zwak en kan een vel papier niet passeren. Bètastraling bestaat uit snel bewegende elektronen en kan in de huid doordringen. Gammastraling is elektromagnetische energie, zoals licht, en kan alleen door een laag lood met een zekere dikte worden tegengehouden. Gammastraling is zeer beschadigend en energierijke gammastraling wordt gebruikt om kankergezwellen te vernietigen.

Radioactieve elementen vervallen met uiteenlopende snelheden. Koolstof-14, een vorm van koolstof met 14 kerndeeltjes in plaats van de gebruikelijke 12, is veilig om te gebruiken zonder speciale voorzorgsmaatregelen. Als je een gram aan koolstof-14 afmeet en dat op de vensterbank weglegt, kun je een lange tijd wachten op het vervallen van de atomen. Het duurt 5700 jaar voordat ongeveer de helft van de koolstofatomen in het monster is uiteengevallen. Die tijdsduur, of vervalsnelheid, wordt halfwaardetijd genoemd. Polonium-214 daarentegen heeft een halfwaardetijd van nog geen duizendste van een seconde, met als gevolg dat als je in een maffe parallelwereld een gram van het radioactieve polonium zou mogen afwegen, je niet eens een kans zou hebben om de vensterbank te bereiken voordat het allemaal op vervaarlijke wijze was vervallen.

De voormalige Russische spion Alexander Litvinenko en mogelijk de Palestijnse leider Yasser Arafat werden gedood met een meer stabiele isotoop van polonium, die gedurende enkele dagen vervalt in plaats van in een fractie van een seconde, al is het dodelijk. In het menselijk lichaam teistert de straling die vrijkomt uit uiteenvallende polonium-210-kernen cellen, en veroorzaakt daarbij pijn, ziekte en uitschakeling van het immuunsysteem. Bij onderzoek aan deze gevallen zochten wetenschappers naar de producten die ontstaan bij poloniumverval, omdat polonium-210 niet langer aanwezig was.

TERUG NAAR DE TOEKOMST

Radioactieve isotopen kunnen dodelijk zijn, maar ze kunnen ook bijdragen aan begrip van ons verleden. De koolstof-14 die we langzaam lieten vervallen op de vensterbank kent een paar gangbare wetenschappelijke toepassingen. Een is de radiokoolstofdatering van fossielen, de ander is leren over het vroegere klimaat. Omdat we een goed idee hebben van hoeveel tijd radioactieve isotopen nodig hebben voor het verval kunnen wetenschappers nagaan wat de leeftijd is van artefacten, dode dieren en luchtbellen die langgeleden in ijs zijn beland, door het analyseren van de gehalten aan de verscheidene isotopen. Elk levend wezen neemt kleine hoeveelheden van het natuurlijk voorkomende koolstof-14 op, planten via koolstofdioxide uit de lucht die ze omzetten, en dieren via hun voedsel. Die opname stopt als het organisme sterft. De aanwezige koolstof-14 zal vervallen, en omdat wetenschappers weten dat koolstof-14 een halfwaardetijd heeft van 5700 jaar kunnen ze nagaan hoelang geleden fossiele planten en dieren zijn gestorven.

Als met boren ijskernen worden gehaald uit ijskappen of gletsjers die duizenden jaren bevroren zijn geweest, geven ze een kant-en-klare tijdlijn van atmosferische veranderingen op basis van de isotopen die ze bevatten. Die inzichten in het verleden van onze planeet helpen ons om te voorspellen wat er zal gebeuren met onze planeet in de toekomst, als koolstofdioxideniveaus blijven veranderen.

> **Zelden heeft een enkele ontdekking in de scheikunde zo veel gevolgen gehad op het denken in zo veel gebieden van menselijk streven.**
> Hoogleraar A. Westgren bij het uitreiken van de Nobelprijs voor scheikunde voor radiokoolstofdatering aan Willard Libby

Het idee in een notendop
Het verschil dat een neutron uitmaakt

04 Verbindingen

In de scheikunde bestaan er stoffen die slechts één element bevatten en stoffen die er meer bevatten – verbindingen. Als elementen worden samengevoegd, openbaart zich de buitengewone verscheidenheid van de scheikunde. Het is moeilijk te schatten hoeveel chemische verbindingen er zijn, en jaarlijks worden er nieuwe gesynthetiseerd, en ze kennen een veelheid aan toepassingen.

Nu en dan doet er in de wetenschap iemand een ontdekking die in tegenspraak is met wat iedereen voor een fundamentele wet hield. Eerst krabben mensen zich peinzend op hun hoofd en vragen ze zich af of er een fout was of dat er iets mis was met de gegevens. Als vervolgens het bewijs eindelijk onweerlegbaar blijkt moeten de leerboeken worden herschreven en ontstaat er een geheel nieuwe richting van wetenschappelijk onderzoek. Dat was het geval toen Neil Bartlett in 1962 een nieuwe verbinding ontdekte.

Bartlett werkte laat op een vrijdagavond alleen in zijn laboratorium, toen hij de ontdekking deed. Hij had twee gassen – xenon en platinahexafluoride – gemengd en er ontstond een gele vaste stof. Bartlett, zo bleek, had een xenonverbinding gemaakt. Nauwelijks verrassend, denk je misschien, maar in die tijd geloofde de wetenschappelijke gemeenschap dat xenon, net zoals de andere edelgassen (zie pagina 10) volledig niet-reactief was en geen verbindingen kon vormen. De nieuwe verbinding werd xenonhexafluoroplatinaat genoemd en het werk van Bartlett zette andere wetenschappers ertoe aan om uit te kijken naar andere verbindingen met edelgassen. In de daaropvolgende decennia zijn er op zijn minst nog eens honderd gevonden. Verbindingen met edelgasatomen

TIJDLIJN

1718	Begin 19e eeuw	1808
'Affiniteitentabel' ontwikkeld door Étienne François Geoffroi toont hoe stoffen combineren	Claude-Louis Berthollet en Joseph-Louis Proust twisten over de verhoudingen waarin elementen combineren	De chemische atoomtheorie van John Dalton bevestigt dat elementen combineren in vaste verhoudingen

zijn sindsdien gebruikt om anti-tumormiddelen te maken en bij laserchirurgie van de ogen.

KOPPELEN

De verbinding van Bartlett kan een ommezwaai voor de leerboeken zijn geweest, maar zijn verhaal is meer dan een mooi voorbeeld van een wetenschappelijke ontdekking die een breed aanvaarde 'waarheid' aan de kaak stelt. Het is ook een herinnering aan het feit dat elementen (vooral de niet-reactieve) op zichzelf lang niet allemaal zo bruikbaar zijn. Zeker, er bestaan toepassingen van zuivere elementen – neonverlichting, koolstofnanobuizen en xenon-anesthesie, om er enkele te noemen – maar het is slechts door het uitproberen van nieuwe en soms zeer ingewikkelde combinaties van elementen dat scheikundigen levensreddende geneesmiddelen en innovatieve materialen kunnen maken.

Er is een element nodig dat met een ander koppelt, en misschien nog een en dan nog een, om de nuttige verbindingen te creëren die de basis vormen van bijna alle

Verbindingen of moleculen

Alle moleculen bevatten meer dan één atoom. Die atomen kunnen atomen van hetzelfde element zijn, zoals in O_2, of atomen van verschillende elementen, zoals in CO_2. Van O_2 en CO_2 is alleen CO_2 een verbinding, omdat dat bestaat uit atomen van verschillende elementen die chemisch onderling verbonden zijn. Blijkbaar zijn niet alle moleculen verbindingen, maar zijn alle verbindingen moleculen? Wat de kwestie verwarrend maakt, zijn ionen (zie Ionen, pagina 19). Verbindingen waarvan de atomen geladen ionen zijn, vormen geen moleculen in de traditionele zin. In bijvoorbeeld keukenzout is een hoeveelheid natriumionen (Na^+) verbonden met een hoeveelheid chloorionen (Cl^-) in een grote, zeer geordende en zichzelf herhalende kristalstructuur. Er bestaan daardoor in de meest letterlijke zin geen echt onafhankelijke 'moleculen' natriumchloride. De chemische formule, NaCl, toont de verhouding tussen het aantal natriumionen en het aantal chloride-ionen, in plaats van dat die verwijst naar een afzonderlijk molecuul. Aan de andere kant hebben scheikundigen er absoluut geen moeite mee om te praten over 'moleculen natriumchloride' (NaCl).

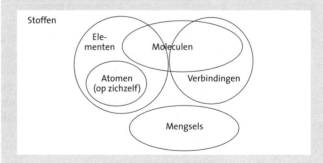

1833
Michael Faraday en William Whewell definiëren 'ionen'

1962
Neil Bartlett toont aan dat edelgassen verbindingen kunnen vormen

2005
Een schatting van de chemische ruimte voor elf-atomige verbindingen van C, N, O en F

moderne producten, van brandstof, textiel en kunstmest tot kleurstof, genees-middel en reinigingsmiddel. Er is nauwelijks iets in je huis dat niet uit deze ver-bindingen bestaat, tenzij het zoals de koolstof in een potloodvulling is gemaakt van een eenvoudig chemisch element. Zelfs dingen die groeien of vanzelf ont-staan, zoals hout en water, zijn verbindingen. In feite zijn ze waarschijnlijk zelfs nog ingewikkelder.

VERBINDINGEN EN MENGSELS

Er zijn echter enkele belangrijke kenmerken die we moeten onderscheiden als we het over verbindingen hebben. Verbindingen zijn chemische stoffen die twee of meer elementen bevatten. Het plaatsen van twee of zelfs tien elemen-ten in dezelfde ruimte maakt die echter nog niet tot een verbinding. De atomen van die elementen moeten aan elkaar koppelen – ze moe-ten chemische bindingen vormen (zie pagina 20). Zonder chemische binding heb je niets meer dan een soort cock-tailpartygezelschap bestaande uit atomen van verschillen-de elementen – wat scheikundigen een mengsel noemen. Atomen van sommige elementen kunnen ook koppelen met hun eigen soort, zoals bij zuurstof in de lucht, dat voor-al bestaat als O_2, een zuurstofdoublet. De twee zuurstofato-men vormen een zuurstofmolecuul. Dat zuurstofmolecuul is evenmin een verbinding, omdat het slechts uit één type element bestaat.

> ❝ Ik probeerde iemand te vinden met wie ik de opwindende ontdekking kon delen, maar het bleek dat iedereen al weg was voor het avondeten! ❞
>
> Neil Bartlett

Verbindingen zijn dus stoffen die meer dan één type element bevatten. Water is een verbinding, omdat het twee chemische elementen bevat – waterstof en zuurstof. Het is ook een molecuul, omdat het meer dan één atoom bevat. De meeste moderne materialen en commerciële producten zijn verbindingen die ook uit moleculen bestaan. Maar niet alle moleculen zijn verbindingen en men kan erover twisten of alle verbindingen moleculen zijn (zie Verbindingen of moleculen, pagina 17).

POLYMEREN

Sommige verbindingen zijn verbindingen in verbindingen – ze bestaan uit basiseenheden die vele malen worden herhaald, zodat er een kralen-op-een-kettingeffect ontstaat. Dergelijke verbindingen worden polymeren genoemd. Sommige daarvan hebben een naam waaraan je gemakkelijk kunt herkennen dat het een polymeer is, zoals bij polyetheen van boodschappentasjes, poly-vinylchloride (pvc) waaruit vinyl langspeelplaten zijn gemaakt en polystyreen van frietbakjes. Bij andere is dat minder helder: nylon, zijde, het DNA in je cellen en de eiwitten in je spieren zijn ook polymeren. De zich herhalende eenheid in alle polymeren, natuurlijk of kunstmatig, wordt een monomeer genoemd. Plak de monomeren aan elkaar en je krijgt een polymeer. In het geval van nylon vormt dat een indrukwekkende demonstratie die in veel scheikundelaboratoria van scholen wordt uitgevoerd in een bekerglas. Je kunt letterlijk een nylondraad uit het bekerglas tevoorschijn trekken en op een klosje winden.

BIOPOLYMEREN

Biopolymeren zoals DNA (zie pagina 140) zijn zo complex dat de natuur er miljoenen jaren van evolutie voor nodig had om de kunst om dat te maken te perfectioneren. De monomeren, of de 'verbindingen binnen in de verbinding', zijn nucleïnezuren, op zichzelf al vrij ingewikkelde scheikundige verbindingen. Aan elkaar gekoppeld vormen ze lange polymeerdraden die onze DNA-code bevatten. Om de DNA-monomeren aan elkaar te koppelen, gebruikt de biologie een speciaal enzym dat de afzonderlijke kralen aaneenrijgt. Het is bijna onvoorstelbaar dat de evolutie een manier heeft gevonden om dergelijke ingewikkelde verbindingen in onze eigen lichamen te maken.

Hoeveel verbindingen bestaan er? Het eerlijke antwoord is dat we dat niet weten. In 2005 probeerden Zwitserse wetenschappers te achterhalen hoeveel verbindingen bestaande uit slechts koolstof, stikstof, zuurstof of fluor daadwerkelijk stabiel zouden zijn. Ze kwamen uit op ongeveer veertien miljard, maar daarbij gingen ze uit van verbindingen die maximaal elf atomen bevatten. Het 'chemische heelal', zoals ze het noemen, is werkelijk onmetelijk.

Ionen

Als een atoom een negatief geladen elektron verkrijgt of kwijtraakt, zorgt die verandering in de ladingsbalans ervoor dat het atoom als geheel een lading verkrijgt. Dat geladen atoom noemen we een ion. Hetzelfde kan gebeuren met moleculen, die 'meeratomige' ionen vormen, zoals bijvoorbeeld een nitraation (NO_3^-) of een silicaation (SiO_4^{4-}). De ionenbinding van tegengesteld geladen ionen is een belangrijke manier waarop stoffen samengaan.

Het idee in een notendop
Chemische combinaties

05 Alles aan elkaar

Hoe blijft zout bijeen? Waarom kookt water bij 100 °C? En zeer belangrijk: waarom lijkt een klont metaal op een hippiecommune? Deze en nog meer vragen verkrijgen een antwoord door goed te kijken naar de kleine negatief geladen elektronen die fladderen tussen en rond de atomen.

Atomen hechten aan elkaar. Wat zou er gebeuren als ze dat niet deden? Om te beginnen zou het heelal dan een grote warboel zijn. Zonder de bindingen en krachten die materialen bijeenhouden, zou er niets bestaan zoals we het kennen. Alle atomen die je lichaam vormen, en duiven, vliegen, televisies, cornflakes, de zon en de aarde, zouden rond dwarrelen in een uitgestrekte bijna oneindige zee van atomen. Hoe raken atomen aan elkaar gehecht?

NEGATIEVE GEDACHTEN

Op de een of andere manier hechten atomen, in hun moleculen en verbindingen, aan elkaar dankzij hun elektronen – de kleine subatomaire deeltjes die een wolk van negatieve lading vormen rond de positief geladen kern van het atoom. Ze ordenen zich in lagen, of schillen rond de atoomkern. Omdat elk element een ander aantal elektronen heeft, beschikt elk element over verschillende aantallen elektronen in hun buitenste schil. Het feit dat een natriumatoom een elektronenwolk heeft die iets verschilt van de elektronenwolk van een chlooratoom zorgt daarbij voor enkele interessante effecten. In feite is dat precies de reden dat ze kunnen samengaan. Natrium kan gemakkelijk een elektron uit zijn buitenste schil kwijtraken. Het verlies van een negatieve lading maakt het positief (Na^+). Tegelijkertijd kan chloor gemakkelijk een negatief geladen elektron

TIJDLIJN

1819	1873	1912
Jöns Berzelius oppert dat chemische bindingen ontstaan door elektro-statische aantrekking	Johannes Diderik van der Waals stelt een vergelijking op die rekening houdt met intermoleculaire krachten in gassen en vloeistoffen	Tom Moore en Thomas Winmill ontwikkelen het concept van water stofbruggen, dat later aan Linus Pauling wordt toegeschreven

opnemen en zo de buitenste laag opvullen, waardoor het een netto negatieve lading verkrijgt (Cl⁻). Tegenpolen trekken elkaar aan en voilà, je hebt een chemische binding. En wat zout – natriumchloride (NaCl).

Bij het bestuderen van het periodiek systeem beginnen we patronen te zien in hoe gemakkelijk elektronen worden verkregen of verloren en we beseffen dat het de verspreiding van al die negativiteit is die bepaalt hoe atomen samenklitten. De manier waarop elektronen worden verkregen, verloren of gedeeld bepaalt de verbindingstypen die er tussen atomen optreden en de soorten van verbindingen die de atomen vormen.

LEEFSITUATIES

Er zijn drie hoofdtypen van de chemische binding. Laten we beginnen met de covalente binding, waarin elk molecuul binnen een verbinding bestaat uit een familie van atomen die enkele elektronen delen (zie Enkele, dubbele en drievoudige bindingen). Die elektronen worden alleen gedeeld door

Enkele, dubbele en drievoudige bindingen

Eenvoudig gesteld is elke covalente binding een gedeeld paar elektronen. Het aantal elektronen dat een atoom kan delen is doorgaans gelijk aan het aantal in de buitenste schil. Omdat bijvoorbeeld koolstof vier elektronen kan delen, kan het tot vier gedeelde paren ofwel vier bindingen vormen. Dat idee van koolstof dat vier bindingen vormt, is belangrijk voor de structuren van vrijwel alle organische (koolstofhoudende) verbindingen, waarin koolstofskeletten zijn uitgedost met andere typen atomen – in organische moleculen met een lange keten, bijvoorbeeld, delen koolstofatomen hun elektronen met elkaar en vaak ook met waterstofatomen. Soms delen atomen meer dan één elektron met een ander atoom. Daardoor kan er een koolstof-koolstof-dubbele binding zijn of een dubbele binding tussen koolstof en zuurstof. Zelfs drievoudige bindingen zijn mogelijk, waarbij atomen drie paar elektronen delen, hoewel niet alle atomen beschikken over drie elektronen die ze kunnen delen. Waterstof bijvoorbeeld heeft maar één elektron.

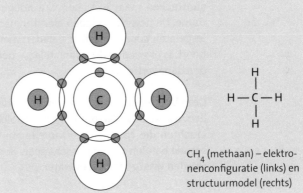

CH₄ (methaan) – elektronenconfiguratie (links) en structuurmodel (rechts)

> **Ik kom net terug van een korte vakantie waarbij de enige boeken die ik meenam een half dozijn detectiveverhalen en jouw *Chemical Bond* waren. Ik vond jouw boek het allerspannendst.**
>
> De Amerikaanse scheikundige Gilbert Lewis, in een brief aan Linus Pauling (1939)

leden van hetzelfde molecuul. Zie het als een leefsituatie: elk molecuul, of gezin, leeft in een mooi vrijstaand huis met zijn eigen spulletjes en bemoeit zich nergens anders mee. Dat is hoe moleculen zoals koolstofdioxide, water en ammoniak – de sterk geurende verbinding gebruikt in kunstmest – leven.

Ionenbindingen daarentegen werken volgens het 'tegenpolen trekken elkaar aan'-bindingsmodel, zoals bij natriumchloride in het voorbeeld van keukenzout. Dat bindingstype lijkt meer op het wonen in een flat, waarbij elke bewoner buren aan weerszijden heeft, en ook boven- en benedenburen. Er zijn geen afzonderlijke huizen – het is gewoon een groot, hoog appartementencomplex. De bewoners behouden voor het overgrote deel hun eigen spullen maar naaste buren geven of nemen een enkel elektron. Dat is wat ze samenbindt – in ionisch gebonden verbindingen kleven atomen samen omdat ze bestaan als tegengesteld geladen ionen (zie Ionen, pagina 19).

Dan is er nog de metaalbinding. De binding in metalen is ietwat vreemder. Het werkt volgens hetzelfde principe als dat van tegengestelde ladingen die elkaar aantrekken maar in plaats van hoogbouw lijkt het meer op een hippiecommune. De negatief geladen elektronen zweven rond, worden opgepakt en weer losgelaten door de positief geladen metaalionen. Omdat alles aan iedereen behoort, is er geen sprake van stelen – het is alsof het geheel wordt bijeengehouden door vertrouwen.

Deze bindingen zijn echter onvoldoende om het gehele heelal bij elkaar te houden. Naast de sterke bindingen in moleculen en verbindingen zijn er zwakkere krachten die complete verzamelingen van moleculen bijeenhouden, zoals de sociale banden in gemeenschappen. Sommige van de sterkste van die krachten worden waargenomen in water.

WAAROM WATER SPECIAAL IS

Misschien heb je er nooit bij stilgestaan, maar het feit dat het water in de ketel kookt bij 100 °C is nogal merkwaardig. De kooktemperatuur van water is veel hoger dan we zouden verwachten voor iets dat bestaat uit waterstof en zuurstof. We kunnen redelijkerwijs aannemen uit bestudering van het periodiek systeem (zie pagina 204-205) dat zuurstof zich vergelijkbaar met de andere elementen in dezelfde kolom gedraagt. Als je echter waterstofverbindingen maakt met de drie elementen onder zuurstof, zal je zeker niet zoiets eenvoudigs kunnen doen als ze laten koken in een ketel. Dat komt doordat ze alle drie koken bij temperaturen onder het vriespunt (0 °C), wat betekent dat ze gasvormig zijn bij keukentemperatuur. Beneden het vriespunt is water massief ijs. Waarom blijft een verbinding van waterstof en zuurstof vloeibaar bij zo'n hoge temperatuur?

Het antwoord ligt verscholen in de krachten die de watermoleculen als een groep bijeenhouden, en voorkomen dat ze wegvliegen zodra ze een beetje warmte voelen. Die zo genoemde 'waterstofbruggen' ontstaan tussen waterstofatomen in het ene molecuul en het zuurstofatoom in een ander. Hoe? Opnieuw komt het aan op de elektronen. In een watermolecuul zijn de twee waterstofatomen beland in een bed met een zuurstofatoom dat alle dekens – negatief geladen elektronen – voor zichzelf houdt. De nu deels positieve ladingen van de naakte waterstofatomen voelen zich aangetrokken tot de dekens stelende zuurstofatomen in andere watermoleculen, die meer negatief zijn. Aangezien elk watermolecuul twee waterstofatomen heeft, kan het twee van deze waterstofbruggen met andere watermoleculen vormen. Diezelfde kleefkrachten helpen bij een verklaring voor de kristalstructuur van ijs en de spanning van het wateroppervlak van een vijver waardoor wantsen zoals de schaatsenrijder daarop kunnen lopen.

Van der Waals

Vanderwaalskrachten, genoemd naar een Nederlandse natuurkundige, zijn zeer zwakke krachten die optreden tussen alle atomen. Ze bestaan omdat zelfs in stabiele atomen en moleculen de elektronen een beetje heen en weer bewegen en zo de ladingsverdeling veranderen. Dat houdt in dat een iets negatief geladen deel van een molecuul tijdelijk een positief geladen deel van een ander molecuul zou kunnen aantrekken. Meer permanente ladingsscheidingen ontstaan in 'polaire' moleculen, zoals water, en dat zorgt voor iets sterkere aantrekking. Waterstofbruggen vormen een speciaal geval van dat type aantrekking, waarbij bijzonder sterke intermoleculaire bindingen ontstaan.

Het idee in een notendop
Elektronen delen

06 Veranderende fasen

Weinig dingen blijven hetzelfde. Scheikundigen hebben het over overgangen tussen verschillende materiefasen, maar dat is niet meer dan een mooie manier om te zeggen dat stoffen veranderen. Materie kan meerdere vormen aannemen – naast de gangbare vaste, vloeibare en gasvormige toestanden bestaan er nog enkele ongewonere materiefasen.

Sta eens stil bij wat er gebeurt als je op een warme dag een brok chocola in je broekzak hebt gestopt. Je kunt het uit je broekzak halen en op een koele plek weer hard laten worden, maar het zal niet meer zo smaken als daarvoor. Waarom? Het antwoord schuilt in het begrip van het verschil tussen de oorspronkelijke chocolade en de opnieuw uitgeharde chocolade. Allereerst keren we even terug naar enkele lessen in de exacte vakken op school.

VASTE STOFFEN, VLOEISTOFFEN EN GASSEN… EN PLASMA

Er zijn drie materiefasen waarvan de meeste mensen wel gehoord hebben: vaste stoffen, vloeistoffen en gassen. Herinner je je dat die op school werden behandeld? Waarschijnlijk herinner je je die als 'toestanden'. Een standaard-voorbeeld van een stof die van toestand verandert, is het bevriezen en smelten van water – de overgang tussen een vaste en een vloeibare toestand. Veel andere stoffen smelten ook, waarbij ze van vast naar vloeibaar overgaan. Het verschil tussen de toestanden wordt vaak uitgelegd met de stapeling van de atomen of moleculen in de stof. In een vaste stof zijn die dicht opeengepakt, als mensen in een volle lift, terwijl in een vloeistof de moleculen meer ruimte hebben en zich rondom elkaar kunnen bewegen. In de gasvormige toestand zijn de deeltjes meer verspreid en hebben ze geen vaste grenzen – het

TIJDLIJN

1832	1835	1888
Eerste gebruik van smelt-punten voor karakteriseren van organische verbindingen	Adrien-Jean-Pierre Thilorier publiceert de eerste waar-neming van droogijs	Vloeibare kristallen ontdekt door Friedrich Reinitzer

is alsof de liftdeuren zijn opengegaan en de passagiers zich in alle richtingen hebben verspreid.

Bij de meeste mensen beperkt zich hun kennis van materietoestanden tot deze drie, maar er zijn er nog enkele die ietwat meer esoterisch en wellicht minder bekend zijn. Allereerst is er het futuristisch klinkende plasma. In die gasachtige toestand – onder meer toegepast in plasma-tv's – zijn de elektronen losgeslagen en zijn de materiedeeltjes geladen. Het verschil hier, als we de analogie voortzetten, is dat als de liftdeur opengaat iedereen op een meer geordende manier uiteengaat. Omdat de deeltjes geladen zijn, stroomt het plasma in plaats van dat het overal tegenaan botst. Vloeibare kristallen – in gebruik in lcd-beeldschermen – zijn nog een andere vreemde materietoestand (zie Vloeibare kristallen, pagina 26).

MEER DAN VIER

Vier toestanden of fasen moeten volstaan voor het begrijpen van veel veranderingen die we in alledaagse situaties in stoffen zien. Zelfs enkele minder alledaagse laten zich daarmee verklaren. Zo zijn er de rookmachines in theaters en nachtclubs die dichte rookwolken of mist maken met 'droogijs', dat niets anders is dan bevroren of vaste koolstofdioxide (CO_2). Als dat in heet water wordt gedaan, doet het iets zeer ongebruikelijks: het verandert rechtstreeks van een vaste stof naar een gas, en slaat de vloeibare fase daarbij over. (Dat is overigens de reden waarom het droogijs wordt genoemd). De faseverandering van vast naar gas wordt sublimatie genoemd. Zodra dat gebeurt, zorgen de nog steeds koude gasbellen voor het condenseren van waterdamp in de lucht, zodat een mist ontstaat.

Vier fasen kunnen echter nog steeds niet een antwoord geven op de vraag aan het begin, waarom dezelfde chocolade anders kan smaken nadat die eerst was gesmolten en daarna weer was gestold. Het is immers nog steeds een vaste stof. Dat komt echter omdat er meer fasen zijn dan enkel de drie of vier klassieke materietoestanden. Veel stoffen kennen meerdere fasen in hun vaste toestand

> ❝ [Het] glijdt snel over een glad oppervlak alsof het werd opgetild door de gasvormige atmosfeer die het continu omgeeft, tot het volledig verdwijnt. ❞
>
> De Franse scheikundige Adrien-Jean-Pierre Thilorier over zijn eerste waarneming van droogijs

1928
De benaming plasma wordt bedacht door Irving Langmuir

1964
Eerste functionerende vloeibare-kristal-schermen

2013
Nieuwe fase van water voorspeld die voorkomt in ijsgiganten

Vloeibare kristallen

De vloeibare-kristaltoestand is er een waarvan de meesten van ons al hebben gehoord omdat die wordt toegepast in de vloeibare-kristalschermen (*liquid crystal display's*, lcd's) waarmee moderne elektronische apparaten zijn uitgerust. Veel verschillende materialen vertonen die toestand, niet alleen de materialen in beeldschermen. De chromosomen in je cellen kunnen ook als vloeibaar-kristallijn worden gezien. Zoals de benaming aangeeft is de vloeibaar-kristallijne toestand een vorm tussen een vloeistof en een vast kristal. De moleculen, die gewoonlijk staafvormig zijn, zijn willekeurig gerangschikt in de ene richting (als een vloeistof) maar regelmatig gepakt (zoals in een kristal) in de andere. Dat komt omdat de krachten die de moleculen bij elkaar houden, in de ene richting zwakker zijn dan in de andere. De moleculen in vloeibare kristallen vormen lagen die over elkaar heen kunnen schuiven. Zelfs binnen de lagen kunnen de willekeurig gerangschikte moleculen nog steeds rond bewegen. Het is die combinatie van beweging en regelmatige rangschikking waardoor de kristallen zich als vloeistoffen kunnen gedragen. In lcd-schermen beïnvloeden de posities van de moleculen en de ruimte tussen hen hoe ze licht weerkaatsen en welke kleur we zien. Door de posities van de tussen glasplaten opgesloten vloeibaar-kristal-moleculen elektrisch te beïnvloeden, kunnen we patronen en beelden op een scherm creëren.

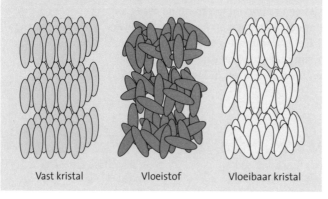

Vast kristal   Vloeistof   Vloeibaar kristal

en veel van deze vaste vormen bestaan uit kristallen. De cacaoboter in chocolade is kristallijn en verschillen in hoe de kristallen ontstaan, bepalen in welke fase die zich bevindt.

ZES SOORTEN CHOCOLADE

Eindelijk zijn we klaar om het smakelijke onderwerp chocolade op te pakken. Je bent je ondertussen misschien gaan afvragen of chocolade wellicht iets ingewikkelder is dan het eruitziet. Het hoofdbestanddeel, cacaoboter, bestaat uit moleculen die triacylglycerolen worden genoemd, maar voor alle eenvoud houden we het bij cacaoboter. Cacaoboter kan kristalliseren in niet meer dan zes verschillende vormen of polymorfen, met elk een andere structuur en smelttemperatuur. Het smelten en opnieuw stollen van de chocola leidt tot een andere polymorf, met een andere unieke smaak.

Zelfs als je chocola bij kamertemperatuur bewaart, zal die langzaam maar zeker overgaan naar een andere vorm – de meest stabiele polymorf. Scheikundigen noemen die verandering een faseovergang. Dat verklaart waarom soms een chocoladereep die een paar maanden in de kast heeft gelegen, bij het verwijderen van de wikkel er verre van appetijtelijk uitziet. De witte zo genoemde vetbloem is echter niet schadelijk. Het is gewoon polymorf VI. In zekere zin 'wil' alle cacaoboter polymorf VI zijn, want dat is de meest stabiele vorm. Alleen smaakt die niet zo geweldig. Om de langzame overgang naar polymorf VI te vermijden, kun je proberen om chocolade te bewaren bij een lagere temperatuur, zoals in de koelkast.

Het kunnen manipuleren van de diverse vormen van chocolade is overduidelijk van groot belang voor de voedingsindustrie en de laatste jaren zijn er enkele zeer geavanceerde onderzoeken aan chocoladepolymorfen uitgevoerd. In 1998 paste chocoladefabrikant Cadbury zelfs een deeltjesversneller toe voor het achterhalen van de geheimen van smakelijke chocolade, om de verschillende kristalstructuren van cacaoboter te bepalen en te achterhalen wat de beste 'smelt-in-de-mond'-samenstelling is.

Nieuwe fasen

Stoffen kunnen in meerdere fasen voorkomen, en er zijn zelfs fasen die nog niet zijn ontdekt. Het lijkt erop dat wetenschappers alsmaar nieuwe fasen van water tegenkomen (zie pagina 116). In 2013 introduceerde een artikel in het wetenschappelijk tijdschrift *Physical Review Letters* een nieuw type superstabiel 'superionisch' ijs dat in grote hoeveelheden voorkomt in de kernen van ijsgiganten zoals de planeten Uranus en Neptunus.

De zalige, glimmende vorm die we allemaal willen eten is polymorf V. Het is echter niet eenvoudig om een volledige reep te laten kristalliseren in de polymorf-V-vorm. Dat vereist een nauwkeurig bestuurd proces van smelten en afkoelen bij bepaalde temperaturen om ervoor te zorgen dat de kristallen op de juiste manier ontstaan. Het belangrijkste is natuurlijk dat je de chocolade moet eten voordat de fase weer verandert. Daarmee hebben we hier een zeer goed excuus voor het tijdig verorberen van paaseitjes, chocoladeletters en kerstkransjes!

Het idee in een notendop
Meer dan vaste stoffen, vloeistoffen en gassen

07 Energie

Energie is als een soort bovennatuurlijk wezen: machtig maar onkenbaar. Hoewel we de effecten ervan kunnen waarnemen, onthult zij nooit haar ware vorm. In de negentiende eeuw legde James Joule de fundamenten voor een van de meest fundamentele wetten in de wetenschap. Die wet omhelst de energieveranderingen die plaatsvinden bij elke chemische reactie

Als je het spel Hints zou spelen en met gebaren en mimiek energie moest uitbeelden, hoe zou je dat doen? Dat is een puzzel omdat energie nogal moeilijk is vast te pinnen. Het is brandstof, het is voedsel, het is warmte, het is wat er door zonnepanelen wordt geleverd; het is een spiraalveer, een vallend blad, een uitbollend zeil, een magneet, een donderklap en het geluid van een Spaanse gitaar. Als energie al deze dingen kan zijn, wat is dan het wezen ervan?

WAT IS ENERGIE?

Alle levende dingen gebruiken energie om hun lichamen te bouwen en te groeien en, in sommige gevallen, om te bewegen. Mensen lijken wel verslaafd eraan – we gebruiken enorme hoeveelheden ervan om onze huizen te verlichten, als brandstof voor onze technologie en om onze fabrieken te voeden. Energie is echter geen onderscheidbare stof – we kunnen haar niet zien of er onze handen op leggen. Het is ontastbaar. We zijn ons altijd bewust geweest van haar effecten, in enige mate, maar het is pas sinds de negentiende eeuw dat we werkelijk weten dat het bestaat. Voorafgaand aan het werk van de Engelse natuurkundige James Prescott Joule hadden we maar een vaag idee van wat energie daadwerkelijk was.

TIJDLIJN

1807	1840	1845
Thomas Young introduceert de term 'energie'	De wet van Joule koppelt warmte aan elektrische stroom	Joules eerste rapporten over de schoepenradexperimenten bij een presentatie van *On the Mechanical Equivalent of Heat*

Joule was de zoon van een brouwer die privéonderwijs kreeg en veel van zijn experimenten uitvoerde in de kelders van de familieonderneming. Hij raakte geïnteresseerd in het verband tussen warmte en beweging – zo geïnteresseerd dat hij op zijn huwelijksreis zijn thermometers (en William Thomson) meenam zodat hij kon nagaan wat het temperatuurverschil was tussen het water boven aan en onder aan een naburige waterval! Joule had moeite om zijn eerste artikelen gepubliceerd te krijgen, maar dankzij enkele beroemde vrienden – niet in het minst de elektriciteitspionier Michael Faraday – slaagde hij er uiteindelijk in om aandacht voor zijn werk te krijgen. Zijn voornaamste inzicht komt in het kort hierop neer: warmte is beweging.

Warmte is beweging? Op het eerste gezicht lijkt deze waarneming mogelijk niet zo zinnig. Denk er echter over na. Waarom wrijf je op een koude dag je handen om ze op te warmen? Waarom worden de banden van een rijdend voertuig heet? In Joules artikel *On the Mechanical Equivalent of Heat*, gepubliceerd op nieuwjaarsdag 1850, stelde hij dezelfde soort vragen. Hij stelde erin vast dat na dagen van stormachtig weer de zee warm wordt en hij beschreef nauwkeurig zijn eigen pogingen om het effect na te bootsen met een schoepenrad. Door het nemen van precieze temperatuurmetingen met zijn vertrouwde thermometers liet hij zien dat beweging kan worden omgezet in warmte.

Dankzij het onderzoek van Joule en het werk van de Duitse wetenschappers Rudolf Clausius en Julius Robert von Mayer leerden we dat mechanische kracht, warmte en elektriciteit alle zeer nauw verwant zijn. De joule (J) werd uiteindelijk een standaardeenheid waarmee we 'arbeid' aangeven (zie Arbeid) – een natuurkundige grootheid die kan worden beschouwd als energie.

Arbeid

Hoewel het erg lastig is om energie te definiëren, kan ze worden beschouwd als het vermogen om warmte te leveren of 'arbeid te verrichten'. Toegegeven, dat klinkt nogal vaag. Arbeid verrichten? Welke arbeid? Arbeid is in feite een belangrijk concept in natuurkunde en scheikunde dat verband houdt met beweging. Als iets beweegt, dan is het of er arbeid wordt verricht. Een verbrandingsreactie, zoals in een automotor, geeft warmte af die de zuigers beweegt (en 'arbeid' laat verrichten) als gassen in de motor uitzetten.

1850
Uitgebreide versie van *On the Mechanical Equivalent of Heat* gepubliceerd in *Philosophical Transactions of the Royal Society of London*

1850
Rudolf Clausius en William Thomson stellen de eerste en de tweede wet van de thermodynamica op

1905
Albert Einsteins $E = mc^2$ koppelt energie (E) aan massa (m) en de lichtsnelheid (c)

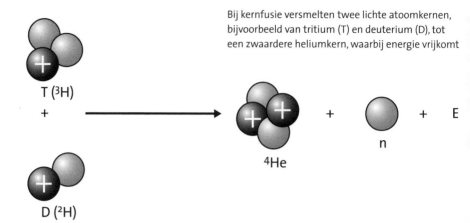

Bij kernfusie versmelten twee lichte atoomkernen, bijvoorbeeld van tritium (T) en deuterium (D), tot een zwaardere heliumkern, waarbij energie vrijkomt

VAN DE EEN NAAR DE ANDER

We kennen tegenwoordig veel verschillend typen energie en we zien in dat het ene kan worden omgezet naar het andere. De chemische energie in steenkool of olie bijvoorbeeld is opgeslagen energie totdat het wordt verbrand en wordt omgezet in warmte-energie die onze huizen verwarmt. Het verband dat Joule legde tussen warmte en beweging ziet er niet langer vreemd uit, omdat we ze nu beide beschouwen als soorten energie. Op een dieper niveau echter is warmte werkelijk beweging – wat een pan kokend water heet maakt is het feit dat de energetische watermoleculen daarin allemaal door elkaar bewegen in een opgewonden toestand. Beweging is gewoon een ander type energie.

In chemicaliën is energie opgeslagen in de bindingen tussen atomen. Als in chemische reacties bindingen worden verbroken komt energie vrij. Het tegengestelde proces, de vorming van bindingen, legt een energievoorraad vast voor later. Zoals de energie in een springveer is die energie 'potentiële energie', beschikbaar tot het wordt afgegeven. Potentiële energie is niet meer dan energie die is opgeslagen in een voorwerp als gevolg van zijn positie. Bij chemische potentiële energie verwijst zij naar de positie van de bindingen. Als je boven aan de trap staat, is je potentiële energie groter dan als je onderaan staat, en er was ook potentiële energie in het water boven aan de waterval die Joule tijdens zijn huwelijksreis bezocht. Je potentiële energie hangt af van je massa. Als je een maand lang al zittend taart eet en dan weer boven aan de trap gaat staan, zal je potentiële energie zijn toegenomen.

Zelfs zitten en taart eten is een voorbeeld van een energieverandering – suiker en vet in de taart leveren chemische energie die door je cellen wordt omgezet naar warmte-energie voor het onderhouden van je lichaamstemperatuur en bewegingsenergie voor je spieren die je naar de bovenzijde van de trap brengen. Alles wat we doen, alles wat onze lichamen doen en feitelijk alles wat ooit gebeurt hangt af van deze energieomzettingen.

ENERGIE VERANDERT MAAR BLIJFT GELIJK

Het werk van James Joule vormde de fundamenten voor wat een van de allerbelangrijkste principes in de wetenschap is geworden: de wet van behoud van energie, die ook wel bekendstaat als de eerste wet van de thermodynamica (zie pagina 40). Die wet stelt dat energie nooit wordt gevormd en nooit wordt vernietigd. Zij wordt slechts omgezet van de ene vorm naar de andere – waar Joules experimenten met het schoepenrad al een glimp van gaven. Wat er ook gebeurt bij chemische reacties, of waar dan ook, de totale hoeveelheid energie in het heelal moet altijd hetzelfde blijven.

> **Mijn doel is geweest om eerst de juiste principes te ontdekken en dan hun praktische ontwikkeling aan te geven.**
> James Prescott Joule, *James Joule: A Biography*

Wat alle energie gemeen heeft is het vermogen om iets te veranderen. Of dat alles nu duidelijk maakt hoe je energie moet aangeven bij het spelen van Hints is iets totaal anders. Energie is een draaiend schoepenrad. Zij is taart. Zij is jij die de trap oploopt, jij die boven aan de trap staat en jij die naar beneden valt. Probeer dat alles maar eens na te bootsen. Energie blijft even verwarrend als ze altijd al was.

Het idee in een notendop
Het vermogen om een verandering te maken

08 Chemische reacties

Chemische reacties zijn niet alleen de luidruchtige explosies die in een cartoon de lucht van het wetenschappelijk laboratorium vullen. Ze zijn ook alledaagse processen die stilletjes hun gang gaan binnen in de cellen van levende dingen – waaronder wij. Ze gebeuren onmerkbaar. Natuurlijk zijn we allemaal dol op een goede harde knal!

Er zijn ruwweg twee typen chemische reacties. Er is het grote, flitsende, explosieve soort chemische reactie – het type van 'doe een stapje achteruit en doe een veiligheidsbril op' – en er is het geruisloze, gestage en nauwelijks merkbare type. Het doe-een-stap-achteruit-type zal gemakkelijk onze aandacht trekken, maar het 'nauwelijks-merkbaar'-type kan net zo indrukwekkend zijn. (In werkelijkheid is er natuurlijk een duizelingwekkende verscheidenheid aan chemische reacties, veel te veel om hier op te sommen).

Scheikundigen zijn dol op het eerste type. Maar zijn we dat niet allemaal? Wie, met een gratis kaartje voor een vuurwerkshow op zak, zou liever rustig kijken naar hoe roest ontstaat? Wie heeft er niet gesprongen en een beetje zenuwachtig gelachen toen de scheikundeleraar een waterstofballon liet branden, waardoor er een luide KNAL was? Als je een willekeurige scheikundige vraagt om hun favoriete reactie te laten zien, zullen ze zonder uitzondering tevoorschijn komen met het grootste en opvallendste experiment dat ze veilig kunnen uitvoeren. Om een idee te krijgen van chemische reacties, keren we terug naar een

TIJDLIJN

1615	1789	1803
Eerste vergelijkingachtige reactieschema	Een concept van chemische reacties volgt uit Antoine-Laurent Lavoisiers *Traité élémentaire de chimie*	John Daltons atoomtheorie beschrijft chemische reacties als herschikkingen van atomen

negentiende-eeuwse scheikundeleraar en een van de meest luid-ruchtige spectaculaire scheikundeproeven. Helaas verlopen dat soort experimenten niet altijd volgens het boekje.

DOE EEN STAP ACHTERUIT

Justus von Liebig was een buitengewoon mens. Hij overleefde een hongersnood, werd hoogleraar op een leeftijd van 21 jaar, ontdekte de chemische basis van plantengroei en richtte een vooraanstaand wetenschappelijk tijdschrift op, en dan hebben we het nog niet ge-had over enkele ontdekkingen die leidden tot de uitvindingen van een smeerbaar gistextract (namelijk Marmite). Hij verrichtte veel zaken waar hij trots op kon zijn, maar er waren ook dingen waarvoor hij zich moest scha-men. Volgens de legende demonstreerde hij in 1853 een reactie die bekendstaat als 'de blaffende hond' aan de koninklijke familie van Beieren. De ontploffing verliep iets te hevig – precies in het gezicht van zowel koningin Theresia van Saksen-Hildburghausen als haar derde zoon, prins Luitpold.

De blaffende hond is nog steeds een van de meest spectaculaire wetenschap-pelijke demonstraties. Het is niet alleen een enorme lawaaierige ontploffing – met een luid 'woef' – maar er treedt ook een fel schijnsel op. De reactie treedt op als koolstofdisulfide (CS_2) wordt gemengd met distikstofmonoxide (N_2O) – dat beter bekend is als lachgas – en wordt aangestoken. Het is een exotherme re-actie, wat inhoudt dat er energie wordt afgestaan aan de omgeving (zie pagi-na 30). In dit geval komt een deel van de energie vrij in de vorm van een flinke blauwe lichtflits. Vaak wordt het uitgevoerd in een grote, doorzichtige buis, waardoor het experiment doet denken aan een lichtsabel die wordt 'aangesto-ken' en dan weer wordt uitgezet. Het is de moeite waard om online een video-opname ervan te zoeken.

Als Liebigs publiek niet zo onder de indruk was geweest van het effect, dan zou het hem niet ertoe hebben overgehaald om het te herhalen, en dan zou konin-gin Theresia uiteindelijk geen lichte verwondingen hebben opgelopen – naar verluidt was er zelfs sprake van bloed. Zoals alle reacties is de blaffende hond

> **...Ik keek om me heen na de verschrikkelijke ontploffing in de kamer... en zag bloed druppelen van de gezichten van koningin Theresia en prins Luitpold.**
>
> Justus von Liebig

1853	**1898**	**1908**	**2013**
De koningin van Beieren raakt gewond door de beroemde blaffende-hond-reactie	De term fotosynthese wordt gebruikt om fotosynthetische reacties te beschrijven	Fritz Haber bouwt een proeffabriek voor het maken van ammoniak uit stikstof en waterstof	Atomairekracht-microscopie laat realtime het verloop van reacties zien

niet meer dan een herschikking van atomen. Er zijn slechts vier typen atomen – elementen – betrokken bij de blaffende hond: koolstof (C), zwavel (S), stikstof (N) en zuurstof (O).

De blaffende-hond-reactie: bij een vergelijkbare, parallelle reactie kan ook CO_2 ontstaan.

$$9N_2O + 5CS_2 \rightarrow 9N_2 + 5CO + 2SO_2 + S_8$$

Scheikundigen gebruiken een chemische vergelijking om te laten zien waar ze na de reactie uitkomen.

NAUWELIJKS WAARNEEMBAAR

Hoe zit het met de meer rustige, minder opzienbarende reacties? Het geleidelijk roesten van een ijzeren spijker is een chemische reactie tussen ijzer, water en zuurstof in de lucht, waarbij een ijzeroxideproduct ontstaat – oranjebruine, roestige schilfers (zie pagina 52). Het is een langzame oxidatiereactie. Als je een appel doormidden snijdt en het vruchtvlees vervolgens bruin kleurt, is dat ook een oxidatiereactie. Die kun je binnen een paar minuten zien optreden. Voor een van de meest belangrijke rustige reacties hoef je niet verder te kijken dan naar de planten op de vensterbank. Stilletjes oogsten ze de zonnestralen en gebruiken ze de energie voor het omzetten van koolstofdioxide en water in suiker en zuurstof, in een reactie die we kennen als fotosynthese (zie pagina 148). Dat is een korte weergave van een veel ingewikkeldere keten van reacties die door planten is ontwikkeld. Suiker wordt gebruikt als de brandstof die de plant in leven houdt, terwijl het andere product, zuurstof, wordt afgegeven. De reactie is misschien niet zo indrukwekkend als de blaffende hond, maar hij is van cruciaal belang voor het leven op onze planeet.

Je kunt naar je eigen lichaam kijken voor voorbeelden van reacties. Je cellen zijn in wezen zakjes vol chemicaliën, miniatuurreactievaatjes. Elk daarvan doet het tegengestelde van wat een plant bij de fotosynthese uitvoert – om energie te laten vrijkomen laat het suiker opgenomen uit je voedsel reageren met de zuurstof die je inademt en herschikt daarbij de atomen, zodat koolstofdioxide en water ontstaan. Deze spiegelvorm, een ademhalingsreactie, is de andere grote leven-onderhoudende reactie op aarde.

Chemische vergelijkingen

In 1615 publiceerde Jean Beguin een verzameling aantekeningen van scheikundelessen met daarin een diagram van de reactie van *mercure sublimé* (kwikchloride, $HgCl_2$) met *antimoine* (antimoontrisulfide, Sb_2S_3). Hoewel het meer lijkt op een spinnenwebdiagram wordt het beschouwd als een vroege weergave van een chemische vergelijking. Later, in de achttiende eeuw, tekenden William Cullen en Joseph Black, die doceerden aan de universiteiten van Glasgow en Edinburgh, reactieschema's met pijlen om chemische reacties aan hun studenten uit te leggen.

Reacties zien optreden

Als we zeggen dat we een reactie 'zien' optreden, doelen we daarmee doorgaans op een ontploffing, een kleurverandering of een ander gevolg van de reactie. We kijken niet naar de afzonderlijke moleculen, dus we kunnen in werkelijkheid niet zien wat er precies gebeurt. In 2013 zagen Spaanse onderzoekers en hun collega's uit de VS daadwerkelijk live reacties optreden. Ze gebruikten het vermogen van de atomairekrachtmicroscopie om van zeer dichtbij opnamen te maken van enkele oligo-(fenyleen-1,2-ethynyleen)-moleculen die reageerden op een zilveroppervlak tot nieuwe ringvormige producten. Bij atomairekrachtmicroscopie worden beelden op een volledig andere manier gemaakt dan bij een normale camera. De microscoop heeft een zeer fijne sonde of 'naald' die een signaal levert als die iets op het oppervlak raakt. Hij kan de aanwezigheid van afzonderlijke atomen waarnemen. In de beelden die in 2013 werden gemaakt, zijn de bindingen en de atomen in de uitgangsstoffen en de producten duidelijk zichtbaar.

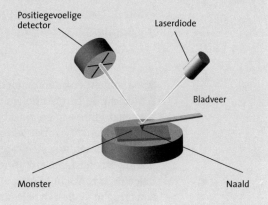

Positiegevoelige detector

Laserdiode

Bladveer

Monster

Naald

HERSCHIKKEN

Of ze nu groot of klein zijn, langzaam verlopen of in een flits voorbij zijn – alle reacties zijn het gevolg van veranderingen in de manier waarop de atomen in de uitgangsstoffen worden herschikt. De atomen van de verscheidene elementen kunnen van elkaar worden gerukt en op verschillende manieren weer bij elkaar worden gezet. Dat betekent gewoonlijk dat er nieuwe verbindingen ontstaan – bijeengehouden door het delen van elektronen tussen de nieuwe partneratomen. Bij de blaffende-hond-reactie zijn koolstofmonoxide en zwaveldioxide de twee nieuwe verbindingen die ontstaan. Ook stikstof- en zwavelmoleculen worden gevormd. Bij de fotosynthese worden grotere, meer ingewikkelde moleculen gevormd, zoals suikermoleculen die meerdere koolstof-, waterstof- en zuurstofatomen bevatten.

Het idee in een notendop
Atomen herschikken

09 Evenwicht

Sommige reacties gaan in slechts één richting, terwijl andere continu vooruit en achteruit verlopen. In die 'flexibele' reacties zorgt een evenwicht voor de status quo. Evenwichtsreacties komen overal voor, van je bloed tot het brandstofsysteem dat de Apollo-11-astronauten terug naar de aarde bracht.

Er komen enkele vrienden langs en je hebt een paar flessen rode wijn gekocht. Je bent er helemaal klaar voor, opent alvast een fles, schenkt een paar glazen in en wacht op ieders komst. Een uur later, na een stortvloed van tekstberichtjes met verontschuldigingen, nemen jij en die ene vriend die wel is gekomen nog steeds teugjes van je eerste glazen wijn, terwijl de andere onaangeroerd staan. Er kunnen nu twee dingen gebeuren. Je vriend maakt een beleefde verontschuldiging en daarna giet je de wijn in de onaangeroerde glazen terug in de fles. Of je leegt allebei het eerste glas plus de andere uitgeschonken glazen, waarna je de volgende fles opentrekt en nog wat meer inschenkt.

DE WIJN LATEN VLOEIEN

Je kunt je afvragen wat dit allemaal met scheikunde van doen heeft. In feite zijn er veel scheikundige reacties die de wijnsituatie op het mislukte feestje weerspiegelen. Net zoals de handeling van het schenken van wijn van fles naar glas en omgekeerd, zijn die reacties omkeerbaar. In de scheikunde noemt men zo'n situatie een evenwicht, en het evenwicht bepaalt de verhoudingen tussen uitgangsstoffen en producten bij een chemische reactie.

Stel je voor dat de gebottelde wijn de chemische uitgangsstoffen voorstelt, terwijl de wijn die in de glazen is geschonken de reactieproducten voorstelt. Op je

TIJDLIJN

1000	1884	1947
Begin van de vorming van de Great Stalactite	Het principe van Le Chatelier	Paul Samuelson past het principe van Le Chatelier toe in de economie

feestje regel je hoe de wijn vloeit, dus als iemand zijn glas heeft leeggedronken, schenk je nogmaals in. Op dezelfde wijze regelt het evenwicht de stroom van uitgangsstoffen naar producten. Als sommige producten verdwijnen, herstel je het evenwicht door sommige uitgangsstoffen in nieuwe producten om te zetten. Een omkeerbare reactie werkt echter ook in de tegengestelde richting. Als iets het evenwicht verstoort en er opeens te veel producten zijn, dwingt het evenwicht de reactie om in de omgekeerde richting te verlopen en zet het producten weer om in uitgangsstoffen – net zoals het teruggieten van wijn in de fles.

Het bestaan van een evenwicht betekent niet dat beide zijden van de vergelijking gelijk zijn – er bevindt zich niet altijd net zo veel wijn in de glazen als er in de fles is. In plaats daarvan heeft elk chemisch systeem zijn voorkeursgemiddelde, waarbij voorwaartse en teruggaande reacties met dezelfde snelheid verlopen. Dat is niet alleen van toepassing op ingewikkelde reacties, maar ook op een-

Evenwichtsconstante

Elke chemische reactie heeft zijn eigen evenwicht, maar hoe weten we waar dat is? Iets dat de evenwichtsconstante wordt genoemd, bepaalt welk deel van de uitgangsstoffen naar producten wordt omgezet bij een omkeerbare reactie. Die vertelt ons waar het evenwicht ligt. De evenwichtsconstante heeft het symbool K en de waarde ervan is gelijk aan de verhouding van producten tot uitgangsstoffen. Als er gelijke hoeveelheden (of concentraties) aan producten en uitgangsstoffen zijn, is K gelijk aan 1. Als er echter meer producten zijn, is K groter dan 1, en als er meer uitgangsstoffen zijn, is K kleiner. Bij de productie van industriële chemicaliën worden katalysatoren gebruikt die de evenwichtsconstante veranderen, zodat er meer producten ontstaan. Reacties die worden uitgevoerd voor het maken van nuttige chemicaliën zoals ammoniak (zie pagina 68) moeten zich constant aanpassen ter compensatie van de verdwijning van producten. Dat komt doordat de verwijdering van producten tijdelijk de verhouding tussen producten en uitgangsstoffen, of K, verandert. Om dat te herstellen, moet de voorwaartse reactie een tandje bijzetten en zorgen voor meer producten.

$$A \; \rightleftharpoons \; B$$

$$\text{uitgangsstoffen} \; \rightleftharpoons \; \text{producten}$$

$$K_{eq} = [B] / [A]$$

(Vierkante haken geven concentraties aan)

1952

Ontdekking van de Great Stalactite

1969

Stikstoftetroxide stuwt de bemanning van Apollo 11 terug naar de aarde

voudige systemen zoals zwakke zuren (zie pagina 45), het afstaan of opnemen van waterstofionen (H^+) en zelfs het opsplitsen van watermoleculen in H^+- en OH^--ionen. In water ligt het evenwicht veel dichter bij de H_2O-zijde van het systeem dan bij de afzonderlijke ionen, dus wat er ook gebeurt zal het evenwicht ervoor zorgen dat het meeste water als H_2O-moleculen voorkomt.

RAKETBRANDSTOF

Waar vinden we dergelijke chemische evenwichten nog meer? De landing op de maan, in 1969, vormt een goed voorbeeld. Het door NASA ontworpen systeem waarmee Neil Armstrong, Buzz Aldrin en Michael Collins konden terugkeren van de maan, was gebaseerd op scheikunde. Voor voldoende stuwkracht om terug te keren in de ruimte hadden ze een brandstof en een oxidatiemiddel nodig – iets dat de brandstof feller laat branden door zuurstof aan het mengsel toe te voegen. Het oxidatiemiddel bij de Apollo-11-missie was distikstoftetroxide (N_2O_4), een molecuul dat in het midden kan splijten en dan twee stikstofdioxidemoleculen (NO_2) vormt. NO_2 kan echter gemakkelijk weer reageren tot N_2O_4. Scheikundigen geven dat als volgt aan:

$$N_2O_4 \rightleftharpoons 2NO_2$$

> **Er bestaat overal een gemiddelde in dingen, bepaald door evenwicht.**
> Dimitri Mendelejev

Als je stikstoftetroxide in een glazen pot stopt (niet aan te raden want het is een bijtende stof en als je iets ervan morst verlies je huid) zie je het evenwicht in actie. Als het is gekoeld bevindt het bruinachtige distikstoftetroxide zich op de bodem van de pot, terwijl de NO_2-moleculen zich in een nevel daarboven bevinden. Temperatuur en andere omstandigheden kunnen de evenwichtsbalans veranderen. In het geval van distikstoftetroxide verschuift een beetje warmte het evenwicht naar de rechterzijde van de vergelijking, waarbij meer van het oxidatiemiddel in gas verandert. Afkoelen zet het oxidatiemiddel weer om naar N_2O_4.

NATUURLIJKE BALANS

Evenwichten komen in de natuur alsmaar voor. Ze houden de chemicaliën in je bloed op orde, zorgen voor een constante pH van ongeveer 7 zodat je bloed nooit te zuur wordt. Gekoppeld aan dezelfde evenwichten zijn omkeerbare reacties die de afgifte van koolstofdioxide in de longen regelen. Die koolstofdioxide adem je dan uit.

Als je ooit in kalksteengrotten de stalactieten en stalagmieten hebt gezien, heb je je misschien afgevraagd hoe die ontstaan. De Great Stalactite, die nabij de westkust van Ierland hangt aan het plafond van Doolin Cave, is een van de grootste ter wereld, ruim zeven meter lang. De vorming daarvan heeft duizenden jaren geduurd. Het natuurwonder is in feite een ander voorbeeld van een chemisch evenwicht in actie.

$$CaCO_3 + H_2O + CO_2 \rightleftharpoons Ca_2^+ + 2HCO_3^-$$

$CaCO_3$ is de chemische formule voor calciumcarbonaat, waaruit het poreuze gesteente, kalksteen, bestaat. Regenwater waarin wat koolstofdioxide is opgelost vormt een zwak zuur genaamd koolzuur (H_2CO_3), dat reageert met het calciumcarbonaat in kalksteen, zodat het oplost en calcium- en waterstofcarbonaationen ontstaan. Als de regen door gaten in het gesteente doordringt, lost het stukjes kalksteen op en neemt het de opgeloste ionen mee. Dat trage proces volstaat voor het ontstaan van enorme kalksteengrotten. Stalactieten, zoals de Great Stalactite, ontstaan waar water met daarin opgelost calcium- en waterstofcarbonaationen gedurende een lange tijd op dezelfde plek druppelt. Als het regenwater verdampt, treedt de omgekeerde reactie op. De ionen worden weer omgezet in calciumcarbonaat, water en koolstofdioxide, en kalksteen wordt afgezet zodat de druipsteen ontstaat. Mettertijd zorgt de continue aanwas van kalksteen op de plek waar druppels vallen voor een stenen spiegelbeeld ervan, een adembenemend resultaat.

Het principe van Le Chatelier

In 1884 stelde Henri Louis le Chatelier een regel voor chemische evenwichten voor, het principe van de kleinste dwang: 'In elk systeem in chemisch evenwicht dat wordt verstoord door een verandering van een van de evenwichtsfactoren, verschuift het evenwicht zodanig dat die verandering wordt tenietgedaan'. Met andere woorden: als een verandering optreedt in een van de factoren die het evenwicht beïnvloedt, past het evenwicht zich aan om de gevolgen van die verandering tot een minimum te beperken.

Het idee in een notendop
Status quo

10 Thermodynamica

Thermodynamica is voor scheikundigen een manier om de toekomst te voorspellen. Gebaseerd op enkele fundamentele wetten kunnen ze nagaan of iets zal reageren of niet. Als het moeilijk is om enthousiasme voor thermodynamica op te brengen, besef dan dat het veel zegt over thee en het lot van het heelal.

Thermodynamica klinkt misschien wel als een van die oude stoffige onderwerpen waarover niemand tegenwoordig iets hoeft te weten. Het is immers gebaseerd op wetenschappelijke wetten die meer dan een eeuw geleden zijn ontwikkeld. Wat kan thermodynamica ons heden ten dage leren? Wel, tamelijk veel eigenlijk. Scheikundigen zoeken met thermodynamica uit wat er gebeurt in levende cellen als die afkoelen – bijvoorbeeld als menselijke organen worden verpakt in ijs voordat ze worden getransplanteerd. Thermodynamica helpt scheikundigen ook bij het voorspellen van het gedrag van vloeibare zouten die dienen als oplosmiddelen in brandstofcellen, geneesmiddelen en innovatieve materialen.

De wetten van de thermodynamica zijn zo fundamenteel voor het wetenschapsgebeuren dat we alsmaar nieuwe manieren zullen vinden om ze in te zetten. Zonder de wetten van de thermodynamica zou het moeilijk zijn te begrijpen of te voorspellen waarom een chemisch proces of een reactie plaatsvindt zoals dat gebeurt. Het zou ook onmogelijk zijn om uit te sluiten dat gewone processen op een of andere vreemde manier plaatsvinden – zoals je kop thee die heter wordt als je die langer laat staan. Wat zijn deze onomstreden wetten?

TIJDLIJN

1842	1843	1847	1850
Julius Robert Mayer formuleert de wet van behoud van energie	James Prescott Joule formuleert ook de wet van behoud van energie	Hermann Ludwig von Helmholtz formuleert op zijn beurt de wet van behoud van energie	Rudolf Clausius en William Thomson stellen de eerste en de tweede wet van de thermodynamica op

NIETS VERSCHIJNT OF VERDWIJNT

We hebben al de eerste wet van de thermodynamica gezien (zie pagina 31). In zijn eenvoudigste vorm stelt die dat energie niet kan worden gevormd of vernietigd. Dat is alleen zinnig als we stilstaan bij wat we weten van energieomzettingen: energie kan worden omgezet van de ene vorm naar de andere, bijvoorbeeld als de chemische energie in de brandstoftank van je auto wordt omgezet naar kinetische of bewegingsenergie als je de contactsleutel omdraait. Het zijn dergelijke energieomzettingen waarin mensen die thermodynamica bestuderen vaak zeer geïnteresseerd zijn.

Scheikundigen zeggen wel eens dat energie 'verloren gaat' bij een bepaalde chemische reactie, maar die is niet werkelijk verdwenen. Zij is gewoon elders beland – meestal in de omgeving, als warmte. In de thermodynamica wordt een dergelijk type reactie met warmteverlies aangeduid als exotherm. Het tegengestelde, een reactie die warmte uit haar omgeving opneemt, wordt endotherm genoemd.

Systeem en omgeving

Scheikundigen houden van zaken op orde hebben, dus als ze hun thermodynamische berekeningen uitvoeren verzekeren ze zich ervan dat ze alles netjes hebben ingedeeld. Allereerst moet duidelijk zijn om welk specifiek systeem of welke reactie het gaat, en al het andere is dan de omgeving. Een kop thee die afkoelt, bijvoorbeeld, moet worden gezien als de thee zelf en dan alles wat de thee omringt – het kopje, de onderzetter, de lucht waarnaar de stoom verdampt, de hand die je aan het kopje opwarmt. In feite kan het bij scheikundige reacties veel moeilijker zijn dan je zou verwachten om na te gaan waar het systeem eindigt en de omgeving begint.

Een compleet thermodynamisch systeem

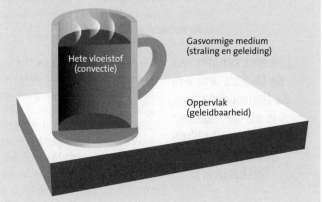

Verdampen van vloeistof

Gasvormige medium (straling en geleiding)

Hete vloeistof (convectie)

Oppervlak (geleidbaarheid)

1877

Ludwig Boltzmann beschrijft entropie als een maat voor wanorde

1912

De derde wet van de thermodynamica wordt opgesteld door Walther Nernst

1949

William Francis Giauque wint de Nobelprijs voor vorderingen in de chemische thermodynamica

1964

Komisch duo Flanders en Swann brengt het jazzy lied *First and Second Law* uit

Het is belangrijk om te onthouden dat ongeacht hoeveel energie wordt overgedragen tussen materialen die deel uitmaken van de reactie en de omgeving, de totale hoeveelheid energie altijd hetzelfde blijft. Anders zou het principe van behoud van energie – de eerste wet van de thermodynamica – niet werken.

DE TWEEDE WET VERNIETIGT HET COMPLETE HEELAL

Om grip te krijgen op de tweede wet van de thermodynamica is wat lastiger, maar die kan vrijwel alles verklaren. Die wet is gebruikt om de oerknal te verklaren en voorspelt het einde van het heelal en – samen met de eerste wet – zegt die ons waarom pogingen om een perpetuum mobile te maken gedoemd zijn tot falen. Het helpt ons ook te begrijpen waarom thee afkoelt in plaats van heter wordt.

Het lastige met de tweede wet is dat die draait om een ingewikkeld concept dat entropie wordt genoemd. Entropie wordt vaak beschreven als een maat voor wanorde – hoe minder georganiseerd iets is, des te hoger is de entropie ervan. Neem bijvoorbeeld een zak pretzels. Als alle pretzels zich keurig in de verpakking bevinden, is hun entropie nogal laag. Open je de verpakking met iets te veel enthousiasme, dan verspreiden zich de pretzels in alle richtingen. Hun entropie is veel groter geworden. Hetzelfde geldt als je de stop van een kolfje met het stinkende methaangas opent – in dat geval zal je neus de toenemende wanorde kunnen waarnemen.

> **Het niet kennen van de tweede wet van de thermodynamica is als het nimmer gelezen hebben van een werk van Shakespeare.**
>
> C.P. Snow

De tweede wet van de thermodynamica stelt dat de entropie altijd toeneemt, of in ieder geval nooit afneemt. Met andere woorden: zaken hebben de neiging om meer wanorde te krijgen. Dat geldt voor alles inclusief het heelal zelf, dat uiteindelijk zal vervallen tot complete wanorde en zal sterven. Het idee achter deze alleszins vreesaanjagende voorspelling is dat in wezen er veel meer manieren zijn om pretzels rond te strooien dan er manieren zijn waarop ze in de verpakking blijven (zie Entropie, pagina 43). De tweede wet wordt soms beschreven in termen van warmte, door te zeggen dat warmte altijd stroomt van hete naar koude plekken. Daarom zal je thee altijd warmte aan de omgeving afstaan en koud worden.

Vanuit het gezichtspunt van een scheikundige echter is de tweede wet belangrijk voor het bepalen wat er gebeurt bij chemische processen en reacties. Een reactie is thermodynamisch alleen maar haalbaar, of met andere woorden kan alleen maar 'verlopen' in een bepaalde richting, als de totale entropie toeneemt. Om dat uit te zoeken, moet de scheikundige niet alleen stilstaan bij de entropieverandering in het 'systeem', dat vaak veel ingewikkelder blijkt dan een zak pretzels of een kop thee, maar ook bij de entropieverandering in de omgeving (zie Systeem en omgeving, pagina 41). Zolang de tweede wet niet wordt geschonden, kan de reactie plaatsvinden. Als dat niet gebeurt, moet de scheikundige uitzoeken hoe hij dat alsnog voor elkaar krijgt.

WIE IS ER BANG VOOR DE DERDE WET?

De derde wet van de thermodynamica is minder bekend dan de andere twee. In wezen zegt die dat als de temperatuur van een perfect kristal – en het moet perfect zijn – daalt tot absoluut nul, de entropie ook nul moet zijn. Dat verklaart misschien waarom de derde wet van de thermodynamica vaak wordt vergeten. Hij lijkt een beetje te abstract en naar men aanneemt is die wet alleen nuttig voor mensen die stoffen kunnen afkoelen tot absoluut nul (–273 °C) en die werken met kristallen – en dan bovendien nog perfecte en ideale kristallen!

Entropie

Wat entropie in feite meet, is in hoeveel verschillende toestanden een systeem kan verkeren, gegeven enkele sleutelparameters. We kunnen weten hoe groot de zak met pretzels is en zelfs hoeveel pretzels zich daarin bevinden. Als we de zak schudden, weten we echter niet waar elke pretzel zal zijn als we de zak openen. Entropie vertelt ons hoeveel verschillende manieren er zijn pretzels te rangschikken. Hoe groter de zak, des te meer manieren er zijn om de pretzels te rangschikken. In chemische reacties, met moleculen in plaats van pretzels, zijn er zelfs meer parameters om rekening mee te houden, zoals temperatuur en druk.

Het idee in een notendop
Energieverandering

11 Zuren

Hoe kan het dat je azijn in een glazen fles kunt bewaren, over de sla kunt gieten en kunt opeten, terwijl fluorantimoonzuur de fles zou opeten. Het draait uiteindelijk om een minuscuul klein atoom dat voorkomt in elk zuur, van het zoutzuur in je maag tot de sterkste superzuren ter wereld.

Humphry Davy was een leerling van een eenvoudige chirurgijn. Hij werd beroemd doordat hij welgestelde mensen aanspoorde tot het inademen van lachgas. Davy was geboren in Penzance, Cornwall, en had een passie voor literatuur. Tot zijn vrienden behoorden enkele van de beroemdste romantische dichters uit het westen van Engeland – Robert Southey en Samuel Taylor Coleridge – maar hij maakte carrière in de scheikunde. Hij aanvaardde een chemische baan in Bristol bij het Pneumatic Institution en publiceerde enkele artikelen. Die leidden ertoe dat hij lezingen ging houden, en uiteindelijk werd hij aangesteld als hoogleraar scheikunde aan het Royal Institution in Londen.

Negentiende-eeuwse cartoons laten zien hoe Davy bij zijn lezingen het publiek vermaakt met blaasbalgen vol met distikstofmonoxide – lachgas – hoewel hij bedacht dat het therapeutische gas kon worden gebruikt als verdoving. Naast zijn populaire lezingen voerde Davy pionierswerk in de elektrochemie uit (zie pagina 92). Hoewel hij niet de eerste was die besefte dat elektriciteit verbindingen kon opsplitsen in de atomen waaruit die bestaan, maakte hij goed gebruik van de techniek en ontdekte hij de elementen kalium en natrium. Hij toetste ook een theorie die was opgesteld door een van de grote scheikundigen, Antoine Lavoisier.

TIJDLIJN

1778	1810	1838
De zuurstoftheorie van zuren van Antoine-Laurent Lavoisier	Humphry Davy toont aan dat de zuurstoftheorie niet opgaat	Justus von Liebigs waterstof theorie van zuren

Lavoisier was enkele jaren eerder aan zijn einde gekomen – onder de guillotine – tijdens de Franse Revolutie. Hoewel men zich hem herinnert vanwege zijn vele verlichtende inzichten, zoals zijn idee dat water bestaat uit zuurstof en waterstof, had hij in ieder geval één ding fout. Hij stelde dat vanwege zuurstof, het element dat hij zelf een naam had gegeven, zuren zuur waren. Davy wist dat het anders zat. Met elektrolyse splitste hij zoutzuur in zijn elementen en hij ontdekte dat het alleen maar waterstof en chloor bevatte. Het zuur bevatte geen zuurstof. Zoutzuur bevindt zich in elk chemisch laboratorium in een fles in het chemicaliënrek en het is het zuur in je maag dat helpt bij het verteren van voedsel.

Molen

Scheikundigen hebben een vreemd concept van hoeveelheid. Vaak willen ze, in plaats van iets te wegen, precies weten hoeveel deeltjes er zijn. Ze noemen een bepaald aantal deeltjes – gelijk aan het aantal deeltjes in twaalf gram doodgewone koolstof – een mol. Als op het etiket van een fles zuur 1 M staat (één molair), houdt dat in dat per liter $6,02 \times 10^{23}$ zuurmoleculen zijn. Gelukkig hoef je dat niet te tellen. Stoffen krijgen een 'molaire massa' toegewezen – de massa die overeenkomt met een mol.

WATERSTOF, NIET ZUURSTOF

In 1810 concludeerde Davy dat het niet zuurstof kon zijn dat een zuur definieerde. Het duurde nog een eeuw voor de eerste werkelijk moderne zuurtheorie ontstond, dankzij de Zweedse scheikundige Svante Arrhenius, die uiteindelijk de Nobelprijs zou winnen. Arrhenius stelde voor dat zuren stoffen waren waaruit bij oplossen in water waterstof vrijkwam, in de vorm van positief geladen waterstofionen (H^+). Hij zei ook dat alkalische stoffen (zie Basen, pagina 46) oplosten in water en daarbij hydroxide-ionen (OH^-) afgeven. Hoewel de basendefinitie van Arrhenius later werd herzien, vormt zijn centrale aanname – dat zuren waterstofdonoren zijn – de basis van ons begrip van zuren.

ZWAKKE EN STERKE ZUREN

Tegenwoordig zien we zuren als protondonoren en basen als protonacceptoren. (Let wel, in deze context is een proton een waterstofatoom dat is ontdaan van zijn elektron zodat het een ion vormt, zodat de theorie eenvoudigweg stelt dat zuren waterstofionen doneren en basen die accepteren). De sterkte van een

'**Ik zal scheikunde aanvallen, als een haai...**'

Dichter Samuel Taylor Coleridge, vriend van Humphry Davy

1903

Svante Arrhenius wint de Nobelprijs voor zijn werk aan zuurchemie

1923

Johannes Brønsted en Thomas Lowry stellen onafhankelijk van elkaar op waterstof gebaseerde zuurtheorieën voor

1923

Zuurdefinitie van Gilbert Lewis

Basen

Op de pH-schaal is een base een stof met een pH hoger dan 7 – het midden van de schaal, die doorgaans loopt van 0 tot 14 (hoewel er zelfs negatieve pH's en grotere dan 14 voorkomen). Een base opgelost in water noemt men alkalisch. Alkalische stoffen zijn bijvoorbeeld ammoniak en bakpoeder. Bij een onderzoek in 2009 ontdekten Zweedse onderzoekers dat alkalische stoffen, evenals zure zoals vruchtensappen, je tanden kunnen beschadigen. Dat maakt de klassieke logica van het poetsen met bakpoeder om zuren te neutraliseren achterhaald. Omdat de pH-schaal logaritmisch werkt, betekent een toename met de waarde één dat een verbinding tienmaal basischer is en omgekeerd. Een base met pH 14 is tienmaal basischer dan een base met pH 13, en een zuur met pH 1 is tienmaal zuurder dan een met pH 2.

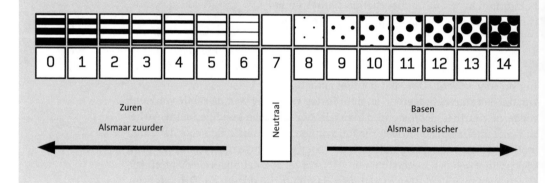

zuur is een maat voor hoe goed het protonen kan doneren. Azijn, of ethaanzuur (CH_3COOH), dat je over de sla giet, is nogal zwak omdat op enig moment aan veel van de moleculen nog steeds protonen zijn gebonden. De protonen splitsen continu van de hoofdmoleculen af en verbinden zich er dan weer mee, zodat er sprake is van een evenwichtsmengsel (zie pagina 36).

Davy's zoutzuur (HCl) is daarentegen zeer goed in het doneren van protonen. Al het zoutzuur dat in water wordt opgelost splitst zich in waterstof- en chloorionen. Met andere woorden: het ioniseert volledig.

De sterkte van een zuur is iets anders dan de concentratie. Met precies hetzelfde aantal zuurmoleculen opgelost in dezelfde hoeveelheid water zal een sterker zuur zoals zoutzuur meer protonen afgeven dan een zwakker zuur, en de protonconcentratie zal dus hoger zijn. Het is echter mogelijk om zoutzuur met voldoende water te verdunnen om het minder zuur dan azijn te maken. Scheikundigen meten de concentratie van zuren met behulp van de pH-schaal (zie Basen). Het is verwarrend, maar een lagere pH betekent een hogere concentratie aan waterstofionen – een meer geconcentreerd zuur wordt als meer zuur gezien en heeft een lagere pH-waarde.

SUPERZUREN

Zuren zijn boeiend omdat, zoals iedereen weet, je er van alles in kunt oplossen, zoals bureaus, groenten en, een populair voorbeeld uit de culttelevisieserie *Breaking Bad*, een compleet lichaam in de badkuip. In feite zal fluorwaterstofzuur (HF) niet direct een gat in de badkamervloer branden of een lichaam in een brei veranderen zoals in de televisieserie, maar het doet zeker pijn als je het op je hand giet.

Als je een werkelijk akelig zuur wil hebben, kun je dat maken door fluorwaterstofzuur te laten reageren met een stof genaamd antimoonpentafluoride. Het daarbij gevormde fluorantimoonzuur is zo zuur dat het voorbij de onderzijde van de pH-schaal thuishoort. Het is zo heftig corrosief dat het moet worden bewaard in teflon – een keihard materiaal dankzij het feit dat het enkele van de sterkste bindingen (koolstoffluorbindingen) in de scheikunde bevat. Dat zuur wordt 'superzuur' genoemd.

Sommige zuren vreten door glas heen. Vreemd genoeg kunnen carboranen, waarvan sommige tot de sterkste bekende zuren behoren, vrij veilig in een gewone glazen fles worden bewaard. Dat komt omdat het niet dat bestanddeel is dat Arrhenius beschouwde als zuur – het waterstofion – dat bepaalt of een zuur corrosief is. Het is de andere component. Het is het restant fluor in waterstoffluorzuur dat glas aantast. In carboraansuperzuren, die sterkere zuren zijn, is het restbestanddeel stabiel en reageert dat niet.

Het idee in een notendop
Waterstof vrijlaten

12 Katalysatoren

Sommige reacties verlopen niet zonder een beetje ondersteuning. Er is een duwtje nodig. Bepaalde elementen en verbindingen die kunnen assisteren en dat duwtje kunnen leveren, worden katalysatoren genoemd. In de industrie zijn het vaak metalen die als katalysatoren reacties aandrijven. In onze lichamen zijn er ook kleine hoeveelheden metalen, gebonden in moleculen die we enzymen noemen, die biologische processen versnellen.

In februari 2011 bezocht een 73-jarige vrouw artsen in het Prince Charles Hospital in Brisbane. Ze leed aan artritis en klaagde over geheugenverlies, duizeligheid, misselijkheid, hoofdpijn, depressie en anorexia. Geen van die symptomen leek enig verband te hebben met de artritis, of met de kunstheup die vijf jaar eerder haar slechte heup had vervangen. Na het uitvoeren van enkele onderzoeken merkten de artsen dat de kobaltniveaus bij de vrouw te hoog waren. Het bleek dat uit het metalen gewricht van haar nieuwe heup kobalt weglekte, en dat zorgde voor de neurologische symptomen. Kobalt is een giftig metaal. Bij contact met de huid zorgt het voor uitslag, en bij inademing voor ademhalingsproblemen. Bij hoge doses kan het allerlei problemen veroorzaken. We hebben echter kobalt nodig om te leven. Net zoals andere overgangsmetalen (zie pagina 8), zoals koper en zink, is kobalt van wezenlijk belang voor de werking van enzymen in het lichaam. De allerbelangrijkste rol is die in vitamine B12, de vitamine die voorkomt in vlees en vis en aan ontbijtgranen wordt toegevoegd. Deze vitamine werkt, in wezen, als een katalysator.

EEN HANDJE HELPEN

Wat is een 'katalysator'? Dat klinkt waarschijnlijk bekend in de oren vanwege

TIJDLIJN

1912	1964
Paul Sabatier ontvangt de Nobelprijs voor scheikunde voor zijn werk aan metaalkatalyse	De Nobelprijs voor scheikunde gaat naar Dorothy Hodgkin voor de eerste opheldering van een metallo-enzymstructuur

de driewegkatalysatoren in auto's (zie Katalytische omzetters, onder) of uit-
drukkingen zoals 'een katalysator voor innovatie'. Mogelijk weet je dat het zoiets betekent als iets starten. Om te begrijpen wat een chemische katalysator
of een biologisch enzym (zie pagina 132) werkelijk doet, moet je het zien als een
hulpdeeltje. Als je echt het plafond moet schilderen maar dat al te veel inspanning lijkt te vergen, kun je een beroep doen op de welwillendheid en doe-het-
zelfvaardigheden van een goede vriend of huisgenoot om het proces in gang te
zetten. Je stuurt die op weg om de juiste soort verf en een verfroller te kopen,

Katalytische omzetters

De driewegkatalysator in een auto is het onderdeel dat de meest schadelijke
verontreinigingen uit uitlaatgassen verwijdert, of ze in ieder geval omzet in minder
schadelijke verontreinigingen. Hij helpt stikstofoxiden om te zetten in stikstof en water.
Palladium is vaak de katalysator die helpt bij de omzetting van koolstofmonoxide in
koolstofdioxide. We krijgen dan misschien wel koolstofdioxide-uitstoot, maar in ieder
geval geen koolstofmonoxide, en die verbinding is veel gevaarlijker voor mensen. In
een driewegkatalysator zijn de uitgangsstoffen gassen, en daarom zegt men dat
de vaste rhodiumkatalysator zich in een andere fase (zie pagina 32) bevindt dan de
uitgangsstoffen. Dat type katalysatoren duidt men aan als heterogene katalysatoren.
Als een katalysator zich in dezelfde fase bevindt als de uitgangsstoffen, wordt ernaar
verwezen als een homogene katalysator.

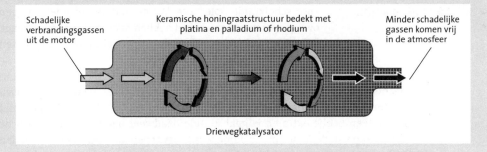

Schadelijke verbrandingsgassen uit de motor

Keramische honingraatstructuur bedekt met platina en palladium of rhodium

Minder schadelijke gassen komen vrij in de atmosfeer

Driewegkatalysator

1975
Eerste driewegkatalysatoren
worden in auto's geïn-
stalleerd

1990
Richard Schrock ontwikkelt
efficiënte metaalkatalysatoren
voor metathesereacties

2001
Pilkington introduceert het
eerste zelfreinigende glas
gebaseerd op fotokatalyse

terwijl je probeert de energie te verzamelen om het allemaal voor elkaar te krijgen. Het lijkt een beetje gemakkelijker als iemand je een helpende hand biedt.

Zoiets gebeurt ook bij sommige chemische reacties. Ze komen gewoon niet op gang zonder een beetje hulp maar een katalysator maakt, net als de huisgenoot die een helpende hand biedt met het verven, dat het flink wat minder moeite lijkt te kosten. In feite verlaagt een katalysator werkelijk de hoeveelheid energie die nodig is om een reactie op gang te brengen. Hij vormt een nieuwe route voor de reactie waarin de uitgangsstoffen niet zo'n hoge energiebarrière hoeven te nemen. Als een bonus wordt de katalysator bij de reactie niet verbruikt, zodat die keer op keer opnieuw kan helpen.

SLECHTS EEN BEETJE

In het lichaam worden vaak overgangsmetalen door vitaminen gebruikt vanwege hun katalytische eigenschappen. B12 was lange tijd een mysterieuze factor verkregen door het eten van lever – 'de leverfactor' – die honden en mensen met bloedarmoede kon genezen. Dankzij kobalt katalyseert de vitamine een aantal verschillende reacties die van belang zijn voor de stofwisseling en de aanmaak van rode bloedcellen. De complexe structuur ervan was de eerste van de metallo-enzymen die werd opgehelderd met röntgenkristallografie (zie pagina 88) na een reeks moeizame analyses die Dorothy Crowfood Hodgkin in 1964 de Nobelprijs voor scheikunde opleverde. Tot de andere enzymen die een overgangsmetaal aan boord hebben dat een steentje bijdraagt, behoort cytochroomoxidase, dat koper gebruikt om in planten en dieren energie uit voedsel te halen.

> **Nikkel leek... een opmerkelijke eigenschap te hebben om etheen te hydrogeneren zonder... zichtbaar te veranderen, dat is door het functioneren als een katalysator.**
>
> Paul Sabatier, Nobelprijs voor scheikunde, 1912

Slechts een minuscule hoeveelheid kobalt is nodig om de paar milligram vitamine B12 in je lichaam te laten werken. (Dat komt omdat het hergebruikt wordt). Een beetje extra en je gaat je inderdaad zeer beroerd voelen. Toen de kunstheup van de Australische dame werd vervangen door een met onderdelen van polyetheen en keramiek, voelde ze zich na een paar weken al een stuk beter.

HARD EN SNEL

Overgangsmetalen zijn niet alleen goede katalysatoren voor biologische reacties. Ze vormen goede katalysatoren, punt uit. Nikkel, een zilverachtig metaal dat wordt toegepast bij de vervaardiging van munten en hoogwaardige motoronderdelen, kan ook reacties laten verlopen die vetten zoals margarine hard maken. Die hydrogeneringreacties voegen waterstofatomen toe aan koolstofhoudende moleculen waarbij 'onverzadigde' moleculen (moleculen met extra elektronenparen) veranderen in verzadigde. Aan het begin van de twintigste eeuw besefte de Franse scheikundige Paul Sabatier dat nikkel, kobalt, ijzer en koper alle konden helpen bij het hydrogeneren van het onverzadigde acetyleen (ethyn, C_2H_2) naar ethaan (C_2H_6). Hij begon met nikkel, de meest effectieve van het rijtje, om allerlei koolstofhoudende verbindingen te hydrogeneren. Later, in 1912, won hij de Nobelprijs voor scheikunde voor zijn werk aan hydrogeneren 'in de aanwezigheid van fijn verdeelde metalen'. Tegen die tijd had de voedingsmiddelenindustrie nikkel omarmd als katalysator die vloeibare plantaardige olie omzette in verharde margarine. Crisco, een plantaardig bak- en braadvet, was het eerste product met daarin het door mensen vervaardigde vet.

Fotokatalyse

Fotokatalyse verwijst naar chemische reacties die worden gestimuleerd door licht. Het idee is toegepast in zelfreinigende ruiten die verontreiniging afbreken als de zon erop schijnt. Een typische toepassing in het ruimtevaarttijdperk zijn de fotokatalytische gaswassers van de NASA. Astronauten die in de ruimte planten verbouwen, kunnen daarmee de verbinding etheen afbreken, zodat die geen plantenrot veroorzaakt.

Het probleem met het nikkelproces is dat de katalysator ook transvetten laat ontstaan – deels gehydrogeneerde bijproducten die de schuld krijgen van gezondheidsproblemen zoals een hoog cholesterolgehalte en hartaanvallen. Begin eenentwintigste eeuw pakten overheden het probleem op en ze beperkten de hoeveelheid transvetten die in voedsel mag zitten. Het huidige bak- en braadvet van Crisco bevat geen transvetten.

Niet alle katalysatoren zijn overgangsmetalen – veel verschillende elementen en verbindingen kunnen reacties versnellen. In 2005 werd de Nobelprijs voor scheikunde toegekend voor een andere verzameling van reacties die door metaalkatalysatoren worden gestimuleerd, de zogenoemde metatheseracties die van belang zijn bij het maken van geneesmiddelen en kunststoffen. Kobalt wordt nu in geavanceerde chemische toepassingen gebruikt om waterstof uit water te halen (zie pagina 200) zodat het kan worden gebruikt als schone brandstof.

Het idee in een notendop
Herbruikbare reactieversnellers

13 Redoxreacties

Veel doodgewone reacties verlopen dankzij het doorschuiven van elektronen van het ene naar het andere molecuul. Roesten en fotosynthese in groene planten zijn voorbeelden van dergelijke reacties. Waarom noemen we ze redoxreacties?

Hoewel de term redox klinkt als de titel van een actiefilm verwijst die naar een soort reactie, een type dat fundamenteel is in de scheikunde en in veel chemische processen die in de natuur plaatsvinden, zoals de fotosynthese in planten (zie pagina 148) en de vertering van voedsel in je darmen. Het is een proces waarbij vaak zuurstof betrokken is, en dat verklaart wellicht het 'ox'-deel in redox. Om werkelijk te begrijpen waarom we het hebben over redoxreacties, moeten we bij reacties denken aan wat er daarbij gebeurt met de elektronen.

Veel van wat er gebeurt bij chemische reacties kunnen we toeschrijven aan waar de elektronen uithangen, de negatief geladen deeltjes die wolken rond een atoomkern vormen. We weten al dat elektronen atomen kunnen verbinden. Ze kunnen worden gedeeld in de bindingen die chemische verbindingen creëren (zie pagina 20). Als ze opgenomen of verloren worden, verstoren ze de ladingsbalans, wat leidt tot positief of negatief geladen deeltjes, die we ionen noemen.

WINST EN VERLIES

Scheikundigen gebruiken speciale aanduidingen voor het verliezen of opnemen van elektronen. Als een atoom of molecuul elektronen verliest, noemen ze dat oxideren, terwijl als een atoom of molecuul elektronen opneemt ze het hebben over reduceren. Er zijn meer manieren om dat te onthouden. Je kunt zeggen

TIJDLIJN

3 miljard jaar geleden	**17e eeuw**	**1799**
Fotosynthese begint met cyaanbacteriën	Omschrijving met reductie van de omzetting van cinnaber (kwiksulfide) naar kwik	Antoine-Laurent Lavoisier noemt het bestanddeel van lucht dat met metaal reagee oxygène, of zuurstof

Oxidatietoestanden

We kunnen gemakkelijk zeggen dat redoxreacties draaien om de overdracht van elektronen, maar hoe kunnen we nagaan waar de elektronen naartoe gaan, en hoeveel? Dat vereist enige kennis van oxidatietoestanden. Oxidatietoestanden zeggen ons welk aantal elektronen een atoom kan opnemen of afstaan als het met een ander atoom een koppel vormt. Laten we beginnen met ionische verbindingen – bij ionen draait het allemaal om de lading. De oxidatietoestand van een ijzerion (Fe^{2+}), dat vanwege oxidatie twee elektronen mist, is +2. We weten dus dat het op zoek is naar twee andere elektronen. Simpel, nietwaar? Dat gaat op voor elk ion. In keukenzout (NaCl) is de oxidatietoestand van Na^+ +1 en van Cl^- –1. Hoe zit het dan bij een covalent gebonden verbinding, zoals water? Bij water is het alsof het zuurstofatoom twee elektronen steelt van twee afzonderlijke

waterstofatomen om daarmee de buitenste schil te vullen, zodat we de oxidatietoestand ervan kunnen beschouwen als –2. Bij veel overgangsmetalen, zoals ijzer, verschilt de oxidatietoestand naar gelang de verschillende verbindingen. Vaak kun je nagaan waar de elektronen naartoe gaan als je de 'normale' oxidatietoestand van een atoom weet. Dat wordt vaak (maar niet altijd) gedefinieerd door de positie in het periodiek systeem.

Gangbare oxidatietoestand:

IJzer(III), aluminium	+3
IJzer(II), calcium	+2
Waterstof, natrium, kalium	+1
Afzonderlijke atomen (ongeladen)	0
Fluor, chloor	–1
Zuurstof, zwavel	–2
Stikstof	–3

dat reductie negatief is (meer negatieve elektronen) en dan is oxidatie positief (minder negatieve elektronen). Een ander ezelsbruggetje: de eerste klinker in reductie en negatief is een e, terwijl de eerste klinker in oxidatie en positief een o is.

Waarom noemen we het verlies van elektronen oxidatie? Oxidatie is toch zeker een reactie waarbij zuurstof betrokken is? Tja, soms geldt dat, en dat maakt oxidatie een beetje een verwarrende aanduiding. Roesten is bijvoorbeeld een

1880 Uitvinding van de batterij

1897 Ontdekking van elektronen door Joseph John Thomson

20ᵉ eeuw De term 'redox' wordt gebruikt om reductie-oxidatie-reacties te beschrijven

2005 Oprichting van de Mega Rust-conferentie

reactie tussen ijzer, zuurstof en water. Dat is dus een oxidatiereactie waarbij zuurstof betrokken is. Het levert echter ook een voorbeeld van een ander soort oxidatie. Tijdens de roestreactie verliezen ijzeratomen elektronen en ontstaan er positief geladen ijzerionen. Op de volgende manier laten scheikundigen zien wat er met ijzer (Fe) bij deze reactie gebeurt:

$$Fe \rightarrow Fe^{2+} + 2e^-$$

'2e$^-$' stelt de twee negatief geladen elektronen voor die vrijkomen als het ijzeratoom wordt geoxideerd.

> **Mariniers zouden veel meer andere dingen moeten doen dan roest bestrijden.**
> Matthew Koch, programmamanager voor corrosiepreventie en -beheersing, US Marine Corps

Deze twee verschillende betekenissen van oxidatie zijn in feite verwant – de term oxidatie is uitgebreid zodat die ook op reacties zonder zuurstof kan slaan. Zoals hiervoor beschrijven scheikundigen een ijzerion met het aantal elektronen dat het is kwijtgeraakt vergeleken met de ongeladen toestand. Het verliezen van twee elektronen geeft het een positieve lading, 2$^+$, omdat het aantal positief geladen protonen in de atoomkern twee groter is dan het aantal negatief geladen elektronen daaromheen.

TWEE HALVE REACTIES

Wat gebeurt er met de elektronen? Ze kunnen niet zomaar verdwijnen. Om te begrijpen waar die belanden, moeten we ook rekening houden met wat er gebeurt met zuurstof tijdens het roestproces. Op het moment dat ijzer elektronen verliest, verkrijgt zuurstof elektronen (het wordt gereduceerd) en paart het met waterstof om hydroxide-ionen (OH$^-$) te vormen.

$$O_2 + 2H_2O + 4e^- \rightarrow 4OH^-$$

Er treden gelijktijdig een oxidatiereactie en een reductiereactie op en die kunnen worden gecombineerd, als volgt:

$$2FeO_2 + 2H_2O \rightarrow 2Fe^{2+} + 4OH^-$$

Als reductie en oxidatie gelijktijdig plaatsvinden, noemen we het redox! De twee helften van de reactie worden zeer toepasselijk halfreacties genoemd.

Misschien vraag je je af waarom we nog geen roest (ijzeroxide) hebben. Dat komt omdat het ijzerion en de hydroxide-ionen nog met elkaar moeten reageren zodat ze ijzerhydroxide (Fe(OH)$_2$) vormen, dat daarna met water en meer

Oxiderende en reducerende middelen

Bij een chemische reactie wordt een molecuul dat elektronen van een ander molecuul weghaalt een oxidatiemiddel genoemd. Het zorgt voor elektronenverlies. Dan ligt het voor de hand dat een reductiemiddel een molecuul is dat elektronen doneert – het zorgt voor reductie of toename van elektronen. Bleekmiddel, natriumhypochloriet (NaOCl), is een echt sterk oxidatiemiddel. Het verbleekt textiel doordat het elektronen weghaalt uit kleurstofverbindingen, zodat hun structuur verandert en daarmee hun kleur verloren gaat.

zuurstof reageert tot een gehydrateerd ijzeroxide ($Fe_2O_3 \cdot nH_2O$). De redoxreactie in het hier voorafgaande is slechts een deel van een groter roestproces dat uit meerdere stappen bestaat.

WAT NU?

Begrijpen hoe roesten werkt, is in feite nogal belangrijk, want het kost bijvoorbeeld de scheepvaart- en de luchtvaartindustrie miljarden euro's per jaar. De Amerikaanse vereniging van scheepsbouwingenieurs heeft een jaarlijkse bijeenkomst genaamd 'Mega Rust' waarbij onderzoekers die werken aan corrosiepreventie bijeenkomen.

Een nuttiger voorbeeld van een redoxreactie is wat er gebeurt bij het Haber-Boschproces (zie pagina 68), dat van belang is bij de productie van kunstmest, of in een eenvoudige batterij. Als je bedenkt dat de elektrische stroom van een batterij gelijk is aan een stroom elektronen, dan kun je je afvragen waar al die elektronen vandaan komen. In een batterij stromen ze van de ene halfcel naar de andere – elke halfcel vormt de ideale omgeving voor een halfreactie, waarbij in de ene halfcel elektronen vrijkomen door oxidatie en in de andere halfcel ze via reductie worden opgenomen. Midden in de stroom elektronen bevindt zich het een of andere apparaat dat je van stroom wil voorzien.

Het idee in een notendop
Elektronen geven en ontvangen

14 Fermentatie

Van wijn uit de Steentijd tot ingelegde kool, en van oerbier tot IJslandse haaienvleesdelicatessen – de geschiedenis van fermentatie is verknoopt met de geschiedenis van de menselijke voedsel- en drankproductie. Uit ontdekkingen door archeologen blijkt dat we fermentatiereacties uitgevoerd door micro-organismen al lange tijd gebruikten voordat we ook maar wisten dat er micro-organismen bestaan.

In 2000 reisde Patrick McGovern, een scheikundige die nu als moleculair-archeoloog werkt aan de universiteit van Pennsylvania, naar China om daar 9000 jaar oud aardewerk uit de Steentijd te bestuderen. Hij was niet zozeer geïnteresseerd in de potten en de kruiken, maar in de restanten die eraan kleefden. In de jaren daarop onderwierp hij met Amerikaanse, Chinese en Duitse collega's aardewerkscherven van zestien verschillende drinkbekers en potten gevonden in de provincie Henan aan uiteenlopende chemische testen. Toen ze klaar waren, publiceerden ze in een vooraanstaand wetenschappelijk tijdschrift hun resultaten, samen met hun bevindingen bij geurige vloeistoffen die drieduizend jaar verzegeld waren bewaard in twee afzonderlijke graven, in respectievelijk een bronzen theepot en in een met een deksel afgesloten pot.

De aangekoekte resten leverden bewijs voor de vroegst bekende gefermenteerde drank, gemaakt van rijst, honing en vruchten van de meidoorn of wilde druiven. Er waren overeenkomsten tussen de chemische vingerafdrukken van de ingrediënten en die in moderne rijstwijn. De onderzoekers beschreven de vloeistoffen als een soort gefiltreerde rijst- of gierstwijn, waarbij mogelijk de fermentatie op gang is gebracht met schimmels die suikers in het graan hadden

TIJDLIJN

7000-5500 v.Chr.	1835	1857
De eerste Chinese gefermenteerde dranken	Charles Cagniard de la Tour ziet gist-knoppen in alcohol	Louis Pasteur bevestigt dat levend gist nodig is voor de vorming van alcohol

afgebroken. Later heeft McGovern ook beweerd dat de Oude Egyptenaren al 18.000 jaar geleden bier hebben gebrouwd.

LEVEND BEWIJS

Brouwen is zeker een oude traditie, maar de opkomst van de moderne wetenschap heeft pas kunnen onthullen hoe dat in zijn werk gaat. In het midden van de negentiende eeuw formuleerde een kleine groep wetenschappers de kiemtheorie van ziekte – dat ziekten worden veroorzaakt door eencellige organismen. Net zoals veel mensen niet geloofden dat levende organismen ziekten konden veroorzaken, geloofden ze ook niet dat levende organismen iets van doen hadden met het fermentatieproces waarbij alcohol ontstaat. Hoewel gisten al vele jaren waren gebruikt voor brouwen en bakken, en zelfs in verband waren gebracht met reacties waarbij alcohol ontstond, werden ze als niet-levende ingrediënten beschouwd in plaats van als levende organismen. Louis Pasteur, de wetenschapper die het hondsdolheidvaccin had ontdekt en wiens naam was verbonden aan het pasteurisatieproces, volhardde echter in zijn onderzoek aan wijn en ziekte.

Dankzij de uitvinding van betere microscopen veranderde de visie op de aard van gist langzaamaan. Uiteindelijk beschreef Pasteur in 1857 nauwgezet in een artikel, *Memoire sur la fermentation alcoolique*, zijn experimenten met gist en fermentatie. Hij stelde duidelijk vast dat om bij fermentatie alcohol te vormen de gistcellen moeten leven en zich moeten vermenigvuldigen. Vijftig jaar later won Eduard Buchner de Nobelprijs voor scheikunde voor zijn ontdekking van de rol van enzymen (zie pagina 132) in cellen, na oorspronkelijk werk aan de enzymen die de drankvormende reacties in gist aanwakkeren.

BUBBELS EN BAKSELS

De reactie die we nu toekennen aan fermentatie luidt:

$$\text{Suiker} \rightarrow \text{(gist)} \rightarrow \text{ethanol} + \text{koolstofdioxide}$$

De suiker is voedingsstof voor de gist en de gistenzymen werken als natuurlijke

> **[Het] ferment gevoegd bij drank om het te laten werken; en aan brood om het lichter te maken en te laten opzwellen.**
> Definitie van gist uit 1755

1907

Eduard Buchner wint de Nobelprijs voor werk geïnspireerd door fermentatie-enzymen uit gist

2004

Publicatie van bewijs voor 9000 jaar oude drank

katalysatoren (zie pagina 48) die de omzetting van suiker uit vruchten en granen naar ethanol – een soort alcohol (zie Dodelijke dranken) – en koolstofdioxide bevorderen. Dezelfde gistsoort (*Saccharomyces cerevisiae*) maar een andere stam wordt gebruikt bij brouwen. Elk zakje gist dat de brouwer toevoegt, bevat miljarden gistcellen, maar er bestaan ook wilde gistsoorten die groeien op granen en vruchten, inclusief de appelschillen bij het maken van cider. Sommige brouwers proberen deze wilde stammen te cultiveren, terwijl andere ze vermijden omdat ze ongewenste smaken kunnen opleveren. Zowel bij brouwen als bij bakken ontstaat er alcohol, maar tijdens het bakken verdampt de alcohol.

Het is het bijproduct koolstofdioxide dat brood zijn luchtige structuur geeft – de belletjes worden gevangen in het deeg. Belletjes zijn natuurlijk ook de sleutel tot een goed glas champagne. Als wijnboeren sprankelende wijn maken, laten ze de meeste belletjes ontsnappen, maar tegen het eind van het fermentatieproces verzegelen ze de flessen, waardoor de belletjes zijn gevangen en een druk opbouwen die later zorgt voor het ploppen van de kurk. Het koolstofdioxidegas dat is gevangen in een champagnefles lost in feite in de vloeistof op en vormt dan koolzuur. Het is pas tijdens het bruisen dat het weer verandert in koolstofdioxide.

Dodelijke dranken

Chemisch gezien is alcohol een molecuul dat een OH-groep bevat. Ethanol (C_2H_5OH) wordt vaak als een synoniem van zuivere alcohol gezien, maar er bestaan tal van andere alcoholen. De allereenvoudigste is methanol (CH_3OH), met slechts een enkel koolstofatoom. Dat staat ook bekend als houtalcohol of houtgeest, omdat het kan ontstaan bij verhitting van hout in afwezigheid van lucht. Methanol is in feite veel giftiger dan ethanol en zorgt wel eens voor sterfgevallen als het per ongeluk met alcoholische dranken wordt ingenomen. Het is niet gemakkelijk voor iemand om het waar te nemen, maar het wordt doorgaans in slechts zeer kleine hoeveelheden gevormd bij commerciële brouwprocessen. Thuis bierbrouwen en het kopen van illegaal gestookte alcohol is wat dat betreft veel gevaarlijker. De chemische verbinding is dodelijk omdat het in het lichaam wordt omgezet in methaanzuur – of mierenzuur – een verbinding die we doorgaans in verband brengen met ontkalken en mierenbeten. In 2013 stierven drie Australische mannen aan methanolvergiftiging na het drinken van zelfgemaakte grappa. Het is ironisch dat een behandelmethode voor methanolvergiftiging het drinken van ethanol is.

Methanol

Ethanol

ALCOHOL EN ZUUR

Laat je niet misleiden door te denken dat fermentatie alleen maar optreedt in bier en brood, of alleen maar bij gist (zie Melkzuurbacteriën). Voordat er koelkasten bestonden, was fermentatie een nuttige manier om vis te bewaren. In IJsland vormt gedroogd, gefermenteerd haaienvlees, bekend als *kæstur hákarl*, nog steeds een delicatesse. Dat is ook beroemd omdat het sterrenchef Gordon Ramsay deed kokhalzen. Hoewel fermentatie vaak slaat op het omzetten van suiker naar alcohol kan het ook de omzetting naar zuur inhouden. Zuurkool, een populair gerecht van Nederland tot aan Rusland, is een gefermenteerd product – kool die is gefermenteerd door bacteriën en goed blijft doordat het is ingelegd in het zuur dat ze vormen.

Melkzuurbacteriën

In yoghurt en kaas zetten bacteriën melksuiker (lactose) om in melkzuur. De bacteriën die zorgen voor die omzetting staan bekend als melkzuurbacteriën en we hebben ze al duizenden jaren gebruikt voor het fermenteren van voedsel. Een vergelijkbare omzetting treedt op in je spieren als je suiker verbruikt zonder zuurstof. De toename van melkzuur zorgt voor dat pijnlijke branderige gevoel in de spieren als je ze flink belast.

De laatste jaren worden gefermenteerde voedingsmiddelen geassocieerd met een breed scala aan gezondheidsvoordelen. Onderzoeken hebben gefermenteerde melkproducten in verband gebracht met een verminderd risico op hart- en vaatziekten, beroerte, suikerziekte en andere aandoeningen die de levensduur beperken. Het idee is dat de levende micro-organismen in gefermenteerde producten een gunstig effect hebben op de bacteriegemeenschappen die in je darmen leven. De officiële gezondheidsrichtlijnen zijn echter zeer voorzichtig, en misschien is dat wel goed, want we weten nog lang niet alles over de rol van bacteriën in onze ingewanden.

Hoewel de huidige gezondheidsbevorderende voedingsmiddelen ver afstaan van 9000 jaar oude wijn, hebben ze iets gemeen – de levende micro-organismen die zijn betrokken bij de stimulering van de chemische reacties die uiteindelijk leiden tot het product dat je het water in je mond doet lopen (of kokhalzen opwekt).

Het idee in een notendop
De brood- en drankreactie

15 Kraken

Er was een tijd dat olie alleen maar goed was voor verbranding in ouderwetse lampen. Er is sindsdien veel veranderd en dat hebben we allemaal te danken aan kraken – het chemische proces dat aardolie verbreekt tot tal van nuttige producten die onze moderne wereld vullen (en vervuilen), van benzine tot plastic zakken.

Het is grappig als je bedenkt dat onze auto's hun energie verkrijgen uit dood materiaal. Benzine en diesel bestaan voornamelijk uit prehistorische planten en dieren die miljoenen jaren geleden onder gesteenten zijn samengeperst en daarbij aardolie vormden. Dat materiaal wordt via boringen opgepompt en omgezet in iets dat we kunnen verbranden om energie te verkrijgen. Het deel van dat proces dat wat mysterieus zal klinken voor diegenen die onbekend zijn met de petrochemie is waarschijnlijk dat 'omgezet in iets'.

De chemische truc die dat dode materiaal dat we van onder het gesteente halen – aardolie – omzet in nuttige producten, wordt kraken genoemd. Dat gaat niet alleen om brandstof. Veel dingen die we dagelijks gebruiken, zijn in feite kraakproducten. Vrijwel alles dat van kunststof is gemaakt (zie pagina 160), ontstond waarschijnlijk in eerste instantie in een olieraffinaderij.

EEN WERELD VOOR KRAKEN

In de negentiende eeuw, voor de uitvinding van het kraken, was kerosine (zie Vliegtuigbrandstof, pagina 62) een van de meest nuttige aardolieproducten. Petroleumlampen waren de nieuwe, moderne manier om je huis te verlichten, zelfs als ze vaak voor brand zorgden. De brandstof zelf werd verkregen door het

TIJDLIJN

1855	1891	1912	1915
Benjamin Silliman oppert dat producten van de aardoliedestillatie waardevol kunnen zijn	Toekenning van een patent in Rusland voor thermisch kraken	Toekenning van een Amerikaans patent voor thermisch kraken	De National Hydrocarbon Company wordt Universal Oil Products

destilleren van olie – opwarming tot een bepaalde temperatuur en dan afwachten tot de kerosinefractie kookt en condenseert. Benzine behoorde tot de fracties die te snel gingen koken en werden gedumpt in naburige waterstroompjes omdat niemand wist wat ze daarmee konden doen. De duizelingwekkende hoeveelheid mogelijkheden die lagen verscholen in aardolie bleven verborgen, maar niet voor lang.

> ...Er is veel reden voor aanmoediging van het geloof dat uw bedrijf beschikt over een ruw materiaal waaruit u via eenvoudige en niet zo dure processen vele waardevolle producten kunt vervaardigen.
>
> Benjamin Silliman, in een rapport aan zijn klant

In 1855 schreef een Amerikaanse hoogleraar scheikunde, Benjamin Silliman, die altijd om zijn mening werd gevraagd als het om mijnbouw en mineralogie ging, een rapport over 'aardolie' die was aangetroffen in Venango County in Pennsylvania. Achteraf beschouwd vormen enkele constateringen in zijn rapport een goede voorspelling van de toekomst van de petrochemische industrie. Hij zag dat bij verhitting de zware aardolie in enkele dagen langzaam verdampte en daarbij een reeks lichtere fracties vormde waarvan Silliman dacht dat die nuttig konden zijn. Een redacteur van *American Chemist* merkte later op dat Silliman 'de meeste methoden voorzag en beschreef die sindsdien zijn toegepast' in de petrochemische industrie.

WAT KRAAKT ER?

Tegenwoordig hebben de lichtere fracties zoals benzine – die de eerste aardolieproducenten nog in rivieren dumpten – de grootste waarde. Wat de aardolieproductie werkelijk in een enorme industrie veranderde, was de uitvinding van het kraken – eerst thermisch kraken, daarna een nieuw proces waarbij stoom werd gebruikt en ten slotte de ontwikkeling van het moderne katalytische kraken, met de inzet van synthetische katalysatoren (zie pagina 48).

Hoewel de oorsprong van het kraken niet helemaal duidelijk is, werden in 1891 patenten voor het thermisch-krakenproces in Rusland toegekend, en in de VS in 1912. De term kraken is vrijwel een letterlijke beschrijving van wat er gebeurt bij dat chemische proces: lange koolwaterstofketens worden opgesplitst in kleinere moleculen. Dankzij het kraakproces kunnen producten verkregen uit de recht-

1920	1936	2014
De eerste petrochemische verbinding, isopropanol, wordt gemaakt door het bedrijf Standard Oil	Exxon Mobil Oil (toen Socony Vacuum Oil) en Sun Oil bouwen katalytische krakers	Kerosine vervaardigd uit koolstofdioxide, water en zonlicht via het Fischer-Tropschproces

streekse destillatie op maat worden gemaakt naar de wensen van de raffinadeur. Hoewel het mogelijk is om benzine – bestaande uit moleculen met vijf tot tien koolstofatomen – te verkrijgen door het destilleren van aardolie, betekent kraken dat we daar nog veel meer van kunnen produceren. De kerosinefractie bijvoorbeeld bevat moleculen met twaalf tot zestien koolstofatomen, en die kan na kraken meer benzine leveren.

De eerste kraakprocessen leverden veel cokes, een koolstofresidu dat elke paar dagen moest worden verwijderd. Toen stoomkraken was uitgevonden, verdween dankzij het toegevoegde water het probleem van de cokes, maar de producten hadden nog niet helemaal de vereiste kwaliteit om een benzinemotor soepel te laten draaien. Dat voordeel kwam met het besef dat een katalysator het splitsen van aardolie in verscheidene producten kon verbeteren. Oorspronkelijk gebruikten scheikundigen kleimineralen genaamd zeolieten, die silicium

Vliegtuigbrandstof

Kerosine of paraffine is de dunne lampolie die werd gebruikt in ouderwetse lampen. In sommige delen van de wereld wordt zij nog steeds gebruikt voor verlichting en verwarming, maar een van de belangrijkste moderne toepassingen is die als vliegtuigbrandstof. De bestanddelen van kerosine zijn koolwaterstofmoleculen met twaalf tot zestien koolstofatomen, waardoor die zwaarder zijn dan de moleculen in benzine, minder vluchtig en minder ontvlambaar. Dat is waarom het in huis veiliger is om lampolie dan benzine te gebruiken. Kerosine bestaat niet uit een enkele verbinding maar uit een mengsel van allerlei onvertakte en ringvormige koolwaterstoffen die alle bij ongeveer dezelfde temperatuur koken. Ze wordt uit aardolie afgescheiden door destillatie en kraken, net zoals benzine, maar naar verhouding koken de benzinefracties bij een lagere temperatuur, en worden bij die temperatuur vergaard. In 2014 kondigden scheikundigen aan dat ze vliegtuigbrandstof – kerosine – hadden vervaardigd uit koolstofdioxide en water met behulp van geconcentreerd zonlicht. Het zonlicht verhitte het koolstofdioxide en water zodat er syngas ontstond (waterstof en koolstofmonoxide) dat ze vervolgens in brandstof omzetten via een bekende

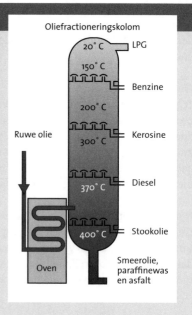

Oliefractioneringskolom

20° C — LPG
150° C
— Benzine
200° C
Ruwe olie
300° C — Kerosine
370° C — Diesel
400° C — Stookolie
Oven
Smeerolie, paraffinewas en asfalt

chemische omzetting die bekendstaat als het Fischer-Tropschproces (zie Synthetische brandstoffen, pagina 64 en 200).

en aluminium bevatten, tot ze achterhaalden hoe ze kunstmatige versies van die natuurlijke mineralen in het laboratorium kunnen maken.

VLIEGTUIGBRANDSTOF

Bij het stoomkraken hebben de koolwaterstoffen aanvankelijk alleen enkele bindingen en er ontstaan tijdens het proces kortere koolwaterstoffen met dubbele bindingen. Dat gaat ten koste van extra bindingen die kunnen worden gebruikt voor het vormen van nieuwe chemicaliën. Bij het katalytische kraken worden koolwaterstoffen echter niet alleen in kleinere brokstukken gesplitst, maar ze worden ook herschikt en er ontstaan vertakte verbindingen. Vertakte koolwaterstoffen vormen de beste brandstoffen, omdat in een verbrandingsmotor te veel onvertakte moleculen zorgen voor het 'kloppen' van de motor, en dan draait de motor onregelmatig.

De Sjoechovtoren
Op de Shabolovkastraat in Moskou staat een ingewikkelde constructie, een 160 meter hoge radiotoren die in de jaren twintig werd ontworpen en gebouwd door Vladimir Sjoechov. Sjoechov was een opmerkelijke man die de eerste twee oliepijpleidingen van Rusland had gebouwd en bovendien een bijdrage had geleverd aan het ontwerp van de watervoorziening in Moskou. Sjoechov verkreeg in 1891 een patent voor het thermische kraken, lang voordat Amerikanen, de grote rivalen van Rusland, dat deden. In 2014 ontsnapte de Sjoechovtoren maar nipt aan ontmanteling.

Net voor de Tweede Wereldoorlog werd de eerste katalytische kraker gebouwd in Marcus Hook, Pennsylvania. Daardoor konden de geallieerden beschikken over brandstoffen die de Duitse Luftwaffe niet had. De 41 miljoen vaten superieure brandstof die de installatie produceerde, zou de manoeuvreerbaarheid van de geallieerde jachtvliegtuigen hebben vergroot en ze in de lucht een voordeel hebben gegeven.

Terwijl het katalytische proces uitstekende brandstoffen levert, is het ook cruciaal voor de chemische industrie, omdat het proces veel basisstructuren levert die worden gebruikt voor het maken van wereldwijd belangrijke chemicaliën zoals polyetheen. Als de aardolie ooit opraakt, moeten we alternatieven vinden voor het produceren van dergelijke producten. Fabrikanten richten hun aandacht langzaam maar zeker steeds meer op levende planten in plaats van op al miljoenen jaren dode planten voor het maken van chemicaliën. Een Duits bedrijf verkoopt verf gemaakt van reseda, een zoet geurende plant die wordt gebruikt in parfums.

Het idee in een notendop
Olie voor ons laten werken

16 Chemische synthese

Hoeveel producten die je thuis dagelijks gebruikt bevatten synthetische – door mensen gemaakte – verbindingen? Je beseft misschien dat medicijnen en additieven in veel voedingsmiddelen die je nuttigt producten van de chemische industrie zijn, maar je stond vast niet stil bij elastisch ondergoed en de vulling van het bankstel.

Sta eens stil bij alles wat je op dit moment aanhebt. Heb je enig idee waar je overhemd en ondergoed van zijn gemaakt? Check de labels maar eens: wat is viscose? Waar komt elasthaan vandaan? Controleer vervolgens het badkamerkastje. Wat zit er allemaal in tandpasta? Of in de shampoo? Hoe zit dat met propyleenglycol in cosmetica? Het wordt allemaal nog verwarrender als je de keukenkastjes opentrekt, geneesmiddelenverpakkingen tevoorschijn haalt (zie pagina 176) en op de achterzijde van een pakje kauwgom de ingrediënten bestudeerd.

> **Ik ben gewoon een knul die spandex draagt en werkelijk snel linksom beweegt.**
> Olivier Jean, winnaar van olympische goud bij het shorttracken

Het is onvoorstelbaar dat zo veel van de chemicaliën die belanden in je kleding, voedsel, schoonmaakmiddelen en geneesmiddelen pas de afgelopen eeuw door scheikundigen zijn ontwikkeld. Die synthetische chemicaliën werden in een laboratorium uitgevonden en worden nu op industriële schaal vervaardigd.

NATUURLIJK VERSUS SYNTHETISCH

Viscose, of rayon, was de eerste synthetische vezel die scheikundigen produceerden. De vezels vormen een zacht katoenachtig textiel dat gemakkelijk kleurstoffen absorbeert, om het nog maar niet over trans-

TIJDLIJN

1856	1891	1905	1925
Ontdekking van de eerste synthetische kleurstof door een 18-jarige scheikundige, William Henry Perkin	Een proces voor het maken van viscose, ooit bekendstaand als kunstzijde	Het eerste commerciële viscoseproces	Patent verleend voor het Fischer-Tropschproces

piratie te hebben. Een vroeg proces voor vervaardiging ervan dateert van het eind van de negentiende eeuw. Viscose verschilt in feite niet zo veel van een natuurlijke verbinding die alle planten gemeen hebben – cellulose – maar je kunt geen viscose op een akker laten groeien. De cellulose is afkomstig van houtpulp waarop diverse chemische en fysische processen worden losgelaten zodat het verandert in het gele cellulose-xanthaat. Tijdens de productie wordt het xanthaat met zuur afgebroken, waarna vezels achterblijven die lijken op natuurlijk katoen, dat uit vrijwel zuiver cellulose bestaat. Viscose en katoen worden vaak gemengd gebruikt in textiel.

Elk proces waarbij chemische reacties een specifiek nuttig product opleveren, kan worden beschouwd als een chemische synthese. Natuurproducten zoals cellulose worden ook gemaakt door chemische reacties – in dat geval uitgevoerd door planten – maar doorgaans beschouwen scheikundigen die daarentegen als biosynthetische producten (zie pagina 144).

Soms zijn de chemicaliën die scheikundigen synthetisch maken in feite kopieën van natuurlijk gevormde producten. In die gevallen gaat het vaak om het goedkoper en in grotere hoeveelheden vervaardigen van een product, in plaats van het maken van iets dat beter werkt dan een natuurproduct. De natuur doet immers gewoonlijk prima haar werk. De basis voor de chemische verbinding oseltamivir (Tamiflu), een antiviraal geneesmid-

Synthetische brandstoffen

De Fischer-Tropschsynthese is een proces voor het vervaardigen van synthetische brandstof via verscheidene reacties tussen waterstof en koolstofmonoxide. De twee gassen (samen bekendstaand als 'syngas') worden gewoonlijk gevormd bij de vergassing van steenkool. Dat proces maakt het mogelijk om vloeibare brandstoffen te vormen die we doorgaans associëren met aardolie (zie pagina 156), zonder afhankelijk daarvan te zijn. In Zuid-Afrika heeft SASOL tientallen jaren lang uit steenkool '*synfuels*' gemaakt.

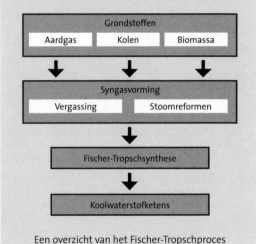

Een overzicht van het Fischer-Tropschproces

Lycraproducten komen
op de markt

Vroeg prototype van een
machine die grote hoeveelheden
DNA synthetiseert

Het Dial-a-Molecule-project
publiceert de eerste routekaart
voor slimme synthese

De synthesemachine

Stel je eens voor dat scheikundigen niet omslachtig een reeks reacties hoeven te ontwerpen voor de vervaardiging van dat ene molecuul dat ze willen hebben. Stel dat ze gewoon de identiteit van het molecuul in een machine kunnen invoeren en dat de machine zou besluiten wat de beste manier is om het voor elkaar te krijgen en dat vervolgens ook zo uitvoert. Dat zou een enorme revolutie zijn voor de ontwikkeling van geneesmiddelen en nieuwe materialen. Voor DNA bestaat er in ieder geval zo'n soort machine. DNA-synthese-apparatuur kan korte fragmenten DNA met elke gewenste basenvolgorde maken. Om dat voor een willekeurig molecuul uit te voeren, vormt duidelijk een grote uitdaging, niet in het minst vanwege de benodigde rekenkracht. Een synthesemachine zou synthetische reactieschema's moeten samenstellen door met de lichtsnelheid miljoenen verschillende reacties na te gaan en miljarden mogelijke syntheseroutes té vergelijken. Ondanks de nodige scepsis worden er serieuze pogingen gedaan. Zo heeft een team Britse onderzoekers dat werkt aan het 'Dial-a-Molecule'-project zichzelf de grote uitdaging gesteld om de synthese van een willekeurig molecuul net zo gemakkelijk te maken als het intoetsen van een telefoonnummer. Een Amerikaans project heeft een 'chemische Google' gebouwd die 86.000 chemische regels kent en met algoritmen speurt naar de beste synthetische route.

del ingezet tegen influenza, is bijvoorbeeld shikiminezuur, afkomstig uit de zaden van de plant die de specerij steranijs levert. Omdat het aanbod van steranijs beperkt is, spannen scheikundigen zich in om het geneesmiddel helemaal chemisch te maken. Verscheidene methoden zijn gepubliceerd, maar bij elk daarvan moet worden gekeken naar de kosten in vergelijking tot de kosten van het halen van de uitgangsstoffen uit zaden.

ELASTISCHE BROEKEN

Andere synthetische producten hebben helemaal niets met de natuur van doen. Het zijn juist hun 'onnatuurlijke' eigenschappen die ze voor ons zo nuttig maken. Elasthaan is een schitterend voorbeeld. Je kent het misschien als lycra of spandex – het elastische nauwsluitende textiel waar wielrenners en schaatsers dol op zijn. De textielgigant Gap mengt lycra met nylon voor yogakleding terwijl Under Armour in balletleggings Studio Lux gebruikt, een mengsel van elasthaan en polyester. We worden misschien niet meer warm of koud van al die hip klinkende vezels, maar de entree van elasthaan op de kledingmarkt in de jaren zestig was een revolutie.

Net zoals de cellulosemoleculen in katoenvezels bestaan de lange moleculen in elasthaan uit scheikundige bouwstenen die keer op keer herhaald worden. Het maken van de polyurethaanbouwstenen vereist een reeks chemische reacties, en het aaneenkoppelen daarvan een andere. Dat is misschien de reden waarom het wetenschappers van DuPont enkele decennia kostte om uit te zoeken wat een geschikt productieproces was. In tegenstelling tot katoenvezels had het gevormde 'Fiber K', zoals het oorspronkelijk werd genoemd, enkele verbazingwekkende en waardevolle eigenschappen. Elasthaanvezels kunnen tot zesmaal hun aanvankelijke lengte worden uitgerekt waarna ze terugspringen naar hun oorspronkelijke vorm. Vergeleken met natuurrubber zijn ze duurzamer en kunnen ze grotere spanning weerstaan. DuPont had een kassakanon en ondersteunende kleding voor dames was plotseling veel comfortabeler.

CHEMISCHE RUGGENGRATEN

Laten we terugkeren naar de kledingkast en de kastjes in de badkamer en de keuken. Bedenk hoeveel andere producten die je koopt materialen en ingrediënten bevatten die het resultaat zijn van tientallen jaren volhardend onderzoek door scheikundigen. Het aantal chemische reacties dat nodig is om je huis met dat alles te vullen, is verbijsterend.

Veel producten verkregen door chemische synthese zijn afhankelijk van het kraken van aardolie (zie pagina 60) als een betrouwbare bron van nuttige chemicaliën. Als je je nog steeds afvraagt wat propeenglycol is, dat is het bestanddeel in shampoo dat je haar helpt om vocht te absorberen zodat het zacht blijft. Het wordt gemaakt uit propeenoxide – gevormd door een reactie tussen chloor en de bij het kraken ontstane chemische verbinding propeen. Propeenoxide wordt ook gebruikt bij de vervaardiging van antivriesmiddelen en schuim voor meubels en matrassen. Hoewel je er misschien nog nooit van hebt gehoord, bedraagt de jaarlijkse wereldwijde vraag naar propeenoxide meer dan zes miljoen ton, niet omdat het op zichzelf zo nuttig is, maar omdat het kan worden gebruikt voor het maken van een enorme verscheidenheid aan alledaagse producten, via chemische synthese.

Op dezelfde manier vormen veel andere verbindingen de chemische ruggengraten waaraan het vlees van elk industrieel product wordt gehecht. Van geneesmiddelen tot kleurstoffen, van kunststoffen tot pesticiden, van zepen tot oplosmiddelen – noem maar iets en de chemische industrie speelde waarschijnlijk een rol bij de vervaardiging ervan.

Het idee in een notendop
Nuttige chemicaliën maken

17 Het Haber-Boschproces

De ontdekking door Fritz Haber van een goedkoop proces voor het maken van ammoniak was een van de belangrijkste doorbraken in de twintigste eeuw. Ammoniak wordt gebruikt bij de vervaardiging van kunstmest, en dat heeft bijgedragen aan het voeden van miljarden mensen, maar het is ook een grondstof voor explosieven – een feit dat niet voorbijging aan diegenen die het Haber-Boschproces commercieel in gebruik namen terwijl er een wereldoorlog op uitbreken stond.

Henri Louis was de zoon van de ingenieur Louis Le Chatelier. Zijn vader was geïnteresseerd in stoomtreinen en staalproductie, en nodigde vele voor-aanstaande wetenschappers bij hem thuis uit. Als een kleine jongen die opgroeide in het Parijs halverwege de negentiende eeuw werd Henri Louis voor-gesteld aan vele beroemde Franse scheikundigen. Ze moeten wel een of andere invloed op hem hebben gehad, want hij werd een van de beroemdste scheikun-digen aller tijden, wiens naam is verbonden aan een grondregel van de schei-kunde die bekendstaat als het principe van Le Chatelier.

Het principe van Le Chatelier beschrijft wat er gebeurt bij omkeerbare reacties. Het is ironisch dat Le Chatelier de mist in ging toen hij probeerde een van de be-langrijkste omkeerbare reacties op de planeet uit te voeren (zie De ammoniak-vormende reactie, rechterpagina). Hij verknalde het experiment waarmee hij de chemische verbinding zou hebben gemaakt die nu cruciaal is voor twee wereld-industrieën: de kunstmestindustrie en de wapenindustrie.

TIJDLIJN

1807	1879	1901	1907
Humphry Davy vormt ammoniak door elektrolyse van water in lucht	Chili verklaart de oorlog aan Bolivia en Peru over salpeter	Le Chatelier geeft pogingen om ammo-niak te maken op	Walther Nernst vormt ammoniak onder druk

NITRAATOORLOGEN

Van mest wordt soms gezegd dat die 're-actief stikstof' bevat omdat daarin stikstof een vorm heeft waarin het door planten en dieren kan worden opgenomen. Dat is het tegengestelde van het niet-reactieve stikstof (N_2) dat rondwaart in de aardse atmosfeer. Aan het begin van de twintigste eeuw besefte de wereld de mogelijkheden van reactief stikstof voor mest en begon de invoer uit Zuid-Amerika van het natuurlijke mineraal salpeter of kaliumnitraat (KNO_3), voor het verhogen van de gewasproductie. Een oorlog over stikstofrijke gebieden volgde en die werd gewonnen door Chili.

Ondertussen was er in Europa een dringende behoefte aan het op eigen grondgebied veiligstellen van een rijke bron van ammoniak. Het omzetten van het gewone N_2 naar reactieve vormen zoals ammoniak (NH_3) – de stikstoffixatie – kostte veel energie en was duur. In Frankrijk benaderde Le Chatelier het probleem door de twee bestanddelen – stikstof en waterstof – onder hoge druk te laten reageren. Zijn experiment ontplofte en het scheelde maar een haartje of zijn assistent was daarbij omgekomen.

Enige tijd later ontdekte Le Chatelier dat in zijn opstelling zuurstof uit de lucht in het gasmengsel was beland. Hij was vrij dicht bij de synthese van ammoniak geweest, maar het was een Duitse scheikundige, Fritz Haber, wiens naam we nu verbinden aan de ammoniakvormende reactie. Aan het begin van de Eerste Wereldoorlog was ammoniak om nog een andere reden belangrijk geworden: het kon worden gebruikt bij het maken van de explosieven nitroglycerine en

De ammoniakvormende reactie

De omkeerbare reactie voor de vorming van ammoniak luidt:

$$N_2 + 3H_2 \rightleftharpoons 2NH_3$$

Het is een redoxreactie (zie Redoxreacties, pagina 52). Het is ook een exotherme reactie, wat betekent dat die warmte afstaat aan de omgeving en niet veel warmte nodig heeft om op gang te komen. Die kan bij lage temperaturen prima stapvoets verlopen. Om industriële hoeveelheden ammoniak te vormen, vereist echter veel warmte. Weliswaar verschuift een hogere temperatuur het evenwicht (zie Evenwicht, pagina 36) iets naar links, maar de reactie verloopt vele malen sneller en dat betekent dat er in een korte tijd meer ammoniak kan worden gevormd.

1909
Fritz Haber maakt ammoniak in het laboratorium

1914
De Eerste Wereldoorlog begint in Europa

1915
Haber leidt de chloorgasaanval in Ieper

1918
Haber wint de Nobelprijs voor scheikunde

Natuurlijk gefixeerde stikstof

Salpeter is een natuurlijk voorkomend mineraal dat stikstof in een reactieve of 'gefixeerde' vorm bevat. Voor de opkomst van het Haber-Boschproces was een andere belangrijke bron van reactief stikstof de Peruviaanse guano, ofwel de verzamelde vogelontlasting geproduceerd door zeevogels die langs de kunst van Peru nestelen. Eind negentiende eeuw importeerde Europa beide stikstofbronnen als mest. Er zijn andere manieren waarop stikstof kan worden gefixeerd. Bliksemschichten zetten kleine hoeveelheden stikstof in de lucht om in ammoniak. Vroege processen voor het maken van ammoniak bootsten dat proces na met elektriciteit, maar die waren kostbaar. Bepaalde bacteriën die leven in knollen van vlinderbloemigen, zoals klaver, erwten en bonen, fixeren eveneens stikstof. Daarom passen landbouwers vaak vruchtwisseling toe zodat ze de voedingsstoffen die gewassen uit de bodem hebben gehaald kunnen vervangen en de bodem zo vruchtbaarder maken voor de oogst van het volgende jaar. Het planten van honingklaver geeft ze een 'stikstofkrediet', wat inhoudt dat ze bij het planten van graan in het daaropvolgende jaar minder mest hoeven te gebruiken.

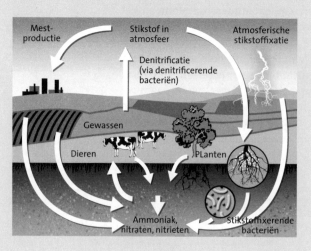

trinitrotolueen (TNT). De ammoniak waarnaar Europa voor de kunstmest verlangde, werd al gauw gebruikt voor de oorlogsinspanningen.

HET HABER-BOSCHPROCES
Zonder die bijna fatale explosie was Le Chatelier misschien wel doorgegaan met zijn werk aan ammoniak. Het Haber-Boschproces gebruikte zelfs de theorieën van Le Chatelier. De belangrijke reactie bij de ammoniaksynthese vormt een evenwicht tussen de twee uitgangsstoffen (stikstof en waterstof) en het product (ammoniak). Zoals voorspeld door het principe van Le Chatelier verstoort weghalen van een deel van het product de status quo en moedigt dat het evenwicht aan om zich te herstellen. In het Haber-Boschproces wordt ammoniak continu verwijderd en dat stimuleert de verdere productie van ammoniak.

Haber gebruikte een ijzeroxidekatalysator om de reactie te versnellen. Opnieuw zat Le Chatelier er blijkbaar niet ver naast. In een boek dat hij publiceerde in 1936 schreef hij dat hij metallisch ijzer had uitgeprobeerd. Haber was ook geïnspireerd door het werk van de thermodynamica-theoreticus Walther Nernst, die al in 1907 ammoniak had gevormd. Het was echter Haber die voor zijn inspanningen zou worden beloond. Nadat hij de eerste druppels ammoniak uit een laboratoriumopstelling had geperst, hielp zijn collega Carl Bosch hem om het proces op te schalen naar een commerciële grootte. Bijna tien jaar later werd aan Haber de Nobelprijs voor scheikunde toegekend, maar dat zou een omstreden toekenning blijken.

De stikstof waarmee mest werd gemaakt, heeft naar verluidt de gewasproductie verdubbeld. In de eeuw na Habers ontdekking werden wel vier miljard mensen gevoed door landbouwopbrengsten die het gevolg waren van de goedkopere, meer energie-efficiënte productiewijze voor ammoniak. Die opbrengsten staan als 'brood uit de lucht' bekend. Hoewel Le Chatelier zich wel voor het hoofd kon slaan dat de ontdekking van de ammoniaksynthese aan hem was voorbijgegaan, behield hij in ieder geval een goede reputatie. In de twintigste eeuw vielen er meer dan honderd miljoen slachtoffers bij gewapende conflicten, en het Haber-Boschproces speelde bij de meeste daarvan indirect een rol.

> **Ik liet de ontdekking van de ammoniaksynthese door mijn handen glippen. Dat was de grootste blunder tijdens mijn wetenschappelijke carrière.**
>
> Henri Louis Le Chatelier

Haber maakte het zichzelf niet gemakkelijk. Hij bedacht vervolgens de inzet van chloorgas tijdens de strijd, en in april 1915 stierven daardoor duizenden Franse troepen bij het Belgische Ieper. Zijn vrouw, die hem had gesmeekt om zijn werk aan chemische wapens op te geven, pleegde enkele dagen later zelfmoord met een pistool. Al heeft Haber een Nobelprijs gewonnen, toch wordt hij niet bepaald met warme gevoelens herinnerd. Le Chatelier wordt ondertussen herinnerd voor zijn meer edele inspanningen voor het verklaren van de wetten die het chemische evenwicht regelen.

Ammoniak wordt nog steeds in enorme hoeveelheden geproduceerd. In 2012 werd er alleen al in de VS meer dan zestien miljard kilogram vervaardigd. Wetenschappers proberen te achterhalen welke gevolgen al die reactieve stikstof heeft als die van landbouwgronden weglekt naar rivieren en meren.

Het idee in een notendop
Chemie op leven en dood

18 Chiraliteit

Twee moleculen kunnen vrijwel hetzelfde eruitzien en zich toch volledig anders gedragen. Die vreemde chemische eigenaardigheid komt neer op chiraliteit – het idee dat sommige moleculen in spiegelbeeldvormen bestaan, of links- en rechtsdraaiende versies. Dat heeft als gevolg dat bij elke chirale chemische verbinding er een versie is die zich gedraagt zoals het de bedoeling is en een andere die iets totaal anders doet.

Positioneer je handen alsof je aan het bidden bent – niet om een gebed uit te spreken, maar omdat je zo de asymmetrie van je handen kunt bestuderen. De linkerhand is een spiegelbeeld van de rechterhand. Je kunt denken dat ze precies hetzelfde zijn, maar ze zijn in werkelijkheid elkaars tegengestelden. Hoe goed je het ook probeert, je kunt je linkerhand niet zo plaatsen dat die overeenkomt met de rechterhand. Zelfs als de moderne geneeskunde de perfecte handtransplantaties kon uitvoeren, zou je de twee handen niet kunnen verwisselen en ze dezelfde taak laten uitvoeren.

Sommige moleculen zijn als handen. Ze hebben spiegelbeeldversies die niet over elkaar kunnen worden gelegd. Dezelfde atomen zijn aanwezig en op het eerste gezicht lijken de structuren hetzelfde. De ene versie is echter het spiegelbeeld van de ander. De technische benaming van deze links- en rechtshandige versies luidt enantiomeren. Elk molecuul dat enantiomeren heeft, wordt chiraal genoemd.

Elke linkshandige persoon die wel eens heeft geprobeerd een rechtshandige schaar te gebruiken, zal een idee hebben van hoe belangrijk dat feit is. Het verschil tussen de twee enantiomeren van een molecuul kan het verschil zijn tussen een chemische verbinding die de beoogde klus klaart... of niet. Brandstoffen, pesticiden, geneesmiddelen en zelfs de eiwitten in je lichaam zijn alle chirale moleculen.

GOEDE EN SLECHTE VERSIES

Er is een complete tak van de scheikunde die zich wijdt aan het maken van chirale chemicaliën die de juiste 'spiegelbeeldvorm' hebben. Uiteindelijk is het doel van de productie van een commerciële verbinding het voldoende ervan produceren om winst te maken. Als de reacties voor bijvoorbeeld een nieuw geneesmiddel leiden tot een mengsel van links- en rechtsdraaiende moleculen, terwijl alleen de linksdraaiende vorm werkt, kunnen ze verder worden geoptimaliseerd.

Ruim de helft van de huidige geneesmiddelen zijn chirale verbindingen. Hoewel veel ervan worden geproduceerd en verkocht als mengsels van beide enantiomeren werkt doorgaans één enantiomeer beter. Bètablokkers, die worden gebruikt bij de behandeling van hoge bloeddruk en hart- en vaatziekten, zijn een belangrijk voorbeeld. In sommige gevallen kan de 'verkeerde' enantiomeer echter daadwerkelijk schadelijk zijn.

Er bestaat geen schokkender voorbeeld van een 'slechte' enantiomeer dan thalidomide (Softenon), een geneesmiddel dat berucht is vanwege het effect ervan op baby's in de baarmoeder. Het geneesmiddel, dat oorspronkelijk werd voorgeschreven als kalmeringsmiddel toen het in de jaren vijftig werd geïntroduceerd, werd al gauw voorgeschreven aan zwangere vrouwen zodat ze beter met ochtendziekte konden omgaan. Helaas was de spiegelbeeldversie een verbinding die geboortedefecten veroorzaakte. Men vermoedt dat meer dan tienduizend baby's door de werking van thalidomide handicaps opliepen. Er woedt nog

---

Racemische mengsels

Mengsels die bestaan uit ongeveer gelijke hoeveelheden linksdraaiende en rechtsdraaiende moleculen worden racemische mengsels genoemd. Soms worden deze mengsels als racematen betiteld. Als enkele moleculen van de ene enantiomeer van het geneesmiddel veranderen zodat er een mengsel ontstaat, dan wordt ervan gezegd dat ze 'racemiseren'.

2001

Nobelprijs voor scheikunde toegekend voor de asymmetrische synthese van geneesmiddelen

2012

Analyse van een meteorietfragment uit Tagish Lake in Canada wijst op een overmaat aan linksdraaiende aminozuren

Hoe zie je of een verbinding chiraal is?

Twee moleculen die bestaan uit dezelfde atomen, maar op een verschillende manier gerangschikt, worden isomeren genoemd. Bij chirale verbindingen zijn echter alle atomen op dezelfde wijze gerangschikt. Ze zijn op vrijwel elke manier identiek, behalve dat ze elkaars spiegelbeelden zijn. Hoe kun je naar een molecuul kijken en zien of het chiraal is of niet? Een manier om dat te zien is dat een chiraal molecuul geen symmetrievlak heeft. Als je een denkbeeldige lijn door het midden van het molecuul kunt trekken en de delen aan weerszijden elkaar kunnen bedekken – zoals een uitgeknipte sneeuwvlok – dan is het niet chiraal. Sta er overigens bij stil dat moleculen driedimensionale voorwerpen zijn, en het is daarom niet altijd even gemakkelijk om een lijn door het midden te trekken. Het

kan zelfs zeer moeilijk zijn om te zeggen of een molecuul chiraal is door eenvoudigweg naar de structuur op papier te kijken. Voor ingewikkelde moleculen kan het helpen om een driedimensionaal model te maken met klonters en reepjes van boetseerklei (zie ook Suikers en stereo-isomeren, pagina 137).

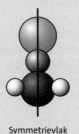

Symmetrievlak

Geen symmetrievlak aanwezig in dit molecuul

steeds een juridische strijd tussen de producenten van het geneesmiddel en mensen die door het geneesmiddel een handicap hebben.

SPIEGELBEELDEN MAKEN
Pogingen om thalidomide te maken met alleen de juiste versie mislukten omdat het molecuul zich in het lichaam van de ene naar de andere enantiomeer kan veranderen (zie Racemische mengsels, pagina 73), waardoor een mengsel van goede en slechte versies ontstaat.

Sommige verbindingen kunnen worden gescheiden in hun chirale tegenhangers en het is ook mogelijk om reacties zo te ontwerpen dat de producten slechts een enkele enantiomeer bevatten. In 2001 deelden twee Amerikaanse en een Japanse scheikundige de Nobelprijs voor scheikunde voor hun werk aan chirale katalysatoren – die zij gebruikten om chirale verbindingen waaronder geneesmiddelen te maken. De prijs werd deels toegekend aan William Knowles voor het ontwerpen van reacties die alleen de 'goede' versie van het parkinsongeneesmiddel dopa vormen. Net zoals bij thalidomide is de enantiomeer daarvan giftig.

De laatste decennia zijn instanties die geneesmiddelen toelaten zich meer bewust geworden van de problemen die enantiomeren kunnen opleveren. Geneesmiddelenfabrikanten waren gewoon om geneesmiddelen te maken die een mengsel van links- en rechtsdraaiende moleculen bevatten, en beschouwden de minder werkzame spiegelbeelden als overtollige ballast. Nu proberen ze geneesmiddelen te maken die slechts een enkele enantiomeer bevatten.

HET LEVEN IS LINKSHANDIG

De natuur doet dingen echter anders. Als scheikundigen in het laboratorium chirale verbindingen maken, ontstaan die vaak in ongeveer gelijke hoeveelheden van links- en rechtsdraaiende moleculen. Biologische moleculen volgen echter een voorspelbaar patroon van spiegelvormen. Zo zijn de aminozuren, die de bouwstenen van eiwitten zijn, linksdraaiend, terwijl suikers rechtsdraaiend zijn. Niemand weet waarom dat zo is, en onderzoekers die het ontstaan van het leven op aarde bestuderen hebben uiteenlopende theorieën.

Sommige wetenschappers stellen dat moleculen die de jonge aarde bereikten met meteorieten, het leven op aarde een duwtje naar links of naar rechts hebben gegeven. Er zijn op aarde meteorieten ingeslagen die aminozuren bevatten, en het is daarom mogelijk dat een lichte overmaat aan linksdraaiende meteorietmoleculen werd opgenomen door organische verbindingen in de oersoep, juist toen de eerste levensmoleculen zich op aarde vormden. Wat er ook gebeurde, het lijkt erop dat er oorspronkelijk een soort onbalans was tussen links- en rechtsdraaiende moleculen die naarmate de tijd verstreek steeds meer uitgesproken werd. We kunnen zeker niet terugkeren in de tijd om die theorie na te gaan, en we kunnen dus niet zeggen of de waargenomen spiegelvoorkeur misschien later ontstond toen het leven al ingewikkelder was geworden.

Chiraliteit in biologische moleculen is niet zomaar een eigenaardigheid. Het brengt ons terug bij ons begrip van synthetische chirale verbindingen en hun werking als geneesmiddel. Geneesmiddelen werken doordat ze invloed uitoefenen op biologische moleculen in onze lichamen. Om enig effect te hebben, moet een geneesmiddel 'passen'. Zie het als het steken van je hand in een handschoen – de linkerhand past alleen maar gemakkelijk in de linkerhandschoen.

> **Chiraliteit trok de aandacht van Alice terwijl ze peinsde over de macroscopische wereld waarvan ze een glimp in de spiegel opving…**
> Donna Blackmond

Het idee in een notendop
Spiegelmoleculen

19 Groene scheikunde

De laatste paar decennia is de groene chemie in opkomst – een meer duurzame benadering van de wetenschapsbeoefening met minder afval die scheikundigen aanmoedigt om nog slimmer te zijn bij het ontwerpen van hun reacties. Dat begon allemaal met de komst van bulldozers op het land achter een huis in Quincy, Massachusetts, VS.

Paul Anastas groeide op in Quincy, Massachusetts, VS, waar zijn ouderlijk huis ooit uitzicht bood op de moeraslanden van Quincy. Dat uitzicht ging verloren door grote bedrijven en enorme glazen gebouwen. Dat inspireerde Anastas om een essay te schrijven over het moerasland. Het leverde hem op 9-jarige leeftijd een Award of Excellence uit handen van de president op. Bijna twee decennia later, na zijn promotie in de organische scheikunde, ging hij aan de slag bij de Environmental Protection Agency (EPA) in de VS. Daar schreef hij zijn beginselverklaring voor een slimmere, groenere, nieuwe vorm van scheikunde. Later raakte hij in de wereld van scheikundigen bekend als de 'vader van groene scheikunde'.

Het concept van 'groene scheikunde' dat de 28-jarige Anastas beschreef, was het beperken van de milieugevolgen van chemicaliën, chemische processen en industriële scheikunde. Hoe? In wezen door het vinden van slimmere, milieuvriendelijkere manieren om wetenschap te beoefenen, afval te verminderen en het beperken van de hoeveelheid energie die chemische processen moeten consumeren. Het was een concept waarvan hij wist dat het slecht kon vallen bij de industrie, dus hij gebruikte als argument dat slimmer werken ook goedkoper werken moest betekenen.

TIJDLIJN

1991	1995	1998
Paul Anastas introduceert de term 'groene scheikunde'	Lancering van de Presidential Green Chemistry Challenge	Anastas en John Warner publiceren *Green Chemistr Theory and Practice*

Groenere ontzilting

Door bevolkingsgroei en droogte wordt water schaarser. Veel steden verspreid over de wereld gebruiken ontziltingsinstallaties zodat ze een deel van het drinkwater kunnen verkrijgen door zout uit zeewater te halen. Dat is echter een energie-intensief proces gebaseerd op het persen van water door een dun membraan met daarin minuscule gaten. De techniek wordt omgekeerde osmose genoemd. Het maken van de speciale membranen gebruikt bij omgekeerde osmose vereist veel chemicaliën waaronder oplosmiddelen. In 2011 was een van de winnaars van de Presidential Green Challenge Awards een bedrijf dat een methode had ontwikkeld waarmee het nieuwe, goedkope polymeermembranen kon maken met minder schadelijke chemicaliën. Kratons NEXAR-membranen moeten ook in

Het aanleggen van een druk die groter is dan de osmotische druk zorgt voor ontzilting van het zeewater

Druk

Halfdoorlatende membraan

Zout water

Water

Zoet water

Osmotische druk

ontziltingsinstallaties energie besparen, en kunnen de energiekosten mogelijk met de helft terugbrengen.

DE TWAALF PRINCIPES VAN GROENE CHEMIE

In 1998 legde Anastas met Polaroidscheikundige John Warner de *12 Principles of Green Chemistry* vast. De uitgangspunten komen neer op:

1. Produceer zo min mogelijk afval
2. Ontwerp syntheseroutes die elk atoom dat je erin stopt gebruiken
3. Gebruik geen gevaarlijke uitgangsstoffen; maak geen gevaarlijke nevenproducten
4. Ontwikkel nieuwe producten die minder giftig zijn

2011
Markt voor groene scheikunde bereikt 2,8 miljard dollar

2020
Voorspelde markt voor groene scheikunde bedraagt 98,5 miljard dollar

5. Gebruik veiliger en minder oplosmiddelen
6. Wees energie-efficiënt
7. Gebruik uitgangsmaterialen die hernieuwbaar zijn
8. Gebruik reacties die alleen de chemische verbindingen die je nodig hebt produceren
9. Gebruik katalysatoren om de efficiëntie te verhogen
10. Ontwerp producten die veilig in het milieu worden afgebroken
11. Volg reacties nauwgezet om afval en schadelijke nevenproducten te vermijden
12. Kies benaderingen die de kans op ongelukken (ongevallen, branden, explosies) minimaal maken

> **We zullen weten dat groene scheikunde succesvol is als de term 'groene scheikunde' verdwijnt omdat het eenvoudigweg de manier is waarop we scheikunde bedrijven.**
>
> Paul Anastas, geciteerd in
> *The New York Times*

De twaalf principes draaiden allemaal om meer efficiëntie bij wat je gebruikt en wat je maakt en een nadruk op chemische verbindingen die minder schadelijk voor mens en milieu zijn. Een kwestie van gezond verstand, denk je misschien, maar voor een chemische industrie die al een zeer lange tijd haar activiteiten op een andere manier ontplooide, moest het nauwgezet worden toegelicht.

IN HET WITTE HUIS

Anastas was snel bij EPA opgeklommen van een beginnend scheikundige via afdelingshoofd naar directeur van het nieuwe Green Chemistry Program. In zijn eerste jaar als directeur stelde hij een verzameling prijzen voor om prestaties op het gebied van duurzame scheikunde te belonen, zowel voor academische wetenschappers als voor bedrijven. De president, Bill Clinton, ondersteunde de prijzen en dat leidde tot de Presidential Green Chemistry Challenge, die nog steeds veel aanzien geniet.

In 2012 was een van de winnaars een bedrijf genaamd Buckman International, waarvan de scheikundigen een manier hadden bedacht om sterker hergebruikt papier te maken zonder grote hoeveelheden chemicaliën en energie te verspillen. Lettend op het negende artikel in de lijst van Anastas en Warner pasten ze enzymen – biologische katalysatoren – toe voor het sturen van reacties die leiden tot houtvezels met de juiste structuur. Ze becijferden dat enzymen een enkele papierfabriek een miljoen dollar per jaar kunnen besparen en dat ondersteunde de theorie dat slimmer werken ook goedkoper werken inhoudt.

Andere prijzen zijn uitgereikt aan duurzame manieren voor het produceren van cosmetica, brandstoffen en membranen die zout water zuiveren. Anastas werd ondertussen al snel door Clinton zelf ingelijfd en toog in het White House Office of Science and Technology aan de slag met milieubeleid. Na het winnen van een presidentiële prijs op 9-jarige leeftijd en het opstellen van zijn eigen presidentiële prijs was hij beland in de kantoren van het Witte Huis, en hij was nog maar 37.

GROENE TOEKOMST

Volgens gegevens van de EPA daalde de geproduceerde hoeveelheid gevaarlijk chemisch afval in de VS van 278 miljoen ton in 1991 – toen Anastas de term groene chemie introduceerde – naar 35 miljoen ton in 2009. Bedrijven gingen meer aandacht besteden aan hun invloed op het milieu. We moeten ons daar echter niet volledig door laten meevoeren. Anastas had een prachtige carrière, had enkele fantastische ideeën en was in het Witte Huis beland, maar de problemen van de industrie waren niet op stel en sprong opgelost. Veel belangrijke chemische verbindingen die de basis van alledaagse producten vormen, worden nog steeds door olieraffinage vervaardigd, en dat is geen duurzame bron en kan zeer vervuilend zijn. Er kan nog veel meer worden gedaan.

Groene chemie is een jong vakgebied. Naar verwachting zal het snel groeien – volgens sommige schattingen tot een omzet van bijna honderd miljard dollar tegen het einde van dit decennium. In een interview met het vooraanstaande wetenschappelijke tijdschrift *Nature*, twintig jaar na het opstellen van de twaalf principes, zei Anastas dat het uiteindelijk doel voor de scheikunde is om de principes van groene chemie geheel te omarmen. Als dat doel is bereikt zal de term 'groene chemie' al met al ophouden te bestaan – groene scheikunde is dan gewoon scheikunde.

Atoomeconomie

De principes van groene scheikunde verwijzen naar een concept genaamd 'atoomeconomie' dat niet was ontwikkeld door Anastas en Warner, maar door Barry Trost aan Stanford University. Voor elke reactie kun je het totale aantal atomen in de uitgangsstoffen inschatten en vergelijken met het totale geschatte aantal atomen in de producten. Die verhouding geeft aan hoe economisch je bent geweest in het gebruik van atomen. Elk atoom telt in de groene scheikunde.

Het idee in een notendop
Scheikunde die het milieu niet pijnigt

20 Scheiden

Het 's ochtends verwijderen van koffiedrab uit ons eerste bakkie, het halen van de geur van jasmijn uit bloemen of van heroïne uit een bloedmonster op een plaats delict: weinig technieken zijn meer bruikbaar in de scheikunde dan die voor het scheiden van d ene stof van een andere. Niet voor niets betekent de Nederlandse term scheikunde oorspronkelijk de kunst van het scheiden.

In elke moderne tv-misdaadserie komt er het moment dat een forensisch team arriveert en de plaats delict overneemt. We zien niet wat ze doen. We weten niet wat er zich afspeelt op het laboratorium in het bureau. We weten alleen dat ze arriveren in hun papierdunne, wegwerp onderzoekpakken en dat een paar minuten later hoofdinspecteur Platvoet de resultaten van een velletje papier leest. Misdaad opgelost.

Het zou interessant zijn om te zien wat er werkelijk op de forensische afdeling werd uitgevoerd. Een verzameling technieken waarin de forensische medewerkers werkelijk experts zijn, zijn chemische scheidingsmethoden. Stel je voor dat ze terugkeren van een bepaalde plek waar een akelige misdaad heeft plaatsgevonden. Overal waren er bloedspetters en sporen van drugsgebruik. Ze willen vaststellen wie welke drugs gebruikte. Ze hebben bloedmonsters maar hoe kunnen ze daaruit de drugs halen en vaststellen welke dat zijn? Het probleem is veel ingewikkelder dan het vissen naar paperclips in een kom rijst. In dit geval zijn de twee stoffen vochtig en kunnen ze niet handmatig van elkaar worden gescheiden.

CHROMATOGRAFIE
Wat de forensische onderzoekers steevast gaan gebruiken is een of andere chro-

matografische techniek. In wezen zorgen ze ervoor dat de drug ergens aan kleeft, en het idee is dat die is aangetrokken door een of ander 'kleverig' materiaal terwijl bloed moeiteloos wegspoelt. Dat lijkt meer op het gebruik van een magneet om de paperclips uit de kom rijst te vissen. In forensische terminologie is de drug, of de paperclip, de analyt ofwel datgene dat moet worden geanalyseerd.

PARFUM EN VERF

In principe komt de moderne chromatografie sterk overeen met extractietechnieken die al eeuwen worden gebruikt in takken van nijverheid zoals de parfumindustrie. Het kleverige materiaal hoeft niet vast te zijn. Als parfumeurs bijvoorbeeld de jasmijngeur uit jasmijnbloemen willen halen, gebruiken ze vloeibare chemicaliën zoals hexaan. Het punt waarom het draait is dat de geurbestanddelen meer affiniteit hebben voor die vloeistof dan de andere bloembestanddelen hebben.

Elektroforese

Elektroforese duidt op een reeks technieken die wordt gebruikt voor het scheiden van moleculen zoals eiwitten en DNA met elektriciteit. Monsters worden aangebracht op een gel of een vloeistof waarna de moleculen op basis van hun oppervlaktelading worden gescheiden. Negatief geladen moleculen bewegen naar de positieve elektrode en positief geladen moleculen bewegen naar de negatieve elektrode. Kleinere moleculen bewegen sneller omdat ze minder weerstand ondervinden, zodat de bestanddelen ook naar grootte worden gescheiden.

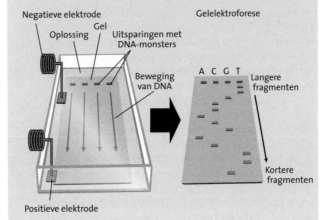

Veel van ons zullen vertrouwd zijn met chromatografie omdat we destijds op school een paar stukken papier kregen om inktkleuren of kleurstoffen te scheiden – onze analyten. Twee verschillende kleurstoffen zullen een verschillende affiniteit met het papier hebben en daarom vormen ze als een vloeistof ze meevoert door het papier afzonderlijke

1952

Martin en Synge ontvangen de Nobelprijs voor scheikunde

1970

Csaba Horváth introduceert de term HPLC – eerst high-pressure, maar later high-performance liquid chromatography

1990

Eerste vermelding van capillaire elektroforese bij het bepalen van de basenvolgorde van DNA

Tarwe uit de bloem halen

Scheidingstechnieken zijn gangbaar bij de voedings-middelenanalyse. Er zijn bedrijven die voedingsprodu-centen helpen met het opsporen van chemicaliën en andere vreemde bestanddelen die zijn beland in hun producten. Het opsporen vereist dat die van de andere ingrediënten worden gescheiden. Een voorkomend probleem is de verontreiniging van producten waarvan de verpakking vermeldt dat die geen gluten, tarwe of lactose bevatten. Zelfs minuscule hoeveelheden van de ongewenste bestanddelen kunnen daarvoor gevoelige mensen ziek maken. Voedingsanalisten kunnen met chromatografische technieken de onzuiverheden opsporen. Een onderzoek uit 2015 van Duitse scheikun-digen beschrijft bijvoorbeeld een nieuwe methode voor het opsporen van tarweverontreinigingen in speltbloem. Het probleem met deze twee graansoorten is dat ze vaak worden gekruist zodat er tarwe-spelthybriden ontstaan. Spelt is doorgaans gemakkelijker verteerbaar. Hybriden bevatten genen van beide graansoorten en veel van de eiwitten in de twee graansoorten komen met elkaar overeen. De onderzoekers vonden echter een eiwit, gliadine, dat alleen in tarwe voorkomt. Het maakt deel uit van gluten. Ze lieten zien dat het mogelijk is om met high-performance liquid chromatography (HPLC) na te gaan of speltbloem ook tarwe bevat. Verontreiniging met het eiwit gliadine moet dan namelijk zichtbaar zijn in het patroon op het chromatogram. Dezelfde techniek kan ook worden gebruikt voor het indelen van verschillende oogstopbrengsten naar hun gehalte aan tarwe-achtige en speltachtige eiwitten.

vlekken met verschillende kleuren. De benaming chromatografie zelf betekent letterlijk 'schrijven met kleur'. Een van de eerste wetenschappers die begin twintigste eeuw met chromatografische technieken werkte, was een botanicus die het papier gebruikte om plantaardige pigmenten te scheiden. Het duurde echter tot 1941 voordat Archer Martin en Richard Synge vloeistof-vloeistof-extractiemethoden combineerden, zoals gebruikt in de parfumindustrie en chromatografie, en daarbij de moderne partitiechromatografie uitvonden, met een gel om aminozuren te scheiden.

Hoewel chromatografie zekere overeenkomsten heeft met extractie is het waarschijnlijker dat onze forensische onderzoekers chromatografie gebruiken. Dat komt doordat het beter kleine hoeveelheden chemicaliën kan scheiden, zoals drugs, explosieven, kruitsporen en andere analyten.

VERDER BEWEGEN

In het verfexperiment op school was er wat we een stationaire fase noemen, namelijk het papier (de 'magneet' of het kleverige materiaal), en een mobiele fase, een vloeistof die door het papier beweegt en daarbij de verf meevoert. Hoewel de huidige forensische laboratoria aanzienlijk geavanceerder zijn, duidt men daar die twee fasen nog steeds met dezelfde naam aan. Twee zeer veel gebruikte technieken zijn de gaschromatografie (waarbij de mobiele fase een gasstroom is) en de zo genoemde high performance liquid chromatography (HPLC) waarbij een hoge druk wordt gebruikt. Beide technieken kunnen drugs, explosieven en kruitsporen scheiden. Ze kunnen zelfs direct aan massaspectrometers (zie pagina 84) worden gekoppeld waarmee de forensische onderzoekers de precieze moleculen waarom het gaat kunnen identificeren. De moleculaire 'handtekening' van de analyt kan bijvoorbeeld herkenbaar zijn als heroïne.

Om de identiteit van de persoon met heroïne in het bloed te bevestigen kunnen de forensische onderzoekers ook capillaire elektroforese (zie Elektroforese, pagina 81), een andere populaire scheidingstechniek, toepassen. In dat geval sturen elektrische krachten het DNA (de analyt) door kleine kanaaltjes waarbij dat zich spreidt en er een patroon ontstaat dat afhankelijk is van iemands DNA-profiel. Het profiel, of de DNA-vingerafdruk, kan worden vergeleken met een referentiemonster van bijvoorbeeld bloed of haar. De werkelijke vaardigheid van een forensische wetenschapper schuilt in het bepalen welke technieken in een situatie te gebruiken en hoe die het best te combineren. Het eindresultaat kan de vondst van heroïne zijn, maar het kan verscheidene scheidingsstappen vereisen om te belanden op het punt dat de drug daadwerkelijk kan worden aangetoond.

> **Zelfs tegenwoordig noemt men in Nederland chemie 'scheikunde' ofwel 'de kunst van het scheiden'.**
> Arne Tiselius, lid van het Nobel-comité voor scheikunde (1952)

ANDERE SCHEIDINGSTECHNIEKEN

Natuurlijk zijn forensische onderzoekers niet de enigen die scheidingstechnieken gebruiken, al spreekt hun werkgebied zeer tot de verbeelding. Scheidingen zijn standaard analytische methoden. Andere die de moeite van het vermelden waard zijn, zijn de ouderwetse destillatie, die vloeistoffen scheidt op basis van hun kookpunten (zie pagina 60), en centrifugatie, waarbij in een draaiende centrifuge deeltjes worden gescheiden op basis van verschillen in dichtheid. Wellicht herken je het patroon: alle scheikundige scheidingen werken simpelweg door een voordeel te putten uit verschillen in eigenschappen van de chemicaliën die moeten worden gescheiden. Als laatste voorbeeld kunnen we het papieren koffiefilter beschouwen, dat fysiek de vaste koffiekorreltjes scheidt van de vloeibare koffie – een scheiding gebaseerd op fasetoestanden. Filteren is een gebruikelijke techniek in scheikundige laboratoria, waarbij scheikundigen vaak nog vacuüm en pompen inzetten om het te versnellen. Er bestaan nog meer laboratorium-technieken die scheikundigen onthullen welke bestanddelen er in mengsels en bestanddelen zitten.

Het idee in een notendop
Wat detectiveseries je niet leren

21 Spectra

Voor de meesten onder ons zien spectra eruit als verbijsterende gepiekte of hobbelige grafieken die verschijnen bij de resultaten in wetenschappelijke artikelen. Voor de geoefende waarnemers onthullen die patronen de ingewikkelde details van de moleculaire structuur van een verbinding. Een van de methoden die wordt gebruikt voor het maken van deze beelden ligt ook aan de basis van een belangrijke techniek bij de diagnose en behandeling van kanker – de MRI-scan.

Als iemand met een hersentumor een MRI-scan ondergaat, waarbij MRI staat voor *magnetic resonance imaging*, moet die gaan liggen in een apparaat met een enorme krachtige magneet die vervolgens een afbeelding van de hersenen maakt. In die afbeelding kan de tumor van de rondom liggende weefsels worden onderscheiden en dat helpt de arts bij het besluit of en hoe de tumor operatief kan worden verwijderd. In feite kan het MRI-apparaat binnendringen in het hoofd van de patiënt zonder enige pijn te veroorzaken of inwendige beschadigingen aan te brengen. De patiënt hoeft alleen maar onbeweeglijk te liggen zodat het beeld niet verstoord raakt.

Het feit dat MRI onschadelijk is, moet vaak worden benadrukt. Een reden daarvoor is dat het direct gebaseerd is op een techniek genaamd kernspinresonantie (nuclear magnetic resonance, NMR) en het is begrijpelijk dat elke aanduiding die het woord kern bevat mensen schrikachtig maakt. Zowel MRI als NMR gebruiken een natuurlijke eigenschap van bepaalde atomen: de atoomkernen daarvan gedragen zich als minuscule magneten. Als een sterk magneetveld wordt aangelegd, beïnvloedt dat het gedrag van de atoomker-

TIJDLIJN

1945	1955	1960
Edward Purcell en Felix Bloch ontdekken onafhankelijk van elkaar het NMR-verschijnsel	William Dauben en Elias Corey gebruiken NMR voor het ontdekken van moleculaire structuren	Het eerste commercieel succesvolle NMR-apparaat de Varian A-60

nen. Door met radiogolven dat gedrag te verstoren, kan een NMR-apparaat informatie verkrijgen over de omgeving van de atoomkernen en kan een MRI-apparaat informatie vergaren over de hersenen van een patiënt.

VAN NMR NAAR MRI

Paul Lauterbur, de scheikundige die een sleutelrol speelde bij de ontwikkeling

Pasgeborenen testen

Massaspectrometrie is een van de technieken waarmee chemische verbindingen in het bloed van pasgeboren baby's wordt geanalyseerd. Het kan moleculen aantonen die kunnen wijzen op erfelijke ziekten. Zo wijzen hoge gehalten aan het aminozuur citrulline erop dat een baby lijdt aan de erfelijke ziekte citrullinemie, waarbij gifstoffen zich ophopen in het bloed en die kan leiden tot overgeven, attaques en verminderde groei. Omdat het is betrokken bij stofwisselingsprocessen is citrulline ook een nuttige biomerker voor reumatoïde artritis. Citrullinemie komt zelden voor, maar als het niet in een vroeg stadium wordt behandeld, kan het levensbedreigend zijn. Massaspectrometrie is een zeer snelle en nauwkeurige methode voor het analyseren van monsters. Het kan ook worden gebruikt om verscheidene verschillende verbindingen tegelijk te ontdekken, zodat een en hetzelfde monster kan worden gebruikt om het te testen op een aantal verschillende ziekten.

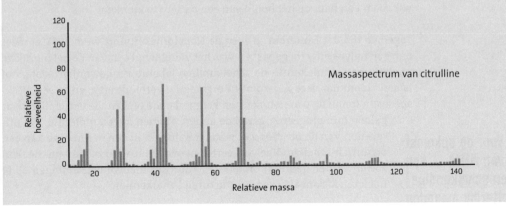

Massaspectrum van citrulline

1973
Paul Lauterbur
ontwikkelt MRI

2003
Nobelprijs toegekend voor
de ontdekking van MRI

2011
De American Chemical Society roept
de Varian A-60 uit tot een National
Historic Chemical Landmark

van MRI, ontving in 2003 een Nobelprijs voor zijn inspanningen. Oorspronkelijk was hij een NMR-specialist. Hij leerde de techniek in de jaren vijftig in de Mellon Institute Laboratories toen hij daar aan zijn promotie werkte en tijdens een korte verbintenis aan het Amerikaanse leger. Naar verluidt was hij de enige persoon die het nieuwe NMR-apparaat in het Army Chemical Center kon bedienen. Rond die tijd werd het eerste commerciële NMR-apparaat, de Varian A-60, ontwikkeld door Varian Associates. Al gauw zou NMR binnen de geneeskunde bredere toepassing vinden.

Het element dat het meest wordt gebruikt voor het maken van NMR-spectra is waterstof, dat aanwezig is in water en daarom ook in bloedplasma en lichaamscellen. Door waterstofkernen als magneten te gebruiken, kan een NMR-apparaat een beeld van het hoofd van een patiënt maken. Een interessant onderzoek dat een geneeskundige had uitgevoerd aan tumorcellen trok in 1971 Lauterburs aandacht. Het watergehalte van een tumorcel verschilt van dat van gewone cellen en Raymond Damadian had laten zien dat NMR die twee kon onderscheiden – hij verrichtte echter zijn onderzoek aan ratten en moest de dieren opofferen om zijn spectra te verkrijgen. Lauterbur ontdekte niet alleen een manier om de meetgegevens om te zetten in een (oorspronkelijk wazige) afbeelding, maar ontdekte ook een manier om dat te doen zonder ook maar een haar op het hoofd van een patiënt te krenken.

Tegen de tijd dat Lauterbur in 2003 de Nobelprijs ontving, werd NMR al meer dan een halve eeuw toegepast en was het wereldwijd een van de belangrijkste analytische technieken in de scheikundige laboratoria geworden. Waterstof is een atoom dat veel voorkomt in organische verbindingen, en in een NMR-spectrum tonen de waterstofkernen kenmerkende pieken die verschillen naar gelang hun omgeving, ofwel de andere atomen in een molecuul. Het uittekenen van de posities van waterstofatomen in een verbinding kan een organisch-scheikundige veel vertellen over de structuur daarvan. Het kan zowel worden gebruikt om de structuur van nieuwe verbindingen op te helderen als om al bekende structuren te herkennen.

> " Voor de opkomst van NRM... kon [een scheikundige] letterlijk maanden en jaren besteden aan het proberen de structuur van een molecuul te bepalen. "
> Paul Dirac, 1963

PIEKEN AFLEZEN

Het NMR-spectrum van een molecuul vormt een patroon, een chemische vingerafdruk die wijst op de identiteit ervan. Er zijn nog andere soorten chemische vingerafdrukken en net zoals bij NMR is hun interpretatie gebaseerd op het herkennen van kenmerkende golven en pieken in een spectrum. Bij massaspectrometrie houden de verschillende pieken verband met de verschillende moleculaire fragmenten – ionen – die ontstaan als moleculen uit elkaar worden gereten door hoogenergetische elektronenbundels. De positie van de piek langs een schaal verraadt de massa van de afzonderlijke fragmenten die voor de piek zorgen, en de hoogte van de piek is een maat voor het aantal fragmenten. Daarmee kan een onderzoeker de bestanddelen in een onbekende verbinding identificeren en, door uit te zoeken hoe die fragmenten op elkaar passen, de structuur van het molecuul achterhalen.

INFRARODE ANALYSE

Een andere belangrijke analytische techniek is de infraroodspectroscoop (IR-spectroscopie) waarbij infraroodstraling de bindingen tussen de atomen in een molecuul heftiger laat trillen. Verschillende scheikundige bindingen trillen op verschillende manieren en een infraroodspectrum toont een reeks van pieken die verband houden met verschillende bindingen. De binding tussen zuurstof en waterstof in alcohol vormt bijvoorbeeld zeer herkenbare pieken, hoewel het spectrum ingewikkelder kan worden doordat trillingen van naburige bindingen elkaar verstoren. Net zoals bij andere spectra vormt IR een moleculaire vingerafdruk die, met de juiste ervaring, kan worden afgelezen voor het bepalen van de identiteit van een chemische verbinding.

Spectrumschandaal

In de scheikunde kan overtuigend bewijs dat een reactie heeft plaatsgevonden, afhangen van een NMR-spectrum. Dat bewijs kan doorslaggevend zijn voor het wel of niet publiceren van je artikel. Met dergelijke grote belangen in het spel zijn er mensen die in de verleiding kunnen komen om het bewijs aan te passen zodat het strookt met hun bewijsvoering. In 2005 moest Bengu Sezen, een scheikundige aan Columbia University in de VS, verscheidene van haar artikelen terugtrekken nadat was gebleken dat ze in haar NMR-spectra met knippen en plakken pieken had geplaatst zodat die het door haar gewenste resultaat ondersteunden.

Deze moleculaire identificatietechnieken worden niet alleen gebruikt door scheikundigen die per ongeluk hun reactiekolven hebben verwisseld. Ze kunnen worden gebruikt om chemische reacties te volgen en om grote biomoleculen te herkennen met zo veel precisie dat het mogelijk is om een verandering in een enkel aminozuur in een groot eiwit vast te stellen. Massaspectrometrie wordt veel gebruikt bij de ontdekking en het testen van geneesmiddelen, het nagaan of pasgeborenen bepaalde ziekten hebben (zie Testen van pasgeborenen, pagina 85) en het opsporen van verontreinigingen in voedingsmiddelen.

Het idee in een notendop
Moleculaire vingerafdrukken

22 Kristallografie

Alles waarbij er sprake is van röntgenstraling op iets afvuren neigt ertoe om als sciencefiction over te komen – vooral als je daarvoor apparatuur gebruikt die vele miljoenen euro's kost. Kristallografie is ongetwijfeld een gevestigd wetenschappelijk feit, maar dat maakt het niet minder indrukwekkend.

Niet ver ten zuiden van de Engelse universiteitsstad Oxford, omgeven door grasland, staat een groot zilverkleurig gebouw. Vanaf de nabije verkeersweg ziet het eruit als een sportstadion, maar laat je niet foppen als je erlangs rijdt. Daarbinnen versnellen wetenschappers elektronen tot onvoorstelbare snelheden zodat ze lichtbundels verkrijgen die tien miljard keer helderder zijn dan de zon. Het gebouw herbergt de Diamond Light Source, de allerduurste wetenschappelijke faciliteit die ooit in het Verenigd Koninkrijk is gebouwd.

Net zoals de Large Hadron Collider is de Diamond een deeltjesversneller, maar in plaats van dat de deeltjes op elkaar botsen, worden ze gericht op kristallen met een doorsnede van een paar duizendsten millimeter. Met het ontzettend heldere licht kunnen de wetenschappers doordringen tot het hart van individuele moleculen en onthullen ze hoe al de atomen met elkaar zijn verbonden.

RÖNTGENZICHT

Diamond levert extreem krachtige röntgenstralen. Die stralen, ontdekt door Wilhelm Röntgen in 1895, vormen de basis van meer dan een eeuw pionierswerk aan het begrijpen van de structuren van belangrijke biologische moleculen en geneesmiddelen en zelfs geavanceerde materialen die worden ontwikkeld voor zonnepanelen, gebouwen en waterzuivering. De theorie is vrij

TIJDLIJN

1895	1913	1937	1946
De ontdekking van röntgenstralen door Wilhelm Röntgen	William Bragg en zijn zoon brengen met röntgenstralen de atomen in een kristal in kaart	Hodgkin heldert de structuur van cholesterol op	Hodgkin heldert de structuur van penicilline op

eenvoudig – de patronen die ontstaan als röntgenstralen door een materiaal worden verstrooid, maken duidelijk hoe atomen in moleculen en kristallen in drie dimensies zijn gerangschikt. Het verstrooiingspatroon dat moet worden afgelezen, bestaat uit punten die aangeven waar röntgenstralen een detector raken. In de praktijk is het echter allesbehalve eenvoudig. De techniek, genaamd röntgenkristallografie, vergt perfecte kristallen – netjes geordende stapelingen van moleculen. Niet alle moleculen vormen gemakkelijk perfecte kristallen. IJs en zout kunnen het, maar grote ingewikkelde moleculen zoals eiwitten hebben enige aanmoediging nodig.

Dorothy Crowfoot Hodgkin (1910-1994)

Hodgkin wordt beschouwd als een van de grootste wetenschappers van de twintigste eeuw. Zij doceerde, was een gewaardeerd hoofd van het laboratorium, waar een van haar studenten de latere Britse Eerste Minister Margaret Thatcher was, was jarenlang rector magnificus van de universiteit van Bristol en een ondersteuner van humanitaire doelen. Haar portret staat afgebeeld op twee Britse postzegels.

Het kan jaren en zelfs decennia kosten om uit te zoeken hoe je perfecte kristallen kunt laten groeien. Dat was het geval toen de Israëlische scheikundige Ada Yonath besloot om ribosoomkristallen te maken. Het ribosoom is de eiwitvormende machine in levende cellen. Het is aanwezig in alle levende organismen, inclusief micro-organismen, zodat het kennen van de structuur ervan waardevol kan zijn bij de bestrijding van tal van gevaarlijke ziekten. Het probleem is dat ribosomen zelf vele verschillende eiwitten en andere moleculen bevatten, en dat komt uiteindelijk neer op een totaal van honderdduizenden atomen in een opmerkelijk ingewikkelde structuur.

KRISTALMETHODEN

Eind jaren zeventig begon Yonath met het kristalliseren van de ribosomen van verscheidene bacteriën zodat ze die kon bombarderen met röntgenstraling. Toen ze eindelijk kristallen had die voldeden, waren de door de straling gevormde patronen niet gemakkelijk te interpreteren en de resolutie van de afbeeldingen was vrij laag. Pas in 2000, na drie decennia werk en samen met andere wetenschappers waarmee ze uiteindelijk de Nobelprijs zou delen, waren de

1956	1964	1969	2009
Hodgkin heldert de structuur van vitamine B12 op	Hodgkin ontvangt de Nobelprijs voor de opheldering van de kristalstructuren van biologische moleculen	Hodgkin heldert de structuur van insuline op	Nobelprijs toegekend voor opheldering van de kristalstructuur van het ribosoom

Röntgenwaarneming

Tegenwoordig kunnen wetenschappers structuurinformatie verkrijgen met kristallen die maar een fractie van de grootte hebben van de kristallen waarmee Dorothy Hodgkin in de jaren veertig werkte. Dat komt omdat het nu mogelijk is om veel krachtiger röntgenstralen op te wekken. De röntgenstralen worden opgewekt door ultrasnelle elektronen die rondcirkelen in een deeltjesversneller. Die elektronen vormen pulsen van elektromagnetische straling die we röntgenstraling noemen. Dat is een soort elektromagnetische straling die vergelijkbaar is met licht, maar dan met een veel kortere golflengte. Zichtbaar licht is ongeschikt voor de bestudering van structuren op atomaire schaal omdat de golflengte ervan te lang is – elke golf is langer dan een atoom en daarom wordt die niet verstrooid. Tijdens een meting zijn kristallen bevestigd op het uiteinde van een naald en ze worden gekoeld terwijl ze aan de röntgenstraling staan blootgesteld. Het verstrooien van de röntgenstraling staat bekend als diffractie en het patroon dat ze in de detector vormen wordt een diffractiepatroon genoemd.

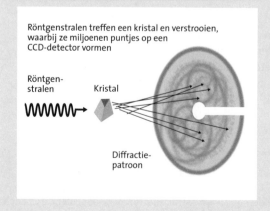

Röntgenstralen treffen een kristal en verstrooien, waarbij ze miljoenen puntjes op een CCD-detector vormen

Röntgen-stralen   Kristal

Diffractie-patroon

afbeeldingen scherp genoeg om op atomair niveau de structuur van het ribosoom prijs te geven. Dat vormde een grote overwinning. Toen ze begon, geloofde niemand dat het mogelijk was. Recent hebben geneesmiddelenfabrikanten met de door Yonath en haar collega's gevonden structuren nieuwe farmaceutische middelen ontwikkeld die inzetbaar zijn tegen bacteriën die resistent zijn tegen bestaande geneesmiddelen.

Ada Yonath was echter niet de eerste vrouw die haar volledige carrière wijdde aan de kristallografie. De pionier van het complete vakgebied van röntgenkristallografie vanaf de jaren dertig was Dorothy Crowfoot Hodgkin, die de kristalstructuur ophelderde van vele belangrijke biologische moleculen, waaronder cholesterol, penicilline, vitamine B12 en – nadat ze de Nobelprijs voor haar werk had gewonnen – insuline. Ondanks dat ze vanaf haar vierentwintigste werd gepijnigd door reumatoide artritis, werkte ze onvermoeibaar door om het ongelijk van sceptici aan te tonen. Ze bestudeerde penicilline tijdens de Tweede Wereldoorlog, toen de techniek nog nieuw was en door andere onderzoekers met wantrouwen werd bekeken. Van op zijn minst een van haar scheikundige collega's aan Oxford University is bekend dat die schamperend oordeelde over een structuur die zij voorstelde – een structuur die later juist zou blijken. Die structuur had ze binnen drie jaar opgehelderd, maar het vinden van de structuur van insuline zou haar meer dan dertig jaar kosten.

DIGITAAL DETECTEREN

In Hodgkins dagen werd alles uitgevoerd met fotografische film – de röntgenstralen troffen het kristal, raakten verstrooid en belandden op een fotografische plaat die ze achter het kristal had geplaatst. De vlekken op de film vormden het patroon waarvan ze hoopte dat die de structuur op atomaire schaal zou onthullen. Tegenwoordig worden bij röntgenkristallografie digitale detectoren gebruikt, om nog maar niet te spreken van de werkelijk krachtige deeltjesversnellers zoals de Diamond Light Source en de computers die alle meetgegevens kunnen verwerken met de ingewikkelde berekeningen die nodig zijn om de structuur op te helderen. Het was Hodgkin die in Oxford een campagne voor de aanschaf van computers voerde, nadat ze die van Manchester University had mogen gebruiken bij het ophelderen van de structuur van vitamine B12. Tot dan toe had ze haar enorme geestelijke vermogens gebruikt om de ingewikkelde wiskundige berekeningen uit te voeren.

Röntgenkristallografie is niet meer weg te denken en de voorstanders ervan hebben een roemvolle overwinning geboekt. Sommige wetenschappers hebben aan het nut ervan getwijfeld, maar sinds de jaren zestig hebben kristallografische technieken de structuren van meer dan 90.000 eiwitten en andere biologische moleculen (zie pagina 152) opgehelderd. Röntgenkristallografie is de techniek bij uitstek als je structuren op atomaire schaal wil bestuderen. Zelfs nu de techniek gevestigd is, treden er daarbij nog problemen op die moeten worden overwonnen. Het groeien van perfecte kristallen is nooit gemakkelijk, zodat wetenschappers hebben gewerkt aan manieren om onvolmaakte kristallen te bestuderen. Zestig jaar nadat Hodgkin begon met haar langdurige onderzoek aan insuline verkregen NASA-wetenschappers een veel beter beeld van de structuur ervan – in de ruimte, in de microzwaartekrachtomgeving van het internationale ruimtestation ISS, kunnen veel betere kristallen groeien.

> **Als dat de formule van penicilline is, dan verruil ik de scheikunde voor het kweken van paddenstoelen.**
> Scheikundige John Cornforth, over Hodgkins (juiste) formule

Het idee in een notendop
Onthullen van de structuren van afzonderlijke moleculen

23 Elektrolyse

Aan het begin van de negentiende eeuw was de batterij uitgevonden en begonnen scheikundigen met elektriciteit te experimenteren. Al snel gebruikten ze een nieuwe techniek genaamd elektrolyse voor het splitsen van stoffen en het ontdekken van nieuwe elementen. Elektrolyse werd ook een bron van chemicaliën zoals chloor.

In 1875 ontdekte een Amerikaanse arts een methode voor het vernietigen van haarcellen, zodat hij de ingegroeide wimpers van zijn patiënten kon elektrocuteren. Hij noemde zijn techniek elektrolyse, en die wordt nog steeds gebruikt voor het verwijderen van ongewenste lichaamsbeharing. Zijn ontharingsmethode heeft echter weinig van doen met een elektrolysetechniek die evenzeer een doorbraak vormde en die eveneens in 1875 werd toegepast bij de ontdekking van het zilverachtige metaal gallium. Eén ding hadden de technieken gemeen, en dat blijkt ook uit de benaming: ze vereisten allebei elektriciteit.

Tegen 1875 was dat tweede type elektrolyse al meer dan een halve eeuw in gebruik en het had een revolutie in de negentiende-eeuwse scheikunde betekend. Het past ons om deze experimentele scheikundige techniek nimmer te verwarren met het systeem voor het permanent verwijderen van beenbeharing. Elektrolyse heeft ook grote invloed gehad op het gebied van volksgezondheid, en het werd uiteindelijk de methode voor het verkrijgen van chloor uit pekel (chloor is het desinfectiemiddel dat wordt gebruikt in zwembaden en dat drinkwater vrij van ziektekiemen houdt). Destijds was het echter vooral bekend als de methode waarmee aan het Royal Institution de beroemde wetenschapper en spreker

TIJDLIJN

1800	Eind 19ᵉ eeuw	1854
Eerste beschrijving van een batterij door Alessandro Volta	Nicholson en Carlisle vinden elektrolyse uit	John Snow toont aan dat water ziekten kan verspreiden

Verzilveren en vergulden

Bij het aanbrengen van een zilveren of gouden coating wordt elektrolyse gebruikt om een dunne laag van een duurder metaal aan te brengen op een goedkoper metaal. Het metalen voorwerp fungeert als een van de elektroden in wat een elektrolytische cel wordt genoemd. Je kunt een lepel verzilveren door die met een draad aan een batterij te verbinden en te dompelen in water waarin wat zilvercyanide is opgelost. De lepel vormt de negatieve elektrode en de positief

geladen zilverionen in het water worden daardoor aangetrokken. Om de aanvoer van zilverionen op peil te houden, wordt een stuk zilver gebruikt als de positieve elektrode. In feite wordt zilver overgedragen van de ene naar de andere elektrode. Op dezelfde manier kan goud met een draad worden verbonden en vervolgens bijvoorbeeld juwelen of de hoes van een smartphone van een goudlaagje voorzien. De oplossing waarin de

elektroden worden gedompeld, wordt de elektrolyt genoemd.

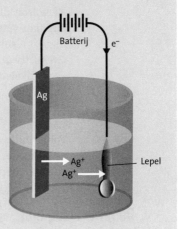

Humphry Davy (zie pagina 44) een reeks veelvoorkomende elementen, waaronder natrium, calcium en magnesium, uit verbindingen had afgescheiden.

WATER SPLITSEN
Hoewel Davy de beroemdste elektrolyse-experimentator was, gaat de eer voor de uitvinding ervan in 1800 naar een nauwelijks bekende scheikundige, William Nicholson, en zijn vriend, de chirurgijn Anthony Carlisle. Zij waren gefascineerd door enkele experimenten die de batterijpionier Alessandro Volta eerder dat jaar had uitgevoerd en ze probeerden die te herhalen. Op dat moment was de batterij, de zuil van Volta, niet meer dan een stapel van metalen schijven en vochtige doeken waaraan draden waren verbonden. Geïntrigeerd door de ver-

1892
Elektrolyse gebruikt voor de productie van chloorgas uit pekel

1908
Eerste gebruik van chloor voor desinfectie van drinkwater

schijning van waterstofbelletjes als een batterijdraad een druppel water raakte, plaatsten ze de draden aan twee zijden van een watervat. Het gevolg was dat aan de ene zijde zuurstofbellen verschenen en aan de andere zijde waterstofbellen. Ze gebruikten de elektriciteit om de bindingen tussen de atomen in watermoleculen te verbreken, zodat die zich opsplitsten in hun bestanddelen.

Nicholson, die naam had gemaakt als spreker, schrijver en vertaler en zijn eigen populairwetenschappelijke tijdschrift had opgericht, twijfelde er niet aan waar hij zijn resultaten wilde gaan publiceren. In het *Journal of Natural Philosophy, Chemistry and the Arts,* dat Nicholsons tijdschrift werd genoemd, prijkte al snel een artikel dat de dageraad van het nieuwe tijdperk van elektrochemie aankondigde.

ELEKTROCHEMIE

Volta's zuil werd nagemaakt en aangepast – en uiteindelijk ging die zelfs lijken op de moderne batterij – en al vlot gebruikten wetenschappers elektrolyse voor allerlei interessante scheikunde. Davy isoleerde calcium, kalium, magnesium en andere elementen, terwijl zijn Zweedse rivaal Jöns Jakob Berzelius werkte aan het splitsen van verscheidene in water opgeloste zouten. In de scheikunde slaat de term zout op een verbinding die bestaat uit ionen waarvan de ladingen elkaar opheffen. In keukenzout – natriumchloride – zijn natriumionen positief geladen en zijn chloorionen negatief geladen. Natrium kan ook een felgeel zout vormen met chromaationen (CrO_4^-). Hoewel dat er veel spannender uitziet dan keukenzout, is natriumchromaat ook giftig en oneetbaar.

> **De grote vraag met betrekking tot de ontleding van water... verkrijgt krachtige bevestiging door de experimenten die voor het eerst zijn uitgevoerd door Mr. Nicholson en Mr. Carlisle...**
>
> John Bostock in
> 'Nicholsons tijdschrift'

Dat brengt ons meteen bij het huidige begrip van hoe elektrolyse daadwerkelijk verloopt, want het gaat allemaal om ionen (zie Ionen, pagina 19). Als een zout is opgelost in water valt het uiteen in positieve en negatieve ionen. Bij elektrolyse worden die ionen aangetrokken door elektroden met de tegenstelde lading. Elektronen belanden in de stroomkring via de negatieve elektrode, zodat bijvoorbeeld positieve zilverionen (zie Verzilveren en vergulden, pagina 93) elektronen opnemen en daarbij een laag van neutrale zilveratomen vormen. Ondertussen doen de negatieve ionen aangetrokken door de andere elektrode het tegenovergestelde – zij verliezen hun extra elektronen en worden neutraal.

Bepaalde zouten, zoals het normale keukenzout, bevatten natriumionen die hoewel positief geladen zoals de zilverionen veel reactiever zijn. Als natrium-

ionen worden gesplitst van chloor koppelen ze meteen aan hydroxide-ionen (OH⁻) in de waterelektrolyt
en vormen ze natriumhydroxide. In plaats van dat de
negatieve elektrode natriumionen aantrekt, trekt die
waterstofionen aan die elektronen opnemen en om-
hoog borrelen als waterstofgas.

SCHONE REVOLUTIE
Dezelfde opstelling vormt de basis van de complete
bedrijfstak die via elektrolyse chloor produceert. In
principe laat je een elektrische stroom door zeewater gaan waarna je het chloorgas kunt opvangen. Het
nevenproduct, natriumhydroxide, ook wel bekend als
bijtende soda, kan worden gecombineerd met olie bij
de zeepfabricage.

Terwijl de elektrochemie voortgang maakte in de negentiende eeuw, werden wetenschappers zich in toenemende mate bewust van het probleem van via wa-
ter overgebrachte ziekten. Tot ongeveer het midden van de eeuw dacht men dat
mensen cholera opliepen door het inademen van giftige dampen. Tijdens een
cholera-uitbraak in Londen in 1854 toonde John Snow echter aan dat mensen
ziek werden van drinkwater uit een waterpomp in Soho, door het uitzetten van
ziektegevallen op een kaart. Daarmee was hij een van de eerste epidemiologen.

Binnen enkele decennia werd chloor, bereid via elektrolyse, gebruikt als een
desinfectiemiddel dat mensen beschermde tegen ziektekiemen in hun drinkwater. Het werd voor het eerste gebruikt voor de behandeling van de drinkwa-
tervoorziening van Jersey City, in New Jersey (VS). Chloor wordt ook gebruikt
als bleekmiddel, en in vele geneesmiddelen en in insecticiden. Tegenwoordig
worden de waterstofbellen die ontstaan bij de elektrolyse van pekel soms verzameld. In brandstofcellen kan dat waterstofgas dan weer elektriciteit leveren.

Elektriciteit
De zuil van Volta, die Alessandro
Volta had uitgevonden, leverde
de eerste continue aanvoer van
elektriciteit. Daarvoor waren met
folie bedekte Leidse flessen gebruikt
voor het opvangen en opslaan van
elektrische ladingen die als vonken
werden opgewekt in een met de
hand aangedreven generator van
statische elektriciteit. De flessen
werden gevuld met water of zelfs bier
om de elektriciteit op te slaan – tot
wetenschappers ontdekten dat het
de folie en niet de vloeistof was die
de lading opsloeg.

Het idee in een notendop
Elektriciteit laat chemische verbindingen uiteenvallen

24 Microfabricage

Er bevinden zich wellicht tientallen of zelfs honderden computerchips in je huis. Hoewel elk daarvan een ongelooflijk staaltje van techniek is, zijn die chips ook het resultaat van belangrijke chemische ontwikkelingen. Het was een scheikundige die de eerste patronen in een siliciumschijfje heeft geëtst. Hoewel de chips tegenwoordig veel kleiner zijn dan vijftig jaar geleden, blijft de scheikunde van silicium onveranderd.

Weinig technologieën hebben een zo grote indruk gehad op de menselijke gemeenschap en cultuur als de computerchip. Onze levens worden geregeerd door computers, smartphones en een duizelingwekkende verzameling van andere elektronische apparaten die worden bestuurd door geïntegreerde schakelingen – chips en microchips. De miniaturisatie van de elektronische schakelingen en apparaten heeft vrij letterlijk rekenkracht in al onze zakken gestopt, en vormt zo de manier waarop we de huidige wereld ervaren.

Aan een van de essentiële chemische doorbraken die leidden tot de ontwikkeling van de siliciumchip wordt vaak voorbijgegaan. Historische beschrijvingen geven steevast krediet aan Jack Kilby van Texas Instruments, die later de Nobelprijs voor natuurkunde won, als de uitvinder van de geïntegreerde schakeling en verwijzen steeds weer naar Bell Laboratories – Bell Labs – als de plek waar de eerste transistoren werden gemaakt. Aan scheikundige Carl Frosch en zijn technisch medewerker Lincoln ('Link') Derick worden vaak niet meer dan een paar woorden gewijd.

TIJDLIJN

1948	1954	1957
Eerste transistor onthuld bij Bell Labs	Carl Frosch en Lincoln Derick groeien een siliciumdioxidelaag op een siliciumschijf	Bell Labs gebruikt een fotoresist om een patroon op een silicium-oppervlak over te dragen

FEUT FROSCH

Misschien komt dat omdat er maar weinig bekend is over Frosch. Er is weinig geschreven over zijn vroege carrière of zijn persoonlijke leven. Hij werd al op jonge leeftijd gezien als een wetenschappelijk talent. In de editie van 2 maart 1929 van *Schenectady Gazette*, een tijdschrift in New York, staat een korrelige zwart-witafbeelding van een peinzende 21-jarige Frosch, naast een advertentie van Mohican Company voor extra kwaliteit spliterwten. Het bijgaande artikel vermeldt zijn verkiezing als erelid van de wetenschappelijke vereniging Sigma Xi, de grootste eer die aan een wetenschapsstudent kan worden bewezen. Meer dan een decennium daarna blijft het stil.

In 1943 werkte Frosch bij Bell Labs, in de Murray Hill Chemical Laboratories. Een collega, Allen Bortrum, beschrijft hem als een bescheiden man, hoewel

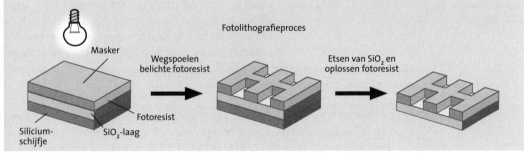

Chips maken

Een van de eerste patronen die Frosch in zijn schijfjes etste, was 'THE END'. Eenvoudigweg beschreven is het proces van het maken van een geïntegreerde schakeling of computerchip een beetje als drukken gecombineerd met het ontwikkelen van een foto. In feite werd druktechnologie die tot dan toe was gebruikt voor het maken van patronen op printplaten aangepast voor het overzetten van ontwerpen op siliciumschijfjes. Nu is het mogelijk om op hetzelfde schijfje zeer ingewikkelde ontwerpen te etsen een meerdere maskers te gebruiken.

Fotolithografieproces

Masker
Wegspoelen belichte fotoresist
Etsen van SiO_2 en oplossen fotoresist
Fotoresist
Silicium-schijfje
SiO_2-laag

1958

Bij Texas Instruments vindt Jack Kilby de geïntegreerde schakeling uit

1965

De wet van Moore wordt voor het eerst vermeld in het tijdschrift *Electronics*

1965

Het aantal elektrische onderdelen van een computerchip bereikt een miljard

Doteren

Silicium heeft vier elektronen in de buitenste schil. In een siliciumkristal deelt elk siliciumatoom die vier elektronen met vier andere siliciumatomen – een totaal van vier gedeelde paren elektronen per atoom. Fosfor heeft vijf elektronen in de buitenste schil, zodat als het als doteringsmiddel wordt toegevoegd er een 'vrij' elektron door het siliciumkristal waart. Dat type dotering vormt zo genoemd n-type-silicium – de ladingsdragers zijn de negatief geladen elektronen. Het andere type is p-dotering, waarbij p staat voor positieve lading. Daar wordt de lading gedragen door de afwezigheid van elektronen. Dat klinkt misschien een beetje vreemd, maar boor – een p-type-doteringsmiddel – bevat in de buitenste schil een elektron minder dan silicium. Dat betekent dat er een elektronengat ontstaat in de kristalstructuur waar zich een elektron had moeten bevinden. Positief geladen gaten verplaatsen lading door het opnemen van elektronen.

hij het ook wel leuk moet hebben gevonden om de strijd aan te gaan, want in de juniuitgave van *Bell Laboratories Record* staat een afbeelding waarop hij een trofee ontvangt voor de hoogste score in de Murray Hill Bowling League. Vijf jaar later onthulde Bell Labs de eerste transistor, vervaardigd uit germanium. Kleinere versies van die kleine elektronische schakelaars zouden uiteindelijk met miljoenen en miljarden worden samengepropt op moderne computerchips, maar die zouden worden vervaardigd uit silicium. Het waren Frosch en Derick, een voormalige gevechtspiloot, die de ontdekking deden waaraan Silicon Valley haar naam te danken heeft.

INGEVINGEN

Tegen de jaren vijftig werden transistoren gemaakt met een methode die bekendstond als diffusieproces, waarbij doteringsmiddelen – chemische toevoegingen die de elektrische eigenschappen van een stof veranderen – bij zeer hoge temperaturen door diffusie vanuit gas doordrongen in extreem dunne schijfjes germanium of silicium. Op dat moment bestond er nog niet zoiets als een geïntegreerde schakeling. Bij Bell Labs richtten Frosch en Derick zich op het verbeteren van de diffusiemethode. Ze werkten al met silicium, want in germanium traden vaak gebreken op. Ze hadden echter niet de allerbeste apparatuur en Frosch was steeds weer schijfjes silicium aan het verbranden.

Hun experimenten bestonden uit het plaatsen van een schijfje in een oven waarna ze daarop een straal waterstofgas richtten waaraan een doteringsmiddel was toegevoegd. Op een dag keerde Derick terug in het laboratorium en zag hij dat de waterstofstroom de schijfjes had doen ontbranden. Bij nadere inspectie van de schijfjes zag hij echter tot zijn verrassing dat ze glanzend en glad waren. Er was zuurstof in de opstelling gelekt waardoor waterstof was verbrand en stoom was ontstaan. Die stoom had gereageerd met het silicium en daarbij was een glasachtige laag van siliciumdioxide ontstaan. Die siliciumdioxidelaag is nog steeds cruciaal bij de fotolithografie, de methode waarmee siliciumchips worden gemaakt.

AFSPOELEN EN HERHALEN

Bij fotolithografie wordt het patroon van een geïntegreerde schakeling geëtst in een siliciumdioxidelaag. Het wordt bedekt met wat een foto-resist of fotolak wordt genoemd – een lichtgevoelige laag – en daarbovenop plaatst men een masker dat een zich herhalend patroon bevat zodat veel chips in één keer kunnen worden gemaakt. Onder het masker reageren de onbedekte gebieden van de fotoresist met licht, waarna ze kunnen worden weggespoeld en het overgebrachte patroon achterblijft. Dat patroon wordt dan geëtst in de glanzende siliciumdioxidelaag daaronder.

Wat Frosch en Derick beseften, is dat ze de siliciumdioxidelaag konden gebruiken om het schijfje te beschermen tegen beschadigingen door het diffusieproces dat bij hoge temperatuur plaatsvond. Bovendien konden ze bepalen welke gebieden ze wilden doteren. Boor en fosfor zijn doteringsmiddelen (zie Doteren, pagina 98) die niet door de siliciumdioxidelaag kunnen doordringen. Door het etsen van vensters in de laag kon de diffusie van de doteringsmiddelen op zeer specifieke plekken optreden. In 1957 publiceerden Frosch en Derick een artikel in *Journal of the Electrochemical Society* waarin ze hun ontdekkingen gedetailleerd beschreven. Daarbij noemden ze de mogelijkheid voor het maken van 'precieze oppervlaktepatronen'.

Halfgeleiderbedrijven pakten het idee snel op. Ze probeerden op enkele schijfjes meerdere transistoren te maken. Toen, een jaar later, ontdekte Kilby de geïntegreerde schakeling, een toepassing waarbij alle onderdelen tegelijkertijd op een schijfje halfgeleidermateriaal werden gemaakt. Die 'chip' bestond echter uit germanium. Een germaniumdioxidelaag vormt geen barrière, zodat uiteindelijk silicium ingang vond. Tegenwoordig worden uiterst ingewikkelde patronen ontworpen op computers en overgebracht op siliciumschijfjes met de oxidemaskermethode. In 1965 voorspelde Intel-oprichter Gordon Moore dat het aantal onderdelen van een computerchip jaarlijks zou verdubbelen, later die voorspelling aanpassend naar elke twee jaar. Dankzij de vooruitgang in de fotolithografie is het gelukt om aan die voorspelling te voldoen en in 2005 werd de mijlpaal van een miljard [onderdelen] overschreden.

> **Silicium zelf is natuurlijk het essentiële bestanddeel, op de voet gevolgd door het unieke natuurlijke oxide, zonder hetwelk weinig van de huidige bloeiende halfgeleiderindustrie ooit zou hebben kunnen beginnen.**
>
> Nick Holonyak jr.,
> uitvinder van de led

Het idee in een notendop
Siliciumchemie in elke smartphone

25 Zelfassemblage

Moleculen zijn te klein om met gewone microscopen te kunnen zien. Daardoor zijn wetenschappers beperkt in hun vermogen om ze met gewone gereedschappen te manipuleren. Wat ze in plaats daarvan kunnen doen, is moleculen zo te ontwerpen dat die zichzelf kunnen organiseren. Zelfassemblagestructuren zouden kunnen worden gebruikt voor het maken van minuscule apparaten en machines die lijken thuis te horen in het domein van de sciencefiction.

Als je je eigen lepel moest maken, hoe zou je dat aanpakken? Wat zou je eerste ingeving zijn? Zou je proberen een klomp metaal of misschien een boomtak te vinden en die in de juiste vorm hameren of snijden? Dat lijkt misschien de meest voor de hand liggende benadering, maar het zou niet de enige zijn. Een alternatieve methode, al ziet die er op het eerste gezicht wat omslachtiger uit, is het verzamelen van honderden minuscule korreltjes metaal of houtsnippers en die aan elkaar vastplakken in de vorm van een lepel.

De eerste aanpak is wat scheikundigen een 'top-down'-benadering noemen. Je neemt een ruw brok materiaal en snijdt daaruit iets dat de vorm en grootte heeft van wat je wilt. De tweede benadering is het tegenovergestelde – 'bottom-up'. In plaats van het verkleinen van een brok materiaal bouw je iets op uit kleinere brokjes. Toegegeven, de tweede manier lijkt op een enorme hoeveelheid werk, maar stel je voor dat je die niet allemaal zelf aan elkaar hoeft vast te zetten maar dat ze dat zelf deden. Dat maakt het een stuk gemakkelijker.

TOVERWERK

Dat is in principe wat er gebeurt bij de moleculaire zelfassemblage, maar dan op een veel kleinere schaal. In de natuur wordt er niets top-down gevormd. Hout, bot, zijde – al die materialen worden molecuul voor molecuul geassembleerd en ze ontstaan spontaan. Als bijvoorbeeld de buitenste membraan van een cel ontstaat, organiseren de vetdeeltjes die de membraan vormen zichzelf tot een laag die de cel omgeeft.

Als we manieren konden bedenken om dingen te maken die net als in de natuur zich zelf ordenen, bottom-up, zou dat wel tovenarij lijken. Het is als een scène in een *Harry Potter*-film waar na een spreuk en een beweging van de toverstaf alles naar zijn plek vliegt. We zouden computeronderdelen molecuul voor molecuul kunnen bouwen – chips zo klein dat de rekenkracht van de NASA zowat in je smartphone past. We zouden medische machines kunnen maken die de aderen in onze lichamen konden schoonschrapen, kankercellen opsporen of geneesmiddelen precies op de plek van een ontsteking afleveren.

Dat lijkt allemaal vergezocht, maar er gebeuren al dergelijke dingen in laboratoria verspreid over de hele wereld, waar wetenschappers zelfassemblageprocessen bedenken waarbij deeltjes vanzelf samenkomen. Ze worden naar hun plek geleid door een modelvorm of patronen die met meer traditionele top-downtechnieken zijn gemaakt, of de structuren die ze moeten vormen zijn daadwerkelijk gecodeerd in de minuscule deeltjes. Dergelijke processen worden vaak ontworpen door wetenschappers werkzaam op het gebied van de nanotechnologie (zie pagina 180). Zelf-assemblerende moleculen kunnen worden gebruikt voor het vormen van uiterst dunne lagen van gespecialiseerde materialen en

Zelfassemblerende monolagen

Zelfassemblerende monolagen zijn lagen met een dikte van een molecuul die op een zeer geordende wijze op een oppervlak ontstaan. Het effect werd voor het eerst gebruikt in de jaren tachtig voor het verzamelen op een oppervlak van allereerst alkylsilaanmoleculen en daarna alkaanthiolmoleculen. Het zwavelatoom in een alkaanthiolmolecuul heeft een sterke affiniteit voor goud, zodat het aan een goudoppervlak blijft kleven. Door de rest van het molecuul op maat aan te passen, is het mogelijk om dunne lagen met uiteenlopende chemische functies te maken. Zo kunnen daar antistoffen of DNA aan worden gehecht, zodat de lagen toepasbaar zijn in de medische diagnostiek.

2006

Paul Rothemund meldt het eerste als origami vouwen van DNA

2013

Britse onderzoekers maken een MRSA-test met een zelf-assemblerende monolaag voor het detecteren van bacterie-DNA

Zelfassemblage in vloeibare kristallen

De moleculen in de meeste moderne beeldschermen verkeren in een vloeibare-kristaltoestand (zie pagina 24) waarbij er sprake is van een zekere mate van regelmatige ordening in combinatie met een vloeistofachtige stroom. De moleculen ordenen zich op natuurlijke wijze op een bepaalde manier, maar bij toepassing van een elektrisch veld verandert hun opstelling en dat regelt wat we op het scherm kunnen zien. Wetenschappers hebben vele natuurstoffen ontdekt die zich gedragen als vloeibare kristallen en die zelfassemblage vertonen. Zo wordt van de materialen die de stevige huid van bepaalde insecten en schaaldieren vormen gedacht dat die ontstaan door vloeibaar-kristallijne zelfassemblage. Nieuwe manieren voor het beïnvloeden van ordeningen van dergelijke materialen kunnen interessant zijn voor het ontdekken van nieuwe materialen. In een onderzoek uit 2012 lieten Canadese onderzoekers zien dat met cellulosekristallen verkregen uit sparrenhout ze een regenboogkleurige laag konden maken waarin ze met uiteenlopende belichtingsomstandigheden geheime informatie gecodeerd konden vastleggen. In een ander onderzoek werd vloeibaar-kristallijne cellulose gebruikt om een kleine door vochtigheid aangedreven 'stoommachine' te maken. Vochtigheid veranderde de ordening van de kristallen in een band bestaande uit een celluloselaag, en de daardoor ontstane spanning zorgde ervoor dat het wiel ging draaien.

Door vochtigheid aangedreven cellulosemotor

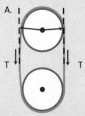 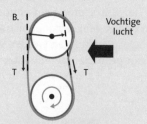

Het koppel, de combinatie van de twee krachten uitgeoefend op het wiel door de spanning van de celluloselaag, is in evenwicht.	Vochtigheid laat de laag krimpen waardoor het krachtenevenwicht verandert en het wiel tegen de klok in draait.

extreem minuscule apparaten. Nanotechnologen maken materialen en structuren op een zeer kleine schaal, om en nabij een miljoenste van een millimeter, zodat het meer voor de hand ligt om ze molecuul voor molecuul op te bouwen dan om daarvoor materialen en gereedschappen te gebruiken die naar verhouding gigantisch zijn.

VOUWEN ALS ORIGAMI

Dat is duidelijk niet de manier waarop je een lepel met een normaal formaat zou willen maken, maar als je een lepel van nanoformaat wenst, is dat zeker de manier om het aan te pakken. Wetenschappers aan de Amerikaanse Harvard University zijn zelfs een stap verder gegaan. In 2010 maakten ze uit zelfassemblerende moleculen wat William Shih, de scheikundige die het project leidde, beschreef als 'kleine Zwitserse officiersmessen'. Ze gebruikten de natuur een beetje, want ze lieten DNA-strengen (zie pagina 140) zich opvouwen tot driedimensionale structuren. Weliswaar noemde Shih ze officiersmessen, maar de structuren leken meer op minuscule tentframes, met stangen en klampen die zorgden voor een enorme sterkte en stijfheid. De wetenschappers konden precies de gewenste structuren maken door het ontwerpen van een DNA-code zodat de moleculen zich op een bepaalde manier zouden opvouwen.

Dat was lang niet het eerste voorbeeld van techniek op nanoschaal met DNA. Het team bouwde voort op het werk van anderen die de kunst beoefenen van wat alom DNA-origami wordt genoemd. Hoewel er geen duidelijke toepassing bestaat voor minuscule tentframes verschaft de analogie met origami een aanwijzing voor de mogelijkheden die er in het verschiet kunnen liggen. Zoals een en hetzelfde vel papier kan worden gevouwen tot een prachtige vogel of een dreigende schorpioen heeft DNA de veelzijdigheid om elke vorm of structuur aan te nemen, zo lang als de ontwerper dat ontwerp in de DNA-volgorde kan vastleggen.

Shih en zijn team zijn bio-ingenieurs. Zij werken met biologische materialen en ze proberen biologische problemen op te lossen. Hun doel is het ontwerp van draadframestructuren die bruikbaar zijn in het menselijk lichaam, waarbij de biocompatibiliteit ervan een groot voordeel biedt. Zo kunnen hun sterkte en stijfheid nuttig zijn bij regeneratieve geneeskunde, bij het repareren of vervangen van beschadigde weefsels en organen met in het laboratorium gemaakte weefselmallen. Ondertussen gebruiken wetenschappers met een elektronica-achtergrond andere materialen voor het ontwikkelen van zelfassemblage-processen voor minuscule sensoren en goedkope elektronica.

> **Het is het verschil tussen het bouwen van structuren op nanoschaal, molecuul voor molecuul, met wat overeenkomt met nano-eetstokjes en daarbij de moleculen laten doen wat ze het best kunnen, zichzelf zelfassembleren...**
>
> John Pelesko

KUNST IN DE WETENSCHAP

Als een methode kan zelfassemblage haast magisch werken, maar het vereist een zeer gespecialiseerde wetenschapper om dat voor elkaar te krijgen. In feite is dat stuk zelfassemblage nauwelijks een methode. Het is gewoon iets dat gebeurt nadat al het moeizame werk is verricht. De werkelijke kunst is het ontwerpen van moleculen, materialen en apparaten zodat die zullen zelfassembleren. Wetenschappers maken niet enkel lepels – ze ontwerpen materialen die zelf de lepels vormen.

Het idee in een notendop
Moleculen die
zichzelf organiseren

26 Laboratorium op een chip

De laboratorium-op-een-chiptechnologie kan mogelijk de geneeskunde veranderen door het verschaffen van lokale testen voor voedselvergiftiging tot en met ebola, die kunnen worden uitgevoerd zonder enige specialistische kennis. Het is al mogelijk om tegelijkertijd honderden experimenten uit te voeren op een kleine chip die in een borstzakje past.

J e bezoekt de huisarts met een mysterieuze buikinfectie en je hoopt dat die niet de gevreesde woorden uitspreekt: 'Ik heb een monster van je ontlasting nodig'. Tja, iedereen zal op een bepaald moment in het leven met een plastic pot wat van het eigen afval moeten verzamelen en beschaamd afleveren in de kliniek. Gelukkig zal het dan rechtstreeks naar het laboratorium worden gebracht en hoef je het niet meer te zien. In de nabije toekomst zou het wel eens kunnen dat de huisarts het monster ter plekke, waar je bij staat, analyseert en binnen een kwartier de uitkomst vertelt.

In 2006 meldden Amerikaanse onderzoekers die werkten aan een door National Institutes of Health gefinancierd project dat ze een wegwerpbare buikgriepkaart ontwikkelden die ziekteverwekkers zoals *E. coli* en *Salmonella* kon onderscheiden door het uitvoeren van parallelle testen op een ontlastingsmonster – allemaal op een enkele microchip. Hun apparaat zou antistoffen gebruiken voor het waarnemen van moleculen aan het oppervlak van een micro-organisme en dan hun DNA verkrijgen en analyseren.

TIJDLIJN

1992	1995	1996
Microchiptechnologie toegepast voor het maken van een micro-apparaat dat moleculen in dunne glazen capillairtjes scheidt	Eerste gebruik van een microapparaat voor DNA-sequensen	DNA van *Salmonella* gemeten op een chip

Het klinkt ongelooflijk slim, en een beetje weerzinwekkend. Die buikgriepkaart staat echter niet op zichzelf. Dergelijke lokale testen kunnen de volgende grote revolutie in de gezondheidszorg zijn en veel daarvan zijn gebaseerd op de laboratorium-op-een-chiptechnologie. Er bestaan al apparaten voor het vaststellen van hartaanvallen en het volgen van het aantal T-cellen bij hiv-patiënten. Goedkope diagnostische chips kunnen ooit een sleutelrol spelen bij het nagaan hoe epidemieën zich verspreiden. Het grote voordeel van dergelijke chips is dat het gebruik ervan geen specialistische kennis vergt. Het is een geautomatiseerd experiment dat past in de handpalm. Alles wat een arts hoeft te doen, is het aanbrengen van een kleine hoeveelheid van een monster op de kaart, waarna hij de kaart in een kaartlezer steekt.

MICROCHIP ONTMOET DNA

Het concept van een laboratorium op een chip ontstond toen wetenschappers gingen beseffen dat ze de gangbare techniek voor het fabriceren van microchips (pagina 96) konden kapen voor het maken van miniatuurversies van standaard laboratoriumexperimenten. In 1992 lieten Zwitserse onderzoekers zien dat ze een gangbare scheidingstechniek genaamd capillaire elektroforese (zie pagina 82) op een chip konden uitvoeren. In 1994 scheidde het team van scheikundige Adam Woolley, aan de University of California in Berkeley, VS, al DNA in minuscule kanaaltjes op een glazen chip en niet veel later gebruikten ze chips voor de bepaling van de basenvolgorde van DNA. Tegenwoordig is dat DNA-sequensen op glazen en kunststoffen chips wellicht de allerbelangrijkste toepassing van de laboratorium-op-een-chiptechnologie, met chips die honderden monsters parallel kunnen sequensen en binnen enkele minuten de resultaten opleveren.

Sequensen op een chip is geen geringe prestatie. Daarbij hoort doorgaans een technologie genaamd de polymerasekettingreactie (PCR) die in de moleculaire biologie al jarenlang is gebruikt. De reactie draait om het herhaaldelijk verwarmen en afkoelen van DNA. Om dat op een chip voor elkaar te krijgen, moeten

---

Detectivewerk

Snelle analyse op een chip van chemicaliën kan ook nuttig zijn voor het aantonen van over - tredingen, zoals het testen van namaakgeneesmiddelen of het herkennen van ongewenste ingrediënten in voedselpartijen. Een laboratorium-op-een-chipapparaat zou kunnen testen op tal van verboden middelen of – in de sport – op dopingmiddelen, en binnen enkele minuten een uitslag geven.

1997
DNA-sequensen in parallelle banen op een microchip

2012
Voorspelling van laboratorium-op-een-smartphone-technologie voor medische controle

2014
Aankondiging van het concept voor 'Internet of Life'

The Internet of Life

Misschien heb je wel gehoord van 'The Internet of Things', een concept gebaseerd op het idee dat we leven in een wereld met alsmaar slimmere apparaten die allemaal kunnen worden verbonden in een enkel netwerk. Smartphones, koelkasten, televisies en zelfs van microchips voorziene honden, alle kunnen ze in een netwerk worden opgenomen via hun chips. Onderzoekers van QuantuMDx, een bedrijf gevestigd in Newcastle-upon-Tyne in Engeland, hebben plannen voor een 'The Internet of Life'. Dat moet de gegevens verzamelen die over de gehele wereld door laboratorium-op-een-chipapparaten worden gemeten. Ze stellen dat DNA-sequensengegevens verzameld met de chipapparaten moeten zijn voorzien van een geografisch label, zodat het duidelijk is waar de meting is verricht. Dat zou epidemiologen een ongekend gedetailleerd niveau bieden bij het realtime volgen van ziekten. Ze zouden malaria kunnen volgen, en de evolutie van het griepvirus, kennis kunnen verwerven over ebola-uitbraken, nieuwe geneesmiddelresistente vormen van tuberculose kunnen herkennen en, hopelijk, al die informatie kunnen gebruiken om de verdere verspreiding te stoppen.

de monsters in de kanaaltjes worden verwarmd en verplaatst door opeenvolgende reactiekamers – met elk een volume van een duizendste milliliter – bij verschillende temperaturen. Een belangrijk onderdeel van de laboratorium-op-een-chiptechnologie staat bekend als de microfluïdica. Omdat er sprake is van kleine volumes vloeistoffen, zijn de meeste diagnostische chips gebaseerd op microfluïdica.

Er bestaan echter veel andere toepassingen voor deze op chips gebaseerde technologieën. Vanuit het gezichtspunt van een scheikundige bieden de kanaaltjes en kamertjes in een chip een manier om reacties en analyses uit te voeren op een beheerste, herhaalbare manier, met monsters die zo klein zijn dat ze niet met menselijke handen kunnen worden gehanteerd. Biologen kunnen afzonderlijke cellen vangen in aparte reactiekamers en dan simultaan het effect van allerlei chemische verbindingen of biologische boodschappermoleculen daarop nagaan. Geneesmiddelenontwikkelaars kunnen ze gebruiken voor het mengen van kleine hoeveelheden van verschillende geneesmiddelen en het nagaan van hun gecombineerde werking. Op al deze gebieden helpt het werken met dergelijke kleine hoeveelheden in het beperken van afval en kosten tot het minimum.

Chips kunnen ook nuttig zijn voor het formuleren en doseren van geneesmiddelen, bijvoorbeeld in de vorm

Diagnostisch apparaat voor de Point of Care-test (POCT)

Losstaande POCT-lezer

POCT-chip

Af te lezen resultaat

Monster

Monstervoorbereiding

Afgelezen signaal

Analyse

Monstertransport

Monsterreactie

van capsules van micro- of nanoformaat, of het afmeten en druppelsgewijs toedienen van minuscule doses, wat zorgt voor minder bijwerkingen als gevolg van plotselinge verhogingen van de concentratie van een geneesmiddel. Sommige experts denken aan patiënten uitgerust met draagbare geneesmiddeltoedienende chips. Die kunnen zelfs zijn verbonden met doelweefsels, zoals waar een tumor zich bevindt, met 'micronaalden'.

> [Er is] tegenwoordig veel technologie die daadwerkelijk de gebruikelijke rol van de arts overslaat... we hebben het over laboratorium-op-een-chip, op een telefoon...
>
> Eric Topol, directeur van het Scripps Translational Science Institute op de podcast Clinical Chemistry

GENETWERKTE ZIEKTEGEGEVENS

Diagnostiek en het volgen van de individuele gezondheid vormen echter de meest opwindende gebieden voor de wetenschappers die werken aan laboratorium-op-een-chiptechnologie. De moleculen die het meest op laboratorium-op-een-chipapparaten worden getest, zijn eiwitten, nucleïnezuren zoals DNA en moleculen die een rol spelen bij de stofwisseling. De chips bieden duidelijk een uitkomst bij diabetes, waarbij patiënten continu hun bloedsuikerniveau moeten volgen. (zie Suiker meten, pagina 136). Er zijn andere zo genoemde biomarker-eiwitten die kunnen wijzen op allerlei aandoeningen, zoals een hersenbeschadiging, of aan een kraamverzorgster kunnen aangeven of de weeën gaan beginnen. Zeer vaak maken diagnostische chips gebruik van antistoffen omdat die goed zijn in het herkennen van specifieke moleculen – zowel onze eigen moleculen als de moleculen die behoren bij ziekteverwekkers.

Chipdiagnose kan veel belangrijkere gevolgen hebben in gebieden op deze wereld waar middelen schaars zijn en mogelijk faciliteiten voor professionele laboratoriumanalyse van monsters ontbreken. Een Brits bedrijf wil de resultaten verkregen met een diagnostisch apparaat verzamelen in een gegevensbestand dat toegankelijk is via een netwerk, en daarmee een 'The Internet of Life' vormen (zie The Internet of Life, pagina 106). Dat zou uitbraken van dodelijke ziekten zoals ebola kunnen volgen. Hoewel het nog een paar jaar kan duren voordat tijdens je bezoek aan de huisarts je ontlasting ter plekke wordt geanalyseerd, kunnen de laboratorium-op-een-chipapparaten ooit zorgen voor een revolutie in de manier waarop we met ziekte omgaan. En zoals we elders zullen zien, kent rekenkracht nog veel andere toepassingen in de scheikunde.

Het idee in een notendop
Miniatuur-scheikunde-experimenten

27 Computationele scheikunde

Martin Karplus is van huis uit een vogelspotter en bioloog en dat maakt hem een niet voor de hand liggende kandidaat als vader van de computationele scheikunde. Hij geloofde echter dat theoretische scheikunde de fundamenten kon leveren voor het begrijpen van het leven, en dat bleek inderdaad zo. Daarvoor had hij eerst wel een computer van een half miljoen dollar nodig.

Martin Karplus, de vader van de computationele scheikunde, was een Oostenrijkse jood. De familie Karplus verruilde in 1938 Oostenrijk voor de VS, nadat Oostenrijk zich aansloot bij nazi-Duitsland. In de VS bleek Karplus op school een intelligente student. Buiten schooltijd groeide zijn interesse in wetenschap met zijn passie voor de natuur. Hij was een jonge vogelspotter die waarnemingen vastlegde voor de jaarlijkse vogelmigratietelling van de Audubon Society. Op zijn veertiende werd hij bijna gearresteerd op verdenking van het als Duitse spion signalen geven aan onderzeeboten – hij was tijdens een storm met zijn verrekijker op zoek naar de kleine alk.

Voordat hij naar de universiteit ging, werd Karplus uitgenodigd om in Alaska te helpen met onderzoek aan vogelnavigatie. Dat overtuigde hem ervan dat een onderzoekcarrière hem op het lijf geschreven was. In plaats van zich aan te melden bij een biologiefaculteit, koos hij echter voor een studie scheikunde en natuurkunde aan Harvard. Hij had bedacht dat die vakgebieden essentieel waren voor begrip van de biologie en het leven zelf. Voor zijn promotie aan Caltech

TIJDLIJN

1959	1971
De oorspronkelijke formule van de Karplusvergelijking wordt gepubliceerd	De groep van Karplus publiceert de theorie over retinal in het oog

Computers in geneesmiddelenonderzoek

Om te onderzoeken of een nieuw ontworpen geneesmiddel doet wat het moet doen, moet het worden getest. Met honderden of duizenden verschillende mogelijke geneesmiddelen en een beperkte hoeveelheid menskracht en geld is het vrijwel onmogelijk om die allemaal te testen in echte cellen, dieren en mensen. Daar verschijnt computationele scheikunde op het toneel. Met moleculaire simulaties kan worden nagegaan hoe geneesmiddelmoleculen kunnen wisselwerken met de moleculen in het lichaam waarop ze zijn gericht en zo kunnen die geneesmiddelen worden opgespoord die de beste kandidaten zijn voor het aanpakken van een bepaalde ziekte. De theoretische berekeningen kunnen worden gezien als experimenten *in silico* – in silicium, of in computers. Natuurlijk kunnen er problemen zijn met de geneesmiddelen die bij de simulaties niet opvallen. Daarom is de combinatie van computationele (theoretische) en experimentele scheikunde zo sterk.

Vergelijking tussen een door de computer voorspelde eiwitstructuur en de kristallografisch bepaalde structuur

begon hij aan een project over eiwitten, maar zijn begeleider ging weg, en hij kwam onder de hoede van Linus Pauling, die niet veel later de Nobelprijs voor scheikunde zou winnen voor zijn werk aan de aard van de chemische binding. Karplus bestudeerde waterstofbruggen (zie pagina 20) en werd gedwongen om zijn proefschrift binnen drie weken te schrijven toen Pauling plotseling bekendmaakte dat hij een uitvoerige reis ging maken.

Na een verblijf bij een vakgroep theoretische chemie aan Oxford University verkreeg Karplus vijf jaar lang een aanstelling aan de University of Illinois, waar

1977

De eerste moleculair-dynamische simulatie van een groot biologisch molecuul – pancreatische trypsineremmer uit runderen (BPTI)

2013

Martin Karplus, Michael Levitt en Arieh Warshel ontvangen de Nobelprijs voor computationele scheikunde

> **Theoretisch-scheikundigen gebruiken liever het woord 'voorspelling' dan losjes verwijzen naar een berekening die overeenkomt met het experiment, zelfs als dat laatste al veel eerder was uitgevoerd.**
>
> Martin Karplus

hij werkte aan kernspinresonantie (NMR) (zie pagina 84). Hij gebruikte NMR voor het bestuderen van de bindingshoeken van waterstofatomen in het ethanolmolecuul (CH_3CH_2OH), en besefte toen dat het uitvoeren van alle berekeningen op een bureaurekenmachine erg omslachtig was. Hij schreef daarop een computerprogramma dat hem veel werk uit handen nam.

DE COMPUTER VAN EEN HALF MILJOEN DOLLAR

In die tijd, in 1958, was de University of Illinois de trotse eigenaar van een digitale computer genaamd ILLIAC, die een half miljoen doller had gekost en beschikte over maar liefst 64 kilobyte aan geheugen. Dat is onvoldoende voor een foto die je met een smartphone maakt, maar voldoende voor het programma van Karplus. De computer werd met ponskaarten geprogrammeerd. Kort nadat hij de berekeningen had afgerond, woonde hij een lezing bij van een organisch-scheikundige van de University of Illinois die experimenteel zijn resultaten leek te hebben bevestigd.

Ervan overtuigd dat zijn berekeningen bruikbaar waren bij het bepalen van chemische structuren publiceerde Karplus een artikel met daarin wat bekend is geworden als de Karplusvergelijking. Die vergelijking werd gebruikt door scheikundigen bij het interpreteren van NMR-resultaten en het bepalen van de moleculaire structuur van organische moleculen. Zijn oorspronkelijke formule werd daarna verfijnd en aangepast, maar wordt nog steeds in NMR-spectroscopie gebruikt. De lezing die Karplus had bijgewoond, ging over suikers, maar zijn vergelijking is uitgebreid naar andere organische moleculen, waaronder eiwitten, en naar anorganische moleculen.

In 1960 ging Karplus aan de slag in het door IBM gefinancierde Watson Scientific Laboratory, waar hij een IBM-computer had die veel sneller was en meer geheugen had dan de ILLIAC. Al snel besefte hij dat een carrière in het bedrijfsleven niets voor hem was en hij keerde terug naar de academische wereld, maar hij hield daar iets aan over dat hem bij de voortgang van zijn onderzoek hielp: toegang tot de IBM 650. Hij werkte door aan de problemen die hem in Illinois hadden geïntrigeerd. Nu beschikte hij echter over de middelen om die werkelijk aan te pakken, met de IBM-computer die hem hielp de chemische reacties op moleculair niveau te doorgronden.

TERUG NAAR DE NATUUR

Uiteindelijk keerde Karplus terug naar Harvard en naar zijn eerste liefde, biologie. Daar paste hij zijn inmiddels aanzienlijke ervaring in de theoretische scheikunde toe op het zien van dieren. Karplus en zijn team opperden dat een van de koolstof-koolstofbindingen in retinal – een vorm van vitamine A die in het oog reageert op licht – verdraaide bij blootstelling aan licht en dat die beweging de sleutel tot het zien was. Hun theoretische berekeningen voorspelden de structuur die bij de draaiing moest ontstaan. Hetzelfde jaar bewezen experimentele resultaten dat ze gelijk hadden.

Theoretische resultaten uit de computationele scheikunde gaan vaak hand in hand met empirisch bewijs. De theorie onderbouwt de waarnemingen zoals de waarnemingen de theorie ondersteunen. Gezamenlijk vormen ze een veel overtuigender bewijs dan elk op zichzelf. Nadat Max Perutz de kristalstructuur van hemoglobine – het zuurstof vervoerende molecuul in bloed – had ontdekt, bedacht Karplus een theoretisch model dat verklaarde hoe die twee met elkaar wisselwerkten.

Vereniging van biologie, scheikunde... en natuurkunde

Niet alleen moest Martin Karplus scheikunde leren om biologie te verklaren, maar hij moest daarvoor ook scheikunde met natuurkunde verenigen. De Nobelprijs (in scheikunde) die Karplus en zijn collega's in 2013 deelden (zie pagina 109) werd toegekend voor het combineren van zowel klassieke natuurkunde als quantumfysica voor het ontwikkelen van krachtige modellen die scheikundigen in staat zouden stellen om werkelijk grote moleculen te modelleren, zoals de moleculen die voorkomen in biologische systemen.

DYNAMISCH VELD

Karplus ging over tot bestudering van hoe eiwitketens zich vouwen en daarbij werkzame eiwitmoleculen vormen. Met zijn promovendus Bruce Gellin ontwikkelde hij een programma dat hielp met het berekenen van eiwitstructuren uit een combinatie van aminozuurvolgorden en met röntgenkristallografie (zie pagina 88) verkregen meetgegevens. Het daaruit voortvloeiende CHARMM-initiatief in moleculaire dynamica (Chemistry at Harvard Macromolecular Mechanics) timmert nog steeds aan de weg.

Tegenwoordig zijn modellen en simulaties in het vakgebied scheikunde bijna net zo belangrijk als in de economische wetenschap. Scheikundigen ontwikkelen computermodellen die reacties kunnen nabootsen, en op atomair niveau processen zoals het vouwen van eiwitten. Die modellen kunnen worden toegepast op processen die vrijwel onmogelijk in werkelijkheid kunnen worden gezien omdat ze plaatsvinden binnen fracties van een seconde.

Het idee in een notendop
Moleculen modelleren met computers

28 Koolstof

Koolstof is het chemische element dat de schuld krijgt van de vernietiging van het milieu. Het vormt echter ook de basis voor het leven op aarde – alles dat ooit heeft geleefd was gemaakt van koolstofbevattende moleculen. Hoe heeft een enkel klein atoom zich naar elke uithoek van de planeet verspreid? En hoe kunnen twee verbindingen die alleen maar koolstof bevatten er volledig verschillend uitzien?

Als er één element is waarover we misschien meer horen dan over enig ander element, dan is het koolstof. Veel van wat we horen is slecht, natuurlijk – koolstof hoopt zich op in de atmosfeer en verstoort daarbij het aardklimaat. De continue focus op het inperken van koolstofuitstoot betekent dat we koolstof zien als een kracht die moet worden getemd. Daarom is het gemakkelijk te vergeten dat koolstof op zichzelf slechts een compacte kleine bal van protonen en neutronen is, die is omgeven door een wolk van zes elektronen. Het is een eenvoudig chemisch element dat zich in het periodiek systeem boven silicium bevindt. Afgezien van de milieuontsporingen, wat is er dan zo belangrijk aan koolstof dat het speciale aandacht verdient?

Wat we soms vergeten is dat koolstof de basis is van al wat hier op aarde leeft – alles dat kruipt, woekert, fladdert en vliegt. Het is koolstof dat de chemische ruggengraat van biologische moleculen vormt, van DNA tot eiwitten en van vetten tot neurotransmitters die de synapsen in onze hersenen oversteken. Als je alle atomen in je lichaam stuk voor stuk kon tellen, dan zou een op de zes een koolstofatoom zijn. Er zouden alleen maar meer zuurstofatomen zijn omdat je lichaam grotendeels uit water bestaat.

TIJDLIJN

1754	1789	1895	1985
Joseph Black ontdekt koolstof-dioxide	Antoine-Laurent Lavoisier introduceert de benaming koolstof	Svante Arrhenius publiceert een artikel over de invloed van atmosferische koolstof	Buckyballen worden gemaakt in het laboratorium

ORGANISCH EN ANORGANISCH

De buitengewone verscheidenheid aan koolstofbevattende verbindingen is te danken aan de bereidwilligheid van koolstof om met zichzelf bindingen aan te gaan – en met andere atomen – en om daarbij ringen, ketens en andere geavanceerde structuren te vormen. Alleen al de natuur kan miljoenen verschillende complexe koolstofverbindingen maken. Veel daarvan zullen waarschijnlijk verdwijnen voordat we ze zelfs maar kunnen ontdekken, omdat de planten, dieren of micro-organismen die ze maken uitsterven. Gecombineerd met de menselijke vindingrijkheid zijn de mogelijkheden voor het kunstmatig creëren van nieuwe koolstofverbindingen vrijwel oneindig.

Al die koolstofverbindingen behoren tot het gebied dat scheikundigen organische scheikunde noemen. De term 'organisch' kan je op het verkeerde been zetten en je doen denken dat het gebied beperkt is tot verbindingen die door de natuur worden gemaakt en dat is in feite de oorspronkelijke classificatie van organische chemische verbindingen. Tegenwoordig beschouwen we plastics net zo goed als organische verbindingen zoals we eiwitten als organische verbindingen beschouwen, omdat ze allebei koolstofskeletten bevatten. Vrijwel alle koolstofbevattende verbindingen, met enkele opmerkelijke uitzonderingen, zijn organisch, ongeacht of ze worden gemaakt in een bietenwortel, in een bacterie of in een zuurkast in een scheikundelaboratorium.

In het algemeen is alles wat niet organisch is anorganisch. Net zoals organische scheikunde kent ook anorganische scheikunde onderverdelingen, maar het markeert het belang van koolstof dat scheikunde zo is opgedeeld. Een van de meest voor de hand liggende verschoppelingen is het molecuul dat zich in de atmosfeer ophoopt, koolstofdioxide. Het past eigenlijk niet in enige onderverdeling. Hoewel het koolstof bevat, ontbeert het wat scheikundigen 'functionele groepen' noemen. De meeste organische verbindingen kunnen verder worden onderverdeeld op basis van de groepen atomen die aan hun koolstofskeletten hangen. Omdat koolstofdioxide slechts een paar zuurstofatomen bevat, verkeert het een beetje in een raar tussengebied.

2009

110 wereldleiders discussiëren bij klimaatbesprekingen in Kopenhagen over maatregelen tegen klimaatverandering

2010

De Nobelprijs voor natuurkunde wordt toegekend voor het verkrijgen van grafeen uit grafiet

Er bestaat een complete klasse van uitzonderingen die bekendstaat als de organometalen. In die koolstofbevattende verbindingen zijn bepaalde koolstofatomen gebonden aan metalen. Organometalen worden beschouwd als verbindingen tussen organisch en anorganisch in, en ze belanden meestal in het domein van anorganisch-scheikundigen. Ze zijn allesbehalve zeldzame chemische verbindingen en ze komen evenmin uitsluitend in scheikundelaboratoria voor. Het hemoglobinemolecuul dat in je bloed zuurstof vervoert herbergt ijzeratomen en vitamine B12 bevat een kobaltatoom (zie pagina 48). Net zoals vitamine B12 zijn veel organometaalverbindingen goede katalysatoren.

> **Het geringe percentage van [koolstof] in de atmosfeer kan, door de vooruitgang van de industrie, binnen een paar eeuwen in een waarneembare mate veranderen.**
>
> Svante Arrhenius, 1904

ZUIVERE KOOLSTOFVERBINDINGEN

Een andere rare koolstofverbinding is diamant, dat geheel uit koolstof bestaat maar niet als organisch wordt beschouwd. (Soms kun je beter geen vragen stellen bij de indelingssystemen van scheikundigen). Er zijn verscheidene fascinerende zuiver-koolstofverbindingen waarvan het de moeite waard is er bekend mee te raken. Naast diamant bestaan er ook koolstofvezel, koolstofnanobuizen, buckyballen, grafiet (potloodvulling) en een koolstofverbinding met een kippengaasstructuur die een atoom dik is, grafeen genoemd, waarvan scheikundigen hopen dat die de volgende revolutie in elektronica zal betekenen (zie pagina 184).

Het is vreemd, maar als je diamant en grafiet beschouwt, dan lijken die twee absoluut niet op elkaar (zie Diamanten versus potloodvulling, rechterpagina). Ze bestaan allebei geheel uit koolstofatomen, en die zijn slechts op verschillende manieren gerangschikt. Vanwege hun verschillende atomaire structuren – de manier waarop de atomen met elkaar zijn verbonden – zien ze er volledig verschillend uit en hebben ze andere eigenschappen. Grafeen verschilt aan de andere kant wat structuur betreft niet zo veel van grafiet. Het is in feite mogelijk om met plakband koolstoflagen met een dikte van een atoom van grafiet af te trekken.

BEVRIJD KOOLSTOF

Al die interessante en nuttige scheikunde pleit koolstof nog niet vrij. Of beter gezegd, het pleit ons niet vrij. De fossiele brandstoffen die we verbranden om energie te verkrijgen, zijn koolwaterstoffen, en wanneer koolstofbevattende brandstoffen zoals benzine en steenkool worden verbrand, vormt de verbrandingsreactie koolstofdioxide. Bij de verbrandingsreactie komt koolstof dat miljoenen jaren in de bodem was opgesloten vrij in de atmosfeer, waar het

Diamanten versus potloodvulling

In diamant is elk koolstofatoom verbonden met vier andere, terwijl in grafiet elk koolstofatoom slechts met drie andere is verbonden. Terwijl de bindingen in diamant zich in verschillende richtingen uitstrekken, vormen ze in grafiet een plat vlak. Dat betekent dat de diamantstructuur een stevig driedimensionaal netwerk is terwijl grafiet bestaat uit losjes met elkaar verbonden koolstoflagen. De lagen in potloodvulling worden samengehouden door zwakke aantrekkingskrachten, genaamd vanderwaalskrachten. Die worden gemakkelijk verbroken, het duwen van een potlood op papier volstaat om de buitenste laag vrij te laten. Die structurele verschillen op moleculair niveau maken diamant zeer hard en grafiet, verhoudingsgewijs, zeer zacht.

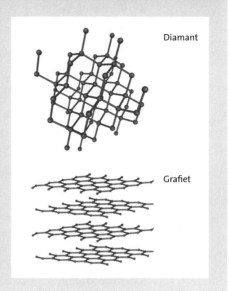

Diamant

Grafiet

voorkomt dat infraroodstraling naar de ruimte ontsnapt. Dat proces, het broeikaseffect, draagt bij aan de opwarming van de aarde. Ongeacht de rol die koolstof vervult in onze lichamen, of de potloodvulling of mogelijke toekomstige elektronische apparaten, blijft het feit dat we miljarden tonnen ervan jaarlijks vrijlaten een enorm probleem.

Het idee in een notendop
Eén element, veel gezichten

29 Water

Je zou niet verwachten dat water veel geheimen heeft – je kunt er bijvoorbeeld doorheen kijken – maar water herbergt verborgen diepten: als koolstofverbindingen de levensstof vormen, dan is water het medium waarin dat gedijt en overleeft. Ondanks tientallen jaren onderzoek naar de structuur van water bestaat er nog geen model dat ons precies kan vertellen hoe water zich in een willekeurige situatie gedraagt en waarom.

H_2O is misschien de enige chemische formule, naast CO_2, die de ruime meerderheid aan mensen kan opnoemen zonder daarbij na te denken. Als er een scheikundige verbinding is die gemakkelijk te begrijpen zou moeten zijn, dan is dat water. Enig begrip van de watermoleculen die ontspringen aan onze kranen, de ijsblokjesvormen in onze diepvriezers vullen en onze meren en zwembaden nathouden is echter verre van eenvoudig gebleken. Terwijl we water gemakkelijker beschouwen als een achtergrond voor onze vakantiefoto's dan als een scheikundige verbinding, is het juist een scheikundige verbinding, en zelfs een zeer ingewikkelde.

Als je bijvoorbeeld dacht dat water slechts in drie vormen voorkomt – vloeibaar water, stoom en ijs – dan kom je bedrogen uit. Sommige modellen wijzen erop dat er twee verschillende vloeibare fasen bestaan (zie pagina 24) en op zijn minst twintig verschillende fasen van ijs. Er zijn nogal wat dingen van water die we werkelijk niet weten, maar laten we beginnen met wat we wel weten.

> **Het grootste mysterie in de wetenschap is het begrijpen waarom we, na letterlijk eeuwen van onvermoeibaar onderzoek en eindeloos debat, nog steeds de eigenschappen van water niet nauwkeurig kunnen beschrijven en voorspellen.**
> Richard Saykally

TIJDLIJN

6e eeuw v.Chr.	1781	1884
De Griekse filosoof Thalus van Milete noemt water de bron van alle leven	Henry Cavendish onthult samenstelling van water	Eerste voorstel van 'watergroepen'

WAAROM WATER CRUCIAAL IS VOOR LEVEN

Water is overal. De Amerikaanse scheikundige en waterexpert Richard Saykally herinnert mensen er graag aan dat water het op twee na meest voorkomende molecuul in het heelal is. Het bedekt bijna twee derde van het aardoppervlak en als je ooit sterrenkundigen hoort losgaan over de jacht op water op Mars (zie pagina 124), dan is dat omdat ze geïnteresseerd zijn in het vinden van leven in het heelal, en water is heel, heel belangrijk voor leven, met name vloeibaar water. Dat komt omdat het enkele unieke chemische en natuurkundige eigenschappen heeft die het ideaal maken voor het herbergen van leven en de chemische reacties die dat aandrijven.

Allereerst is vloeibaar water een fantastisch oplosmiddel. Bijna alles kan erin oplossen en veel van de dingen die erin oplossen moeten opgelost zijn willen ze reacties ondergaan. Daardoor kunnen andere scheikundige verbindingen in onze cellen reageren en zo een werkende stofwisseling vormen. Het kan ook scheikundige verbindingen in een cel of in het lichaam transporteren en het

De bijdrage van water aan klimaatverandering

Zeer recent kwamen natuurkundigen van de Russische academie van wetenschappen in Nizjni Novgorod dicht bij het oplossen van een mysterie dat lange tijd wetenschappers die de atmosfeerchemie bestuderen plaagde. Water lijkt veel meer straling te absorberen dan dat het volgens voorspellingen door theoretische modellen gebaseerd op de structuur ervan zou moeten doen. Verschillen tussen voorspelde en gemeten waarden kunnen worden verklaard door de aanwezigheid van dimeren – dubbele watermoleculen – in de atmosfeer, maar niemand heeft kunnen aantonen dat die daadwerkelijk bestaan. Om die ongrijpbare dimeren te vinden gingen Mikhail Tretyakov en zijn team zo ver om voor hun experimenten een nieuw soort spectrometer uit te vinden. Die leverde een absorptie-vingerafdruk van water die veel duidelijker dan voorheen samenhangt met de verwachte dimeren en kan zorgen voor een beter begrip van hoe water precies bijdraagt aan het infraroodabsorptiespectrum van onze atmosfeer.

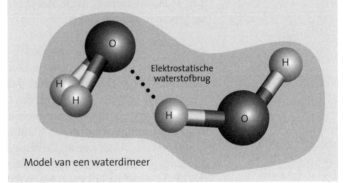

Model van een waterdimeer

1975
Boutron en Alben publiceren een model voor ringvormige structuren van watermoleculen

2003
NASA-ruimtevaartuig vindt grote hoeveelheden waterijs op Mars

2013
Nieuw bewijs voor waterdimeren in de aardatmosfeer

Leven zonder water

We gaan over het algemeen ervan uit dat leven afhankelijk is van water. Is dat werkelijk waar? Van eiwitten, de moleculen die enzymen en structuren zoals spieren in onze lichamen vormen, werd ooit gedacht dat ze water vereisten om hun vorm te behouden en hun vele taken uit te voeren. In 2012 beseften wetenschappers aan de University of Bristol in Engeland dat myoglobine, het eiwit dat in spieren zuurstof vasthoudt, haar structuur behoudt bij gebrek aan water en dan, zeer intrigerend, extreem warmtebestendig wordt.

blijft vloeibaar binnen een buitengewoon groot temperatuurbereik vergeleken met andere scheikundige verbindingen. Je zou denken dat het voor de hand ligt dat water bevriest bij 0 °C en kookt bij 100 °C, maar je zult weinig andere verbindingen vinden die over zo'n groot traject vloeibaar blijven. Ammoniak bijvoorbeeld bevriest bij −78 °C en kookt bij −33 °C, en net zoals ammoniak zijn de meeste andere natuurlijk voorkomende scheikundige verbindingen zelfs niet vloeibaar bij de temperaturen waarbij het leven op aarde voorkomt.

Een andere waardevolle eigenschap van water is dat het dichter is in vloeibare vorm dan in vaste vorm. Dat komt door de manier waarop watermoleculen in ijs op elkaar gepakt zijn. Dat is de reden waarom ijs drijft. Stel je eens voor wat een warboel de aarde zou zijn als ijsbergen zouden zinken.

WAT WE NOG MEER WETEN VAN WATER

Het watermolecuul is een beetje krom, zoals een boemerang, en is zeer, zeer klein, zelfs vergeleken met andere gewone moleculen zoals CO_2 en O_2, wat betekent dat je echt een heleboel ervan in een kleine ruimte kunt stoppen. Een literfles kan 33 quadriljoen watermoleculen bevatten (33 gevolgd door 24 nullen). Volgens sommige schattingen is dat aantal moleculen meer dan driemaal het aantal sterren in het heelal. De compacte pakking en de waterstofbruggen die de zuurstofatomen van het ene molecuul naar de waterstofatomen van andere trekken (zie pagina 20) voorkomen dat de moleculen wegvliegen en dragen ertoe bij dat water vloeibaar is in plaats van een gas.

Dat betekent allerminst dat alle moleculen in vloeibaar water op hun plek vastliggen. Water is dynamisch. De waterstofbruggen die het water bijeenhouden, verbreken en hervormen zich biljoenen malen per seconde. Nauwelijks is een groep moleculen ontstaan, of die is alweer verdwenen. In tegenstelling daarmee treedt de verdamping van een watermolecuul slechts 'zelden' op, slechts hon-

> Niets wordt gemaakt of vernietigd, aangezien een soort primaire entiteit altijd blijft… Thales zegt dat het permanente iets water is.
>
> Aristoteles, *Metafysica*

derd miljoen maal per seconde op elke vierkante nanometer van het wateroppervlak.

WAT WE NIET WETEN VAN WATER

We weten veel van water, maar er is ook veel dat we niet weten. Dat zeldzame verdampingsmoment bijvoorbeeld, waarbij voor het vrijkomen van een watermolecuul van het oppervlak het verbreken van waterstofbruggen vereist is, wordt niet goed begrepen. Het feit dat het niet erg vaak gebeurt, helpt daarbij niet. Ondanks een ruim scala aan geavanceerde technieken waarmee de structuur van water kan worden bestudeerd, worden die 'groepen' moleculen die ogenschijnlijk alsmaar ontstaan en verdwijnen ook niet goed begrepen. Zelfs het idee van groepen watermoleculen is omstreden. Als ze zo vluchtig bestaan, hoe kunnen ze dan iets vormen dat we een structuur noemen?

Honderden verschillende modellen zijn voorgesteld om de structuur van water te verklaren, maar geen daarvan kan het gedrag in alle vormen en onder een grote verscheidenheid aan omstandigheden vastleggen. Onderzoeksgroepen verspreid over de hele wereld, inclusief die van Richard Saykally aan het Lawrence Berkeley National Laboratory in Californië, werken al decennia naarstig aan het opmerkelijk ingewikkelde probleem. De groep van Saykally gebruikt enkele van de meest krachtige en geavanceerde spectroscopietechnieken die er bestaan, en legt zich toe op quantummechanische modellen voor het verklaren van de eigenschappen van dit kleine molecuul waarvan al het leven afhangt.

Het idee in een notendop
Er gebeurt veel onder het oppervlak

30 De oorsprong van het leven

De oorsprong van het leven op aarde houdt wetenschappers en denkers bezig, van Charles Darwin tot aan hedendaagse scheikundigen. Iedereen wil weten hoe het leven begon, maar de waarheid is dat die vraag moeilijk definitief te beantwoorden is. Er is echter een richtpunt voor al het gepeins – het ontdekken van de minimale vereisten die nodig zijn om kunstmatig leven in het laboratorium te scheppen.

Vier miljard jaar geleden kwamen enkele scheikundige verbindingen bij elkaar en vormden daarbij een prototype van een cel. Waar dat gebeurde is een punt van discussie – het kan hebben plaatsgevonden nabij de zeebodem, in een warme vulkanische poel, in met schuim bedekte wadden of, als je gelooft in de panspermiehypothese, op een totaal andere planeet. De precieze locatie is veelzeggend, maar vooralsnog blijft het speculatief.

Tegenwoordig komt al het leven voort uit andere levende dingen – dieren krijgen nageslacht, planten maken zaden, bacteriën delen zich en gist vormt knoppen. De allereerste levensvormen moeten zijn voortgekomen uit niet-levende materie, als het resultaat van gewone chemische verbindingen die met elkaar botsen en op de juiste wijze met elkaar combineren. De eerste cel was waarschijnlijk eenvoudig vergeleken met een moderne menselijke of zelfs bacteriële cel. Het was waarschijnlijk een soort zakje met chemische verbindingen die gezamenlijk een zeer basale stofwisseling vormden. Een soort zichzelf replicerend molecuul moet ook aanwezig zijn geweest zodat informatie kon worden overgedragen op andere, toekomstige cellen. Dat zou een zeer eenvoudige genetische code kunnen zijn geweest, die lang niet zo ingewikkeld is als DNA (zie pagina 140).

We kunnen alleen maar raden naar de moleculen en omstandigheden waarmee het leven op aarde begon. Dat is een raadsel waarover vele scheikundigen zich maar al te graag buigen. Niet alleen leert begrip van het eerste leven ons iets over onze oorsprong, het inspireert ook scheikundigen die proberen nieuwe vormen van leven in het laboratorium te maken.

> **In dit apparaat werd gepoogd de primitieve atmosfeer van de aarde na te bootsen...**
>
> Stanley Miller in het wetenschappelijke tijdschrift *Science*, 1953

MILLERS OERSOEP

Wellicht heb je wel gehoord van Stanley Miller die in de jaren vijftig zijn beroemde experimenten aan de oorsprong van het leven uitvoerde. Of anders heb je vast wel gehoord van zijn soep. Miller was een Amerikaanse scheikundige die velen associëren met het idee dat het leven begon in een oersoep. In feite verkreeg hij zijn inspiratie uit een boek uit 1924, *De oorsprong van het leven*, dat was geschreven door de minder bekende Alexandr Oparin. Zijn 'soep' was een mengsel van methaan, ammoniak, waterstof en water dat hij, in zijn laboratorium aan de University of Chicago, in een kolf had gestopt. Dat moest de zuurstofloze atmosfeer van de jonge aarde voorstellen. Om de scheikundige verbindingen in de kolf actief te maken, voerde hij er energie aan toe met elektrische ontladingen, die bliksemflitsen in de vroegere atmosfeer moesten nabootsen.

Millers soepopstelling leverde enkele van de eerste bewijzen dat anorganische scheikundige verbindingen met een beetje hulp organische verbindingen konden vormen. Toen Miller en zijn begeleider Harold Urey namelijk een paar dagen later de ingrediënten in de soep analyseerden, ontdekten ze dat daarin aminozuren – de bouwstenen van eiwittten – aanwezig waren.

De oersoeptheorie is inmiddels echter een beetje achterhaald. Hoewel Millers experimenten terecht door fans en volgers van scheikunde als klassiekers

1986

De RNA-wereld-hypothese stelt dat met zelfreplicerend RNA de evolutie op gang kwam

2000

Ontdekking van de hydrothermische bronnen van Lost City

2011

In het Britse Cambridge creëert een team zelfreplicerend RNA met een code van 90 letters (basen) lang

Het replicatieprobleem

Ergens tijdens de evolutie moeten cellen DNA hebben aangenomen als informatiedrager. Daarvoor zouden ze iets eenvoudigers kunnen hebben gebruikt. RNA, een soort enkelstrengversie van DNA, is zo'n molecuul. Zonder de gespecialiseerde kopieermachinerie van moderne cellen zou het zichzelf moeten hebben reproduceren. Daartoe moet het daadwerkelijk hebben gewerkt als een enzym dat zijn eigen replicatie katalyseert. Dat klinkt natuurlijk allemaal mooi als je een RNA-molecuul kunt vinden dat zichzelf kan repliceren. Maar als je dat niet kunt? Verknalt dat de theorie niet? Wel, een beetje. En dat is al lange tijd het probleem met de theorie. Wetenschappers worstelden zich tijdens hun speurtocht door biljoenen RNA-moleculen met verschillende volgorden op zoek naar die ene volgorde die zou coderen voor zelfreplicatie maar vooralsnog hebben ze er geen gevonden die de klus goed kan klaren. De meeste 'zelfreplicatoren' kunnen slechts delen van hun eigen code kopiëren, en daarbij is de nauwkeurigheid vrij slecht. De speurtocht gaat verder…

Moderne wereld (centrale dogma)

RNA-wereld

Informatie-opslag

DNA

Informatie-opslag/informatie-overdrager

RNA

RNA

Functie

Eiwit

RNA

worden beschouwd, vragen sommigen zich af of zijn beginmengsel wel juist was, terwijl anderen zich afvragen of bliksem werkelijk de noodzakelijke constante bron van energie kan zijn geweest die organische verbindingen in levende cellen omzette. Het zal geen verbazing wekken dat er een aantal nieuwe theorieën over de precieze omstandigheden van die scheikundige beginsituaties op het toneel zijn verschenen.

LOST CITY

Een moderne theorie stelt dat het leven in de diepe oceanen begon op een plek die 'Lost City' wordt genoemd. Dat klinkt aanlokkelijk, nietwaar? Lost City, in de Atlantische Oceaan, werd in 2000 ontdekt door een groep wetenschappers geleid door Donna Blackman van het Scripps Institution of Oceanography in Californië. Ze bevonden zich aan boord van het onderzoeksschip *Atlantis* en verkenden een onderzeese berg met een op afstand bestuurbare camera. Daarbij stuitten ze op een veld met hydrothermische bronnen – dertig meter hoge schoorstenen die warm, basisch water spuwden in de koele, donkere oceaan.

Hoewel dergelijke bronnen elders in de oceaan voorkomen en sommige daarvan al tientallen jaren eerder waren ontdekt, denken sommige scheikundigen dat de hydrothermische bronnen van Lost City de ideale omstandigheden voor het ontstaan van leven op aarde scheppen. Waterstof in de warme uitstroom en koolstofdioxide in het zeewater kunnen bij elkaar komen en reageren, waarbij mogelijk organische verbindingen ontstaan. En dat is nog niet alles – het uitgestoten water, verhit door heet gesteente onder de oceaanbodem, vormt een constante bron van energie.

Een ander aantrekkelijk aspect van de Lost City-theorie is dat het verschil in zuurtegraad tussen de waterstroom en het zeewater het verschil in zuurtegraad weerspiegelt dat heerst aan weerszijden van een celmembraan. Kan dat louter toeval zijn? Het is niet gemakkelijk om de theorie in de diepe oceaan te toetsen, maar in laboratoria zijn kleinschalige Lost City-achtige reactoren gebouwd.

TERUG IN HET LAB

Niet alle scheikundigen bestuderen de oorsprong van het leven uit zuiver nieuwsgierigheid. Sommige zijn geïnteresseerd in uitzoeken wat de basisbestanddelen voor leven zijn, met als doel het scheppen van kunstmatig leven in het laboratorium. We hebben het daarbij niet over het scheppen van kunstkoeien of het kloneren van baby's – dit draait meer om het gebruik van eenvoudige materialen waarmee celmembranen kunnen worden gemaakt. In echte cellen bestaan dergelijke membranen uit vetmoleculen. De truc is het introduceren van een soort zelfreplicerend systeem waarmee de minimalistische cellen zich kunnen voortplanten. Er zijn enkele wetenschappers die beweren dat zelfreplicerende protocellen (zie Protocellen) op het punt staan werkelijkheid te worden.

Je kunt je afvragen welk nut die protocellen hebben. Stel je voor dat je een zelfreplicerend systeem kon maken dat meer van zichzelf maakt zolang het gevoed wordt. Wat zou je in dat systeem willen inbouwen? Zinnige antwoorden zijn natuurlijk geneesmiddelen en brandstoffen. Maar daarbij hoeft het niet op te houden. Je kunt van alles bedenken waarvan een eindeloos aanbod wenselijk is, bijvoorbeeld bier of dropveters. Wetenschappers denken al buiten gebaande wegen – een suggestie is levende, zelfvernieuwende verflagen.

Protocellen

In november 2013 maakten de Nobelprijswinnende bioloog Jack Szostak en zijn team een minimale cel of 'protocel' omgeven door een vetomhulsel. Hoewel het eenvoudiger was dan zelfs de eenvoudigste levende bacterie, bevatte het RNA dat ruwweg zichzelf kon kopiëren. Dat kopiëren werd gekatalyseerd door magnesiumionen. De scheikundige verbinding citraat moest ook worden toegevoegd om te voorkomen dat de magnesiumionen het omhulsel zouden vernielen. Misschien is het een kwestie van tijd voordat wetenschappers erin slagen om protocellen te maken die volledig zelfreproducerend zijn.

Het idee in een notendop
Levensstof ontsprong uit niet-levende materie

31 Astrochemie

Terwijl de leegte van de ruimte doet vermoeden dat er weinig gebeurt, blijkt dat daar volop van alles plaatsvindt om scheikundigen geïnteresseerd in de oorsprong van het leven bezig te houden, om nog maar te zwijgen over de mogelijkheid van leven elders in het heelal. Het ligt voor de hand om te zoeken naar zoiets als water op Mars, maar wat doen ze nog meer?

De aardatmosfeer is rijk aan scheikunde. Zij zit propvol moleculen die continu met elkaar botsen en reageren. Op zeeniveau bevat elke kubieke centimeter lucht ongeveer 1019 ofwel 10.000.000.000.000.000.000 moleculen. Het vacuüm in de ruimte vormt daarmee een schril contrast. Elke kubieke centimeter van het interstellaire vacuüm bevat gemiddeld een enkel deeltje. Eén, niet meer. Dat komt overeen met een enkele bij die rond een stad zo groot als Moskou zoemt.

Zelfs als je alleen maar naar de schaarste aan moleculen kijkt, lijkt het zeer onwaarschijnlijk dat twee moleculen elkaar daar ooit tegenkomen en met elkaar reageren. En dan is er ook nog een energieprobleem. De aardatmosfeer is al met al vrij warm, zelfs als dat niet zo aanvoelt als het in de winter vriest dat het kraakt in New York of Amsterdam. In sommige delen van het interstellaire medium kan de temperatuur echter dalen tot minder dan een kille −260 °C. In dergelijke omstandigheden verlopen zaken nogal traag, en als twee moleculen elkaar ontmoeten kunnen ze elkaar licht aantikken maar ontberen ze de energie die nodig is om met elkaar te reageren. Gegeven al deze zeer onwaarschijnlijke omstandigheden is het verrassend als enige vorm van scheikunde er ooit iets

TIJDLIJN

13,8 miljard jaar geleden	400.000 jaar na de oerknal	1937
De oerknal	Vorming van de eerste moleculen – de scheikunde begint!	Eerste interstellaire moleculen waargenom

voor elkaar krijgt. De vraag rijst waarom scheikundigen überhaupt geïnteresseerd zijn in wat er in de ruimte gebeurt.

HOTSPOTS

Ondanks de ogenschijnlijke schaarste aan daadwerkelijke scheikunde zijn er volop scheikundigen geïnteresseerd in het bestuderen van wat er daar in de ruimte is, en ze hebben daar goede redenen voor. De scheikunde van de ruimte kan ons vertellen hoe het heelal begon, waar de scheikundige elementen van het leven vandaan kwamen en of er ergens anders dan op onze planeet leven kan bestaan. Voordat we zelfs maar kunnen stilstaan bij de ingewikkelde scheikunde van biologische reacties, moeten we meer nadenken over de omstandigheden in de ruimte, welke moleculen er voorkomen en hoe ze de beginsituatie vormen waarin basale reacties kunnen optreden.

Beschouwen van de gemiddelde omstandigheden in de ruimte vertelt ons niet veel over hoe het op een bepaalde plek is. Op sommige plaatsen kan het leeg en koud zijn, maar de ruimte is zo enorm groot dat omstandigheden sterk kunnen variëren. Het interstellaire medium, dat de ruimte tussen de sterren vult, is geen gelijkmatige zee van gasdeeltjes. Er zijn koude, dichte moleculaire wolken vol waterstof, maar er zijn ook gloeiendhete plekken rond ontplofte sterren.

Het meeste (99 procent) van het interstellaire medium bestaat uit gassen. Het bestaat voor twee derde uit waterstof en het overige is vrijwel allemaal helium. De hoeveelheden koolstof, stikstof, zuurstof en andere elementen zijn naar verhouding klein. De andere één procent is een bestanddeel dat wonderlijk in de oren zal klinken voor diegenen die Philip Pullmans trilogie *Het gouden kompas* hebben gelezen: stof. Dat stof lijkt niet op het stof dat je van de vensterbank wegveegt of zelfs maar op – voor de fans van Pullman – fictieve, bewuste deeltjes.

STOF

Interstellair stof bestaat uit kleine korreltjes die materialen bevatten zoals silicaten, metalen en grafiet. Wat belangrijk is aan deze stofdeeltjes is dat ze voor

> **We hebben ruimte hier op de kleine aarde afgeschaft; we kunnen nimmer de ruimte die gaapt tussen de sterren afschaffen.**
>
> Arthur C. Clarke,
> in *Profiles of Our Future*

1987	2009	2013
Aceton in interstellaire medium aangetoond	Meer dan 150 moleculen in het interstellaire medium aangetoond	Titaandioxide in de ruimte aangetoond

Leven op Mars

Onze naaste buur in het zonnestelsel, Mars, heeft altijd al de aandacht getrokken van wetenschappers die zochten naar leven elders in het heelal. De aanwezigheid van water, volgens astrobiologen cruciaal voor leven, werd in eerste instantie gezien als een teken dat leven daadwerkelijk daar kon bestaan. Sindsdien is duidelijk geworden dat het water op Mars voornamelijk onder het oppervlak als ijs voorkomt of aan bodemdeeltjes is gehecht. In theorie kan een dorstige astronaut een paar handen vol marsbodem opwarmen voor een slokje water. In 2014 verschenen in het wetenschappelijke tijdschrift *Icarus*, dat is gewijd aan het zonnestelsel, afbeeldingen met daarin wat eruitzag als geulen op het oppervlak, waarna sommigen stelden dat er mogelijk ooit water stroomde op de rode planeet. Er is echter geen bewijs dat water op Mars – in wat voor vorm dan ook – ooit leven onderhield, of dat tegenwoordig doet.

eenzame moleculen die in de enorme leegte van de ruimte zweven, iets zijn om aan vast te plakken. Als ze lang genoeg blijven vastplakken, kunnen ze mogelijk een ander molecuul tegenkomen en daarmee reageren. Sommige korrels zijn omgeven door ijs (waterijs) en dan vormt de ijsscheikunde de sleutel tot het begrijpen van wat er op die korrels kan gebeuren. Andere elementen in stofdeeltjes kunnen hun katalytische diensten aanbieden, en zeldzame reacties helpen om op gang te komen. Waar energieniveaus laag zijn, kunnen reacties ook worden geholpen door ultravioletstraling in sterrenlicht, kosmische stralen en röntgenstraling, terwijl er ook reacties bestaan die geen energie nodig hebben.

In 2013 ontdekten sterrenkundigen die radiowaarnemingen maakten met de Submillimeter Array-telescoop in Hawaii, sporen van titaandioxide in stofdeeltjes rond de zeer heldere superreus VY Canis Majoris. Titaandioxide is de scheikundige verbinding die wordt gebruikt in zonnebrandcrème en als kleurstof in witte verf. De onderzoekers stelden dat in ruimtestof de verbinding belangrijk kan zijn voor het katalyseren van reacties waarbij grotere, meer ingewikkelde moleculen ontstaan.

LEVEN ZAAIEN

Grotere moleculen zijn echter een zeldzaamheid in de ruimte, zover we weten. Nog geen tachtig jaar geleden werden de eerste interstellaire moleculen (de radicalen $CH^{\cdot}$, $CN^{\cdot}$ en CH^+) ontdekt. Sindsdien zijn daar nog zo'n 180 bij gekomen, waarvan de meeste zes of minder atomen hebben. Aceton ($(CH_3)_2CO$) met in totaal tien atomen is een van de grotere moleculen en dat is voor het eerst in 1987 waargenomen. In grote koolstofbevattende moleculen, zoals de polycyclische aromatische koolwaterstoffen (paks), zijn de astroscheikundigen werkelijk geïnteresseerd, omdat die kunnen duidelijk maken hoe organische moleculen voor het eerst zijn ontstaan. Paks en andere organische moleculen zijn vaak in verband gebracht met theorieën over de oorsprong van het leven, waarbij wordt

Paks

Polycyclische aromatische koolwaterstoffen (paks) vormen een diverse groep van moleculen die allemaal benzeenringstructuren bevatten. Op aarde ontstaan ze bij onvolledige verbranding en ze komen voor in aangebrande toast en barbecuevlees, en in uitlaatgassen. Sinds midden jaren negentig zijn ze her en der in het heelal ontdekt, waaronder in jonge, stervormende gebieden, hoewel hun aanwezigheid nog niet direct bevestigd is.

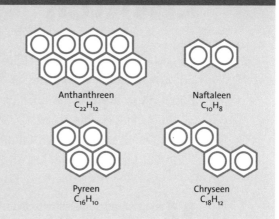

Anthanthreen
$C_{22}H_{12}$

Naftaleen
$C_{10}H_8$

Pyreen
$C_{16}H_{10}$

Chryseen
$C_{18}H_{12}$

gedacht dat ze het leven op aarde gezaaid hebben. Aminozuren zijn ook waargenomen, maar die waarnemingen zijn nog niet bevestigd.

Astroscheikundigen zoeken niet alleen naar de vingerafdrukken van interessante moleculen. Ze hebben nog andere gereedschappen. Ze kunnen in hun laboratoria simuleren wat er zou kunnen gebeuren in de ruimte. Met vacuümkamers kunnen ze bijvoorbeeld kleine stukjes van de grote interstellaire leegte nabootsen, waarvan we weten dat die niet volledig leeg is, en uitzoeken hoe reacties daar kunnen plaatsvinden. Samen met modelleren levert die benadering voorspellingen op voor moleculen en reacties die wellicht later kunnen worden bevestigd als de technologie vordert. Nieuwe krachtige telescopen zoals de Atacama Large Millimeter Array in de Chileense Atacamawoestijn, zouden scheikundigen moeten helpen sommige van hun meest obscure theorieën te bewijzen, of te ontkrachten.

Het idee in een notendop
Scheikunde met telescopen

32 Eiwitten

Volgens de schijf van vijf maakt eiwit een belangrijk deel uit van ons dieet, maar weten we werkelijk waarom? Wat doet eiwit eigenlijk in onze lichamen? In ieder geval veel meer dan we zouden denken. Eiwit is een meervoudig inzetbaar molecuul, dat voorkomt in een onvoorstelbaar aantal verschillende vormen en waarvan elk exemplaar uniek is aangepast voor zijn taak.

Van de sterkte en elasticiteit van zijde tot het vermogen van antistoffen om ons tegen ziekte te beschermen – de buitengewone verscheidenheid aan eiwitstructuren vertaalt zich naar een schat aan uiteenlopende functies. Terwijl we allen weten dat onze spieren zijn opgebouwd uit eiwitten, vergeten we soms dat deze familie van moleculen veel van de noeste arbeid verricht in levende dingen. Ze worden vaak de 'werkpaarden' van de cel genoemd. Maar wat zijn eiwitten?

KRALEN IN EEN KETTING

Eiwitten zijn ketens van aminozuren die via peptidebindingen met elkaar zijn verbonden. Stel je een ketting voor met kleurige kralen waarbij elk aminozuur door een andere kleur wordt voorgesteld. Er bestaan in de natuur ongeveer twintig verschillende kleuren of aminozuren. Diegene die je lichaam maakt, worden niet-essentiële aminozuren genoemd, terwijl we diegene die je uit je voedsel moet halen essentiële aminozuren noemen (zie Essentiële en niet-essentiële aminozuren, pagina 131).

Niet alle aminozuren worden door levende organismen gemaakt. Een meteoriet die in 1969 insloeg bij Murchison, in Australië, bevatte minstens 75 ver-

TIJDLIJN

1850	1955	1958
Eerste synthese van een aminozuur (alanine) door Adolf Strecker	Aminozuurvolgorde van insuline bepaald door Frederick Sanger	Kendrew en Perutz produceren de eerste eiwitstructuur met hoge resolutie (myoglobine) met röntgenkristallografie

schillende aminozuren. Het decennium daarvoor had Stanley Miller met zijn experimenten aan de oorsprong van het leven (zie pagina 121) bewezen dat aminozuren konden worden gemaakt uit eenvoudige, anorganische moleculen onder omstandigheden zoals die op een vier-miljard-jaar-oude aarde.

Elk aminozuur is gebaseerd op een universele structuur – de meest algemene vorm daarvan luidt $RCH(NH_2)COOH$. Centraal daarin is een koolstofatoom waaraan een aminegroep (NH_2) en een carboxylzuurgroep (COOH) zijn verbonden, en nog een waterstofatoom. De R-groep die aan dat koolstofatoom is gebonden, verschaft aan het aminozuur zijn unieke eigenschappen. Zijde bevat bijvoorbeeld zeer veel glycine, het kleinste en eenvoudigste aminozuur, waarin de R-groep niets meer is dan een extra waterstofatoom. Glycine draagt vermoedelijk bij aan de elasticiteit van de zijdevezels.

> Toen ik de alfahelix zag en besefte wat een mooie, elegante structuur dat was, was ik als door de bliksem getroffen.
>
> Max Perutz, over de ontdekking van de alfahelixstructuur van hemoglobine

De volgorde waarin de kralen op de eiwitketting zijn geregen, wordt de primaire structuur van het eiwit genoemd, de aminozuurvolgorde. Afhankelijk van het type spinnenzijde en hoe het wordt gebruikt, bevatten zijde-eiwitten iets verschillende aminozuurvolgorden. Niettemin denkt men dat ongeveer negentig procent van elke volgorde bestaat uit herhaalde reeksen van tien tot vijftig aminozuren.

SUPERSTRUCTUREN

De hogere structuurniveaus van eiwitten ontstaat bij het vouwen en winden (secundaire structuur) van de aminozuurketens tot hun driedimensionale vorm (tertiaire structuur). Sommige secundaire 'motieven' komen keer op keer voor: om nog eens terug te keren op het voorbeeld van spinnenzijde, de sterke zijde waarmee wielwebspinnen het webgeraamte maken, bestaat uit ketens die in lagen bijeengehouden worden dankzij vele waterstofbruggen (zie pagina 20). Dat zo genoemde bètasheet-motief komt ook voor bij keratine, een ander structuureiwit dat voorkomt in je huid, haar en nagels. Een nog vaker voorkomend motief is de springveerachtige alfahelixstructuur die voorkomt in hemoglobine

1988

Het eiwit chymosine gemaakt door genetisch gemodificeerde gist goedgekeurd als voedingsbestanddeel

2009

Nobelprijs voor scheikunde toegekend voor werk aan eiwitassemblagereacties

Aminozuren aankoppelen

De celmachinerie die zorgt voor het rijgen van aminozuurkralen op een eiwitketting is het ribosoom. Dat heeft de taak om de peptidebindingen te vormen waarmee elke kraal wordt vastgezet. Een schakel wordt gevormd als de carboxylgroep van het ene aminozuur reageert met de aminegroep van het volgende, waarbij een molecuul water vrijkomt. Het ribosoom kan per seconde ongeveer twintig nieuwe aminozuren aankoppelen, volgens de instructies die de DNA-code levert. Door dat hoge werktempo is de chemische reactie die de bindingen vormt maar moeilijk te bestuderen. Nadat hij al röntgenkristallografie (zie pagina 88) had gebruikt om de structuur van het ribosoom op te helderen, slaagde de Amerikaanse scheikundige Thomas Steitz daarin. Hij kristalliseerde het ribosoom op verschillende momenten tijdens de koppelingsreactie en vormde zo driedimensionale structuren die de reactiestappen in detail onthulden en waardoor de belangrijke atomen herkenbaar werden. In 2009 kreeg Steitz de Nobelprijs voor scheikunde voor zijn werk.

Een enzym in het ribosoom vormt een peptidebinding tussen twee aminozuren

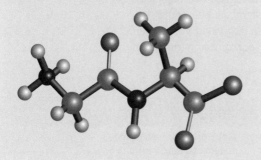

– het bestanddeel van bloed dat zuurstof vervoert – en het spiereiwit myoglobine.

Men denkt dat in spinnenzijde de bètasheets zorgen voor de sterkte van de eiwitvezels, vergelijkbaar met staal. (Het is de moeite van het vermelden waard dat die ongelooflijke sterkte samengaat met een elasticiteit die groter is dan die van nylon en een taaiheid die groter is dan die van de kunststof Kevlar, toegepast in kogelvrije vesten). De vezels vormden een bron van inspiratie voor diverse bedrijven die nu proberen kunstspinnenzijde te maken. Een daarvan, gemaakt door Kraig Biocraft Laboratories, is een spinnenzijdeachtige vezel genaamd Monster Silk, die wordt gesponnen door genetisch gemodificeerde zijdewormen. Het bedrijf wil niet louter natuurzijde kopiëren, maar wil het ook verbeteren en bijvoorbeeld antibacteriële functies inbouwen.

MEERVOUDIGE ROLLEN

Eiwitten vormen niet alleen structuren, ze zorgen ook voor het regelen en mogelijk maken van veel wat er in een cel plaatsvindt. Volgens sommige schattingen bestaat een doorsnee dierlijke cel voor ongeveer twintig procent uit eiwit en bestaat dat uit duizenden verschillende typen eiwit. Die verscheidenheid aan vormen is niet zo moeilijk voorstelbaar als je beseft dat er alleen al voor een keten met een lengte van vijf aminozuren meer dan drie miljoen mogelijke combinaties zijn, en de meeste eiwitketens zijn veel, veel langer. Zelfs als eiwitten niet bedoeld zijn voor het bouwen van structuren blijft hun vorm van cruciaal belang.

Een van de belangrijkste rollen die eiwitten in de cel vervullen, is die van biologische katalysator – enzym (zie pagina 132) – die de chemische reactiesnelheden regelt. De eiwitstructuur en de driedimensionale vorm zijn daarbij doorslaggevend, want die bepalen hoe het enzym omgaat met de moleculen die bij de reactie zijn betrokken. Biologische katalysatoren zijn vaak zeer specifiek voor de reactie die ze beïnvloeden, vaak nog veel meer dan de chemische katalysatoren die in de industrie reacties versnellen.

Essentiële en niet-essentiële aminozuren

Bij volwassen mensen zijn de essentiële aminozuren fenylalanine, valine, threonine, tryptofaan, isoleucine, methionine, leucine, lysine en histidine. Het lichaam kan die niet zelf maken, en daarom moeten die aminozuren uit het voedsel worden opgenomen. Niet-essentiële aminozuren, die het lichaam zelf kan maken, zijn doorgaans alanine, arginine, asparaginezuur, cysteïne, glutaminezuur, glutamine, glycine, proline, serine, tyrosine, asparagine en selenocysteïne. Bij sommige mensen kan het lichaam niet alle niet-essentiële aminozuren maken en die hebben dan voedingssupplementen nodig om die te verkrijgen.

De eiwitstructuur is ook essentieel voor de immunoglobulinemoleculen – antistoffen – die onze immuunsystemen inzetten om ziekte te bestrijden. Als je met een bepaald type griepvirus besmet raakt, produceert het lichaam antistoffen daartegen die ervoor zorgen dat je in de toekomst niet meer van dat type ziek wordt. De antistoffen zijn op eiwit gebaseerde immunoglobulinemoleculen die een bepaald deel van het griepvirus herkennen en zich daar specifiek aan hechten. Die herkenning is gebaseerd op hun structuur. Door herschikking van de genen van antistofvormende cellen kunnen onze lichamen eiwitstructuren maken die korte metten maken met miljoenen verschillende indringers.

Helaas is het belang van de eiwitstructuur nergens zo duidelijk als wanneer er iets misgaat. De ziekte van Parkinson ontstaat door verkeerd gevouwen eiwitten in zenuwcellen. Wetenschappers proberen nog steeds te begrijpen of misvormde eiwitten ook ten grondslag liggen aan andere verwoestende ziekten, zoals de ziekte van Alzheimer.

Het idee in een notendop
Functie volgt vorm

33 Enzymwerking

Als biologische katalysatoren drijven enzymen reacties aan, van reacties behorend bij de stofwisselingsprocessen in onze lichamen tot de reacties waarmee virussen zich in onze cellen kunnen vermenigvuldigen. Twee modellen van enzymwerking domineerden de afgelopen eeuw onze ideeën over hoe enzymen werken. Beide modellen proberen te verklaren hoe elk enzym specifiek is voor de reactie die het katalyseert.

Het lijkt erop dat de Duitse biochemicus Hermann Emil Fischer een merkwaardige obsessie met hete dranken had, want hij richtte zijn aandacht op purine-verbindingen in thee, koffie en cacao. Op een gegeven moment voegde hij suikers aan de oplossingen toe, in de vorm van lactose (melksuiker). Via een omweg leidde dat tot de bestudering van enzymen. In 1894 bewees hij dat de hydrolysereactie die lactose splitst in de twee suikermoleculen waaruit het bestaat, kan worden gekatalyseerd door een enzym, en nog datzelfde jaar publiceerde hij een artikel waarin hij schetst hoe enzymen werken.

SLOT EN SLEUTEL

Enzymen zijn de biologische katalysatoren (zie pagina 48) die in alle levende organismen reacties sturen. Fischers slot-en-sleuteltheorie van de enzymwerking was gestoeld op de waarneming dat een van zijn kostbare suikers voorkwam in twee lichtelijk verschillende structuurvormen (isomeren) waarvan de hydrolysereacties werden gekatalyseerd door twee verschillende enzymen verkregen uit natuurlijke bronnen. De reactie van de 'alfaversie' werkte alleen met een enzym uit gist, terwijl de reactie van de 'bètaversie' alleen werkte met een enzym uit amandelen. Hoewel de suikers precies dezelfde atomen bevatten, die voor

TIJDLIJN

1894	1926
Hermann Emil Fischer bedenkt het 'slot-en-sleutel'-model van enzymwerking	Eerste kristallisatie van een enzym (urease) door James Sumner

Het actieve centrum

Het actieve centrum van een enzym is het deel dat het substraat vasthoudt en waar de reactie tussen enzym en substraat plaatsvindt. Het kan bestaan uit slechts enkele aminozuren. Alles wat de structuur van het actieve centrum wijzigt, verandert hoe dat past en maakt het minder waarschijnlijk dat de reactie zal optreden. Een toename of afname van de pH beïnvloedt bijvoorbeeld het aantal aanwezige waterstofionen (zie pagina 44). Die waterstofionen wisselwerken met groepen op de aminozuren van het actieve centrum en veranderen de structuur. Elk molecuul dat op zo'n manier aan een enzym bindt dat daarbij het actieve centrum

direct wordt geblokkeerd, wordt een competitieve remmer genoemd, omdat het een competitie met het substraat aangaat. Moleculen die elders binden aan het enzym en de structuur daarbij zo veel veranderen dat het nutteloos wordt, worden niet-competitieve remmers genoemd. Genetische veranderingen kunnen ook de enzymwerking beïnvloeden, vooral als die zich vertalen naar veranderingen van

aminozuren in het actieve centrum. Bij bijvoorbeeld de ziekte van Gaucher beïnvloeden mutaties het actieve centrum van het enzym glucocerebrosidase waardoor het substraat zich in de organen ophoopt. Het is echter mogelijk om het defecte enzym te vervangen – wereldwijd krijgen ongeveer 10.000 mensen met de ziekte van Gaucher enzymvervangingstherapie.

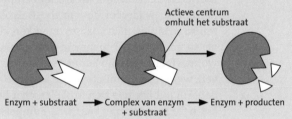

Actieve centrum omhult het substraat

Enzym + substraat ⟶ Complex van enzym + substraat ⟶ Enzym + producten

het merendeel op dezelfde manier aan elkaar waren gebonden, pasten ze allebei niet op dezelfde enzymen. Fischer beschouwde de twee vormen van de enzymen als sleutels die alleen in het juiste slot pasten.

Zijn theorie algemener uitbreidend naar enzymen en hun substraten (de 'sleutels') ontwikkelde Fischer het eerste model van de enzymwerking dat een wezenlijk kenmerk van enzymen kon verklaren: hun specificiteit. Pas decennia na

1930

J.H. Northrup beschrijft de kristallisatie van pepsine

1946

Sumner wordt de Nobelprijs voor scheikunde toegekend

1958

Daniel Koshland jr. stelt het 'induced fit'-model van enzymwerking voor

1995

Kristalstructuur van urease opgehelderd

Fischers dood werd zijn model verworpen, maar ondertussen was er al veel ander onderzoek aan enzymen uitgevoerd.

BEWIJS DAT ZE ERNAAST ZITTEN

Wat Fischer niet in de gaten had, was dat alle enzymen eenzelfde moleculaire afkomst delen – zij zijn eiwitten, opgebouwd uit aminozuren (zie pagina 128). Een andere charismatische scheikundige, James Sumner, zag dat wel in, maar hij had moeite om dat te bewijzen. Sumner was een koppig man – ondanks dat in zijn jeugd na een jachtongeluk zijn linkerarm boven de elleboog was geamputeerd, besloot hij uit te blinken in sport en uiteindelijk won hij de eerste prijs bij de Cornell Faculty Tennis Club. Zijn koppigheid strekte zich blijkbaar uit naar zijn onderzoek, want hoewel verscheidene mensen hem adviseerden dat het onverstandig was om te proberen een enzym te isoleren, ging hij door op de ingeslagen weg en probeerde hij het toch – en dat vergde negen jaar.

In 1926 werd Sumner de eerste persoon die erin slaagde om een enzym te kristalliseren. Hij isoleerde urease uit een peulvrucht, de jack bean. (Urease is ook het enzym waardoor de bacterie *Helicobacter pylori* kan gedijen in de menselijke maag en daar maagzweren kan veroorzaken. Het enzym breekt ureum af waardoor de pH toeneemt en de omgeving voor de bacterie aangenamer wordt). Toen niemand Sumners bewering dat urease een eiwit was wilde geloven, werd het zijn missie om te bewijzen dat ze het bij het verkeerde eind hadden. Hij publiceerde tien artikelen over het onderwerp, om er zeker van te zijn dat het feit onweerlegbaar was. Sumners streven werd ook geholpen door het feit dat hem de Nobelprijs voor scheikunde werd toegekend.

PASSEND MAKEN

> **Enkele mensen adviseerden me dat mijn poging om een enzym te isoleren dom was, maar door dat advies voelde ik me er des te zeker van dat als ik succesvol was de queeste de moeite waard zou zijn.**
> James Sumner

Bij beschouwingen over de enzymwerking kreeg in die tijd het slot-en-sleutelmodel nog steeds de voorkeur. Als urease een slot was, dan was ureum de sleutel. Toen paste in de jaren vijftig de Amerikaanse biochemicus Daniel Koshland Fischers gedateerde model aan. Koshlands induced fit-model wordt nog steeds gehanteerd. Hij paste het nogal starre slot in Fischers theorie aan om rekening te houden met het feit dat enzymen zijn opgebouwd uit eiwitketens met een flexibele structuur.

Eiwitten en enzymen kunnen worden beïnvloed door omstandigheden zoals temperatuur – boven de lichaamstemperatuur daalt de activiteit van menselijke enzymen razendsnel – en de aanwezigheid van andere moleculen. Koshland besefte dat als een substraatmolecuul zijn eigen specifieke enzym tegenkomt, dat een vormverandering van het enzym teweegbrengt waardoor het nog beter past. Dat noemde Koshland 'induced fit', een opgewekte pasvorm. Die treedt op in het gebied van het actieve centrum, dat kleine deel van het enzym dat Fischers slot vormt. Ureum belandt dus niet naadloos in het urease. Het lijkt er meer op alsof het zijn houding op een zitzak aanpast totdat die comfortabel aanvoelt.

Het belang van het induced fit-model breidde zich uit tot het begrip van bindings- en herkenningsprocessen in de biologie. Het is bijvoorbeeld belangrijk om te begrijpen hoe hormonen aan hun receptoren binden en hoe sommige geneesmiddelen werken. Hiv-geneesmiddelen zoals nevirapine en efavirenz werken doordat ze binden aan een enzym genaamd reverse-transcriptase, waarmee het virus binnen een menselijke cel DNA maakt zodat het zichzelf kan vermeerderen. De geneesmiddelen binden op een plek naast het actieve centrum van het enzym, en veranderen daardoor de structuur zodat het enzym zijn werk niet meer kan doen. Als het virus geen nieuw DNA kan maken, kan het zich niet vermeerderen.

Beide modellen van enzymwerking worden op scholen onderwezen en ze vormen een prachtig voorbeeld van hoe het wetenschappelijk denken zich ontwikkelt als er nieuw bewijs aan het licht komt. Daniel Koshlands aanpassing was deels gebaseerd op bewijs dat verband hield met de flexibiliteit van de eiwitstructuur en met verscheidene afwijkingen in patronen, waardoor hij ervan overtuigd raakte dat er iets niet helemaal klopte met de heersende theorie. Omdat hij uitermate veel respect had voor Fischer, die bekend was geworden als de vader van de biochemie, heeft Koshland altijd beweerd dat hij slechts voortbouwde op het werk van de grote man. Hij schreef daarover: 'Er wordt gezegd dat elke wetenschapper staat op de schouders van de reuzen die hem zijn voorgegaan. Er kan geen eervoller plaats zijn dan te staan op de schouders van Emil Fischer.'

Enzymen in de industrie

Enzymen worden gebruikt in een ruime verscheidenheid aan industrieën om reacties te bewerkstelligen. Biologische waspoeders bevatten enzymen die verbindingen in vlekken afbreken, en zorgen zo voor een besparing op de energiekosten bij de reiniging van kleding. De voedingsmiddelenindustrie gebruikt enzymen om het ene type suiker in het andere om te zetten. Het probleem is dat omdat enzymen eiwitten zijn, ze slechts bij nauw afgebakende omstandigheden werken, zodat bijvoorbeeld temperatuur, druk en pH nauwgezet moeten worden geregeld.

Het idee in een notendop
Natuurlijke katalysatoren

34 Suikers

Suikers zijn de brandstoffen van de natuur, en met eiwitten en enzymen behoren ze tot de belangrijkste biomoleculen. Ze geven je spieren de energie om te rennen en je hersenen de energie om te denken. Ze houden zelfs het DNA bij elkaar. Ze kunnen je echter ook dik maken en virussen toegang tot je cellen verlenen.

Nadat je op vrijdagavond een pizza laat bezorgen, kun je op zaterdag besluiten om te gaan joggen om die te verbranden. Als we zeggen dat we voedsel verbranden, bedoelen we meestal de reactie waarmee ons lichaam suiker afbreekt en ons van energie voorziet. Net zoals steenkool is ook suiker een brandstof die zuurstof nodig heeft om efficiënt te verbranden en daarbij energie, koolstofdioxide en water te leveren.

Suiker is meer dan de brandstof van de natuur. Wetende dat steenkool, olie en gas ooit opraken, richten mensen zich in toenemende mate op schema's waarbij op grote schaal energie uit planten wordt gewonnen. De biobrandstofindustrie belooft duurzame energie uit suikers te leveren, waaronder ingewikkelde suikers zoals zetmeel en cellulose, opgeslagen in gewassen en plantaardig afval. Het landbouwareaal is beperkt, dus dan moet die wel concurreren met voedingsproducenten.

Suikers kennen andere toepassingen naast die van energie. In de vorm van desoxyribose en ribose zijn ze een onlosmakelijk onderdeel van DNA- en RNA-moleculen die de genetische code dragen. Ze combineren met eiwitten om receptoren op cellen te vormen, die bijvoorbeeld virussen laten binnendringen, en ze kunnen boodschappen overbrengen naar ver verwijderde cellen, waarbij ze

TIJDLIJN

1747	1802	1888
De Duitse scheikundige Andreas Marggraf verkrijgt kristallen uit suikerbietensap en vergelijkt die met kristallen uit suikerriet	Eerste suikerbiet-raffinaderij wordt in werking gesteld	Emil Fischer ontdekt het verband tussen glucose, fructose en mannose

Suikers en stereo-isomeren

De afbeelding hierna toont twee versies van glyceraldehyde, een eenvoudige suiker ofwel monosacharide. Net zoals glucose bevat het een aldehydegroep (–CHO). Alle suikers bevatten keton- of aldehydegroepen. In een ketongroep zit het zuurstofatoom met een dubbele binding vast aan een koolstofatoom waaraan nog twee andere koolstofbevattende groepen zijn verbonden. In een aldehydegroep gebruikt het koolstofatoom waaraan zuurstof met een dubbele binding vastzit, een van de overgebleven bindingen om een waterstofatoom te binden. Je kunt zien dat de twee structuren sterk op elkaar lijken, behalve dat bij L-glyceraldehyde de H- en de OH-groep verwisseld zijn vergeleken met D-glyceraldehyde. De L-vorm kan op geen enkele manier zo worden gedraaid dat die hetzelfde wordt als de D-vorm. Dat komt omdat de twee moleculen stereo-isomeren zijn: hoewel hun atomen en bindingen gelijk zijn, verschilt hun algehele driedimensionale oriëntatie. Een speciaal type van een stereo-isomeer is een enantiomeer, waarbij de twee stereo-isomeren spiegelbeelden zijn (zie pagina 72). De conventie voor het tekenen van stereo-isomeren in het platte vlak is door Emil Fischer ontwikkeld in 1891, toen hij werkte aan suikers.

Fischerprojectie

D-glyceraldehyde

L-glyceraldehyde

als hormonen werken. En wat misschien nog wel het meest verrast: planten gebruiken suikers om te weten hoe laat het is.

OSELOGIE

De suiker die je door je thee of koffie roert, is sucrose, dezelfde vorm die planten opslaan en die we winnen uit suikerriet of suikerbiet. Er bestaan vele chemische vormen van suiker. Je kunt in een lijst van ingrediënten de suikers vaak herkennen doordat de uitgang '-ose' ze verraadt: glucose, fructose, sacharose, lactose. Scheikundig gezien zijn ze allemaal koolhydraten – gehydrateerde koolstofverbindingen. Sommige hebben korte ketens, andere zijn weer ringvormig,

1892
Fischer stelt de driedimensionale structuur vast van zestien hexosesuikers

1902
Nobelprijs voor scheikunde toegekend aan Fischer voor zijn werk aan suikers en DNA-basen

2014
Scheikundigen kondigen een draagbare bloedsuikermetende sensor aan

Suiker meten

Het kunnen bepalen van suikerniveaus in het bloed is medisch gezien belangrijk voor mensen met diabetes of mensen die gewicht willen verliezen. In 2013 kondigden scheikundigen en technologen van het nieuwe bedrijf Glucavation aan dat hun gezamenlijke inspanningen hadden geleid tot de eerste draagbare bloedsuikersensor die continu het glucoseniveau kan volgen. In plaats van steeds weer met een nieuwe naald te prikken, zouden diabetici (en gezondheidsfanaten) elke week een sensor kunnen aanbrengen en dan de glucoseniveaus kunnen volgen op hun smartphones.

maar in principe bevatten ze allemaal koolstofatomen met een dubbel gebonden zuurstofatoom (zie Suikers en stereo-isomeren, rechts). Emil Fischer, de Nobelprijswinnende scheikundige die pionierswerk aan suikers verrichte, was in 1888 de eerste die het verband tussen glucose, fructose en mannose begreep.

De minder herkenbare vormen van suiker zijn die waarbij suikers zijn opgenomen in lange ketens en zo polymeren of polysachariden vormen. Een voorbeeld daarvan is malto-dextrine, een glucosepolymeer afkomstig uit maïs of tarwe die wordt toegevoegd aan energiepoedertjes en -gels voor atleten. Wetenschappers ontwikkelen ook biologisch af-breekbare batterijen die maltodextrine als energiebron ge-bruiken. Net zoals de natuur gebruiken de batterijen enzy-men – in tegenstelling tot de dure katalytische metalen die worden gebruikt in de traditionele batterijen – om reacties te laten verlopen die energie produceren.

OP DE ENE OF DE ANDERE MANIER

Wat mensen aangaat, is misschien de allerbelangrijkste vorm van suiker glucose – een eenvoudig monosacharide dat bestaat uit slechts één suikertype. Sucrose daarentegen is een disacharide: daarin zijn glucose en fructose via een glycosidebinding aan elkaar gekoppeld. Het door enzymen aangedreven proces waarmee we energie uit de suiker in onze voeding halen, is een ingewikkelde meerstapsreactie.

In het kort is de reactie die levende cellen voorziet van energie als volgt:

$$C_6H_{12}O_6 + 6O_2 \rightarrow 6CO_2 + 6H_2O$$

glucose + zuurstof $\rightarrow$ koolstofdioxide + water (+ energie)

In werkelijkheid is het iets ingewikkelder, maar deze brutoreactie vertelt ons in ieder geval wat de uitgangsstoffen en de eindproducten zijn. Het zuurstofdeel is belangrijk omdat zonder zuurstof glucose niet zo efficiënt zou verbranden en het zou worden omgezet in melkzuur, de scheikundige verbinding die wordt ge-vormd door gist en ook wordt geassocieerd met vermoeidheid bij lichamelijke inspanning. Hoewel het lichaam energie kan verkrijgen uit de productie van melkzuur, is de opbrengst veel geringer.

Er is in de sportwetenschap veel interesse in een beter begrip van hoe deze twee systemen – aeroob en anaeroob – met elkaar overlappen tijdens bijvoorbeeld een loopnummer op de atletiekbaan. Zo gebruiken atleten op de 400 en de 800 meter aerobe energie die ze verkrijgen op de normale manier. Omdat de spieren onvoldoende zuurstof krijgen om het vereiste vermogen op te wekken, moeten ze echter ook anaeroob energie leveren. De bijdrage van de aerobe energie overtreft pas na dertig seconden of nog langer rennen de anaerobe energie, dus een succesvolle atleet die op de 400 meter na 45 seconden finisht, gebruikt vooral melkzuur, terwijl de energie van de 800-meter-loper grotendeels afkomstig is van het 'normale' glucoseverwerkende systeem.

> **...suiker, het eerste organochemische product, waaruit alle andere bestanddelen van de plant en het dierlijke lichaam worden gevormd.**
> Emil Fischer

SUIKERKLOK

Hoewel suiker een belangrijke energiebron is, zijn we ons er zeer van bewust dat onze suikerniveaus zorgvuldig in balans moeten worden gehouden. Een overmaat aan glucose wordt in de lever en de spieren opgeslagen als het polysacharide glycogeen. Dat is prima als je de genoemde topatleet op de 400 meter bent en je al die energievoorraad gaat verbranden. Als er te veel suiker blijft rondhangen, zal je lichaam dit echter omzetten in vet en dat opslaan in vetcellen als een energierijke reservebrandstof, voor het geval dat je besluit om te gaan trainen voor de marathon. Ondertussen presteren de hersenen alleen maar goed op glucose, en dat lijkt een goed excuus om tijdens een moeizame middag op het werk een koek te verorberen.

Vraag je je nog steeds af hoe planten met suiker kunnen zeggen hoe laat het is? In 2013 ontdekten onderzoekers van de Britse universiteiten in York en Cambridge dat planten de opslag van suiker gedurende de dag gebruiken om hun biologische klok gelijk te zetten. Als de zon in de ochtend opkomt, begint de plant met de fotosynthese. De hoeveelheid suiker neemt toe en bereikt dan een bepaald drempelniveau dat de plant vertelt dat de dageraad is aangebroken. De onderzoekers lieten zien dat als ze de fotosynthese door de planten blokkeerden, dat de biologische klok verstoorde. Dienden ze vervolgens aan een plant sucrose toe, dan hielp dat bij het weer gelijkzetten van die klok.

Het idee in een notendop
Voer en vijand

35 DNA

James Watson en Francis Crick worden vaak afgeschilderd als de grote hoofdrolspelers in het verhaal van DNA. We mogen niet vergeten dat sommige van de eerdere onderzoeken naar de chemische bestanddelen van cellen wezenlijk waren voor de ontdekking van het genetische materiaal – en waarschijnlijk veel interessanter.

Bij het idee van het doorzoeken van met pus doorweekte verbandmiddelen van andere mensen zal bij ieder doorsneepersoon de maag zich omdraaien. Friedrich Miescher was echter geen doorsneepersoon. Hij was iemand die zo geïnteresseerd was in de bestanddelen van ettercellen dat hij daar een groot deel van zijn arbeidzame leven aan wijdde. Hij was ook zo iemand die bereid was om varkensmagen uit te spoelen en nachtelijke vistochtjes te ondernemen om de hand te leggen op koud zalmsperma.

Miescher wilde zo zuiver mogelijke monsters verkrijgen van een stof die hij nucleïne noemde. Na zijn opleiding als arts ging de Zwitserse wetenschapper in 1868 aan de slag in het biochemische laboratorium van Felix Hoppe-Seyler aan de universiteit in het Duitse Tübingen. Hij raakte gefascineerd door de scheikundige bestanddelen van cellen. Die fascinatie ging nooit verloren, en al is Miescher misschien niet de meest bekende van de wetenschappers die we associëren met de bestudering van DNA – James Watson en Francis Crick die de structuur ervan voorstelden zijn veel bekender – behoren zijn ontdekkingen ontegenzeggelijk tot de allerbelangrijkste.

PUS EN VARKENSMAGEN
Mieschers leidinggevende, Hoppe-Seyler, was geïnteresseerd in bloed. Daarom

TIJDLIJN

1869	1952	1953
Friedrich Miescher verkrijgt 'nucleïne' (DNA) uit witte bloedcellen	Bevestiging dat DNA erfelijk materiaal is	Publicatie van de dubbele-helixstructuur van DNA

richtten Mieschers eerste onderzoeken zich op witte bloedcellen, die hij in grote aantallen kon verzamelen uit pus dat verbandmiddelen had doorweekt. Hij verkreeg die rechtstreeks van een nabije chirurgische kliniek. Katoen was niet lang daarvoor uitgevonden en dat bleek een uitstekend materiaal om pus te absorberen. Op dat moment had Miescher geen grote ideeën over het vinden van het voor erfelijkheid verantwoordelijke materiaal – hij wilde gewoon meer weten van de scheikundige verbindingen in cellen.

Tijdens zijn onderzoeken stuitte Miescher op een neerslag die hij, hoewel die zich een beetje als eiwit gedroeg, niet kon identificeren als enig bekend eiwit. Die leek afkomstig uit de kern, de massa in het midden van de cel. Naarmate zijn interesse in dat materiaal in de celkernen groeide, probeerde hij allerlei strategieën uit om het te isoleren. Dat was waar de varkensmagen op het toneel verschenen. Varkensmagen zijn een goede bron van pepsine, een eiwitverterend enzym waarmee Miescher de meeste andere bestanddelen van cellen kon afbreken. Om pepsine te verkrijgen, spoelde hij de magen met zoutzuur. Met pepsine verkreeg hij uiteindelijk een vrij zuiver monster van een grijze substantie die hij 'nucleïne' noemde – dat bevatte wat we nu kennen als DNA.

> **DNA en RNA zijn er op zijn minst al een paar miljard jaar. Al die tijd was daar de dubbele helix, en actief, en toch zijn wij de eerste schepsels op aarde die zich daarvan bewust zijn.**
> Francis Crick

Miescher was er zo van overtuigd dat zijn nucleïne van wezenlijk belang was voor het begrijpen van de scheikunde van het leven, dat hij het onderwerp aan een elementenanalyse. Hij liet het reageren met verscheidene scheikundige verbindingen en woog de producten om na te gaan waaruit ze bestonden. Een element dat in ongewoon grote hoeveelheden aanwezig leek, was fosfor. Dat overtuigde Miescher ervan dat hij een volledig nieuw organisch molecuul moest hebben ontdekt. Hij bepaalde zelfs de hoeveelheden nucleïne die aanwezig waren tijdens verschillende levensstadia van een cel en ontdekte dat de niveaus juist voor de celdeling piekten. Dat zou een enorme aanwijzing zijn geweest voor de rol ervan bij de informatieoverdracht en Miescher overwoog daadwerkelijk dat nucleïne betrokken kon zijn bij de erfelijkheid. Uiteindelijk verwierp hij dat idee. Hij kon zich niet voorstellen dat een scheikundige verbinding alle informatie kon bevatten om te coderen voor zo veel verschillende

1972	1985	2001	2010
Paul Berg assembleert DNA-moleculen met genen uit verschillende organismen	De polymeraseketting-reactie (PCR), een methode voor het maken van miljoenen DNA-kopieën	Voltooiing van het Human Genome Project	Craig Venter maakt een synthetisch genoom en stopt dat in een cel

vormen van leven. Miescher ging door op de ingeslagen weg en trof de stof aan in het sperma van zalmen die hij opviste uit de Rijn en later in het sperma van karper, kikker en kip.

PUZZELSTUKJES AANEENPASSEN

Een van de problemen met Mieschers werk aan nucleïne was dat het niet strookte met de aanname van vele wetenschappers dat eiwit het erfelijke materiaal was. Aan het begin van de twintigste eeuw verschoof de aandacht opnieuw naar eiwit. Tegen die tijd waren de bestanddelen van nucleïne, of DNA, al opgehelderd: fosforzuur (dat de ruggengraat van DNA vormt en overeenkomt met Mieschers fosfor), suiker en de vijf basen waarvan we nu weten dat die de genetische code vormen. Eiwittheorieën leken echter veel overtuigender. De twintig aminozuren in eiwitten boden een veel grotere chemische verscheidenheid en konden derhalve de grote verscheidenheid aan leven verklaren.

De genetische code

Desoxyribonucleïnezuur (DNA) bestaat uit twee ketens van nucleïnezuren die om elkaar draaien als de vezels in touw. De nucleïnezuurketens bestaan uit zich herhalende eenheden waarbij elke eenheid bestaat uit de combinatie van een base, een suiker en een fosfaatgroep. De twee ketens worden bijeengehouden door waterstofbruggen (zie pagina 20) tussen de basen, waarvan de volgorde de genetische code vormt. De base adenine koppelt gewoonlijk met de base thymine (A-T) en de base cytosine koppelt gewoonlijk met de base guanine (C-G). De code wordt gekopieerd bij de celdeling als de waterstofbruggen worden verbroken en de twee strengen uiteenwijken zodat ze als mallen kunnen optreden bij de vorming van nieuwe strengen, vervaardigd door enzymen in de cel. Om eiwitten te maken, leest de celmachinerie de basenvolgorde, verdeelt die in drietallen van basen (codons) en vertaalt die naar de aminozuren die daarop worden toegevoegd aan groeiende eiwitstrengen (zie pagina 128). Elk aminozuur kan door meerdere driebasenvolgorden worden gecodeerd. Zo wordt het aminozuur serine toegevoegd aan het eiwit als de vertaalmachinerie een TCT-, TCC-, TCA- of TCG-codon leest.

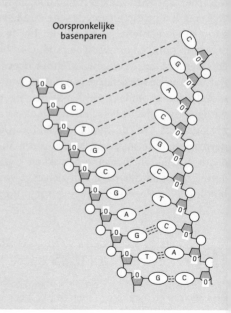

Oorspronkelijke basenparen

De geheimen van DNA begonnen zich in de jaren vijftig prijs te geven toen, binnen enkele jaren, onderzoeken bevestigden dat dat het genetische materiaal was dat werd overgedragen als een virus een bacterie besmette. Vervolgens stelden James Watson en Francis Crick de dubbele-helixstructuur voor. De bijdrage aan de in *Nature* gepubliceerde structuur door een slimme, jonge scheikundige en röntgenkristallografe (zie pagina 88) genaamd Rosalind Franklin, is al te vaak over het hoofd gezien. Het was Franklin, die werkte aan King's College in Londen, die de opnamen van DNA maakte die de inspiratie voor de structuur vormden. Haar collega Maurice Wilkins had de beelden zonder haar toestemming te vragen aan Watson laten zien. Franklin mocht ondertussen niet eens haar lunch nuttigen in dezelfde ruimte als de mannelijke wetenschappers in het laboratorium en zonder de steun van haar moeder en haar tante zou haar vader hebben geweigerd om voor haar academische opleiding te betalen, want hij geloofde niet dat vrouwen een universitaire opleiding moeten kunnen volgen.

Nucleotiden

De combinatie van elke DNA-base met een suiker- en een fosfaatgroep, wordt een nucleotide genoemd. Technisch gezien zijn de nucleotiden in DNA desoxyribonucleotiden, omdat de suikergroep daarin desoxyribose is. In RNA, de enkelstrengsversie die cellen gebruiken om de DNA-code naar eiwitten te vertalen, is de suikergroep ribose, zodat de nucleotide een ribonucleotide wordt genoemd. Oligonucleotiden zijn korte ketens van gekoppelde nucleotiden.

HET DNA-WOORDENBOEK

De vondst van de DNA-structuur loste het mysterie echter nog niet volledig op. Ruim een halve eeuw nadat Miescher, op 51-jarige leeftijd, stierf aan tuberculose, was het nog steeds onduidelijk hoe de verscheidenheid aan leven kon voortkomen uit nucleïnezuren. Nadat Watson, Crick en Wilkins in 1962 de Nobelprijs ontvingen, werd in 1968 een Nobelprijs toegekend aan Robert Holley, Har Gobind Khorana en Marshall Nirenberg voor het kraken van de genetische code. Zij lieten zien hoe de chemische structuur van DNA zich laat vertalen naar de chemische structuur en ingewikkeldheid van eiwitten. Ondanks dat inmiddels de basenpaarvolgorde van het gehele menselijke genoom is bepaald, proberen we nu nog altijd uit te zoeken wat veel daarvan inhoudt.

Het idee in een notendop
Chemische kopieën
van de code van het leven

36 Biosynthese

Veel scheikundige verbindingen die we tegenwoordig gebruiken, waaronder levensreddende antibiotica en kleurstoffen waarmee we onze kleding kleuren, worden verkregen uit planten- en diersoorten. Die scheikundige verbindingen kunnen direct worden gewonnen, maar als de biosyntheseroute bekend is kunnen ze ook in het laboratorium worden nagemaakt, via scheikunde of met de inzet van vervangende organismen zoals gist.

In januari 2002 toog een team van Zuid-Koreaanse wetenschappers naar het Yuseongbos in Daejeon om daar in het woud bodemmonsters te nemen. Tussen de naaldbomen namen ze monsters van de bovenste bodemlaag en van de losse aarde rond plantenwortels. Ze waren niet geïnteresseerd in de aarde, maar in de miljoenen eencelligen die erin leven. Ze waren op zoek naar bacteriën die in de wetenschap nog onbekende interessante verbindingen konden vormen.

Terug in het laboratorium haalden ze het DNA uit de microben, en uit andere organismen die ze in het bos in de Jindongvallei hadden gevonden. Uiteindelijk stopten ze willekeurige stukjes DNA in *Escherichia coli*. Toen ze die bacterieklonen aanzetten tot groeien, zagen ze iets vreemds: sommige waren paars. Dat was niet wat ze zochten. Ze hadden gehoopt dat ze bacteriën zouden vinden die antimicrobiële verbindingen vormen – en mogelijkheden voor geneesmiddelen boden – een beetje zoals Alexander Fleming deed toen hij penicilline ontdekte, het eerste antibioticum, in de schimmel *Penicillium* die in een bacteriekweek was beland.

Na het zuiveren van de paarse pigmenten en het onderwerpen daarvan aan verscheidene spectraalanalyses – waaronder massaspectrometrie en NMR (zie pagina 84) – beseften de onderzoekers dat het zelfs geen nieuwe pigmenten waren. Vreemd genoeg waren het indigoblauw en de rode kleurstof indirubine, twee verbindingen die gewoonlijk door planten worden gemaakt en nu blijkbaar ook door bacteriën.

NATUURPRODUCTEN

Dat is een interessant voorbeeld van biosynthese – de synthese van natuurproducten – omdat het laat zien hoe soorten uit volledig verschillende takken van de evolutieboom uiteindelijk precies dezelfde verbindingen kunnen maken. De Australische purperslak en vele andere zeeweekdieren maken ook een verbinding die verwant is aan indigoblauw, namelijk Tyrrheens purper, die net zoals indigo al sinds de oudheid is gebruikt om textiel te kleuren.

Biosynthese verwijst naar elke biochemische route – waarschijnlijk met een aantal verschillende reacties en enzymen – die een levend wezen gebruikt om een scheikundige verbinding te maken. Als scheikundigen echter praten over biosynthese, bedoelen ze doorgaans biosyntheseroutes die nuttige en commercieel haalbare natuurproducten opleveren. Dat was duidelijk het geval met de penicilline van Fleming en ook met indigoblauw en Tyrrheens purper. Hoewel er nu synthetische indigo's en purpers bestaan, wordt Tyrrheens purper nog steeds uit slakken gehaald, een kostbaar proces. Het vereist 10.000 slakken van de soort *Purpura lapillus* om een gram Tyrrheens purper te verkrijgen, en dat kostte in 2013 een duizelingwekkend bedrag van 2440 euro. Er zijn volop andere voorbeelden. Kaasmakers waren eeuwenlang afhankelijk van natuurproducten van *Penicillium roqueforti* – een verwant van de penicilline-vormende schimmel – bij het maken van blauwe kazen zoals Roquefort en Stilton.

De meeste natuurproducten, van antibiotica tot aan kleurstoffen, zijn scheikundige verbindingen die secundaire metabolieten worden genoemd. Waar primaire metabolieten die scheikundige

> **De natuur, als een verfijnde, veelzijdige en energetische combinatorieke scheikundige... levert via een oneindig aantal uiteenlopende en onvoorspelbare manieren een reeks exotische en effectieve structuren...**
>
> János Bérdy, IVAX Drug Research Institute, Boedapest, Hongarije

1942
Eerste patiënt behandeld met penicilline – Anne Miller behandeld voor bloedvergiftiging

2005
Aantal bekende natuurproducten staat op ongeveer een miljoen

2013
Sanofi begint met de productie van het antimalariamiddel artemisinine

Hoe belandden we van broodschimmel bij penicilline?

De schimmelsoort waaruit Alexander Fleming oorspronkelijk penicilline extraheerde, werd *Penicillium notatum* genoemd. Het is het soort schimmel die graag groeit op het brood in je keuken. Fleming en zijn collega's probeerden jarenlang de schimmel aan te zetten tot het vormen van voldoende van het antibioticum om het bruikbaar te maken voor de behandeling van patiënten. Voor een deel was er sprake van een zuiveringsprobleem, maar uiteindelijk beseften ze dat deze bepaalde soort domweg onvoldoende ervan produceert. Ze begonnen uit te kijken naar vergelijkbare stammen die een betere opbrengst zouden geven en uiteindelijk vonden ze er een die

Structuur van penicilline (R is een variabele groep)

groeide op een meloen, de kanteloep, namelijk *Penicillium chrysogenum*. Na toepassing daarop van verscheidene mutatie-opwekkende behandelingen, zoals röntgenstraling, verkregen ze een soort die duizendmaal zoveel kon produceren, en die nog steeds wordt gebruikt.

verbindingen zijn die organismen nodig hebben om te overleven, zoals eiwitten en nucleïnezuren, zijn secundaire metabolieten de verbindingen die geen in het oog springend nut voor het organisme hebben (natuurlijk hebben we in veel gevallen eenvoudigweg nog niet achterhaald welk nut dat zou kunnen zijn). Veel secundaire metabolieten zijn kleine moleculen die specifiek zijn voor bepaalde organismen en dat is waarom het interessant is dat scheikundig gelijke kleurenpigmenten worden gevormd door planten, weekdieren en bacteriën. Niemand weet waarom in Koreaanse bossen levende bacteriën blauwe en rode kleurstoffen maken, net zoals niemand echt weet waarom ook Australische zeeslakken dat doen.

BEESTJES BEVECHTEN BEESTJES

Volgens ruwe schattingen zijn er sinds Flemings ontdekking van penicilline in 1928 meer dan een miljoen verschillende natuurproducten geïsoleerd uit een enorme verscheidenheid aan soorten. De meeste daarvan waren producten met een antimicrobiële activiteit. Bodembacteriën, zoals die uit het Koreaanse onderzoek, vormen een rijke bron van antibiotica. Men denkt dat ze die vormen als chemische wapens waarmee ze andere bacteriën kunnen bestrijden, zodat ze daarmee kunnen concurreren om ruimte en voedingsstoffen. Misschien kunnen ze er ook mee communiceren. De noodzaak van het speuren naar nieuwe antibiotica wordt alsmaar dwingender met de opkomst van nieuwe stammen van antibiotica-resistente bacteriën, zoals de tegen meerdere geneesmiddelen resistente *Mycobacterium tuberculosis*. Micro-organismen kunnen zelf daarom nog steeds de beste bronnen voor antimicrobiële geneesmiddelen zijn.

Scheikundigen werken volgens het principe dat als ze kunnen uitvinden hoe een molecuul in de natuur wordt gemaakt, ze die route kunnen kopiëren of zelfs kunnen verbeteren om hun eigen versie te maken. Een groot deel van de laboratoriumtijd is daarom gewijd aan het in kaart brengen van de biosynthese-routes waarmee planten, bacteriën en andere organismen hun chemische verbindingen maken. Dat is wat er gebeurde bij de ontwikkeling van het synthetische antimalariamiddel arte-misinine. De natuurlijke bron is de zomeralsem, maar die plant kan het geneesmiddel niet produceren in de hoeveelheden die nodig zijn voor de behandeling van de miljoenen mensen die jaarlijks door malaria worden getroffen. Scheikundigen gin-gen aan de slag om de volledige biosyntheseroute in kaart te brengen en de genen en enzymen die daarbij waren betrokken. Nu hebben ze gist zo aangepast dat het dat geneesmiddel kan produceren. Het farmaceutische bedrijf Sanofi heeft het voor-nemen aangekondigd om dat 'halfsynthetische' artemisine via een non-profit-onderneming te leveren.

Het is opmerkelijk dat de biosyntheseroutes die in de natuur leiden tot de vorming van purperen en blauwe kleurstoffen nog steeds niet volledig begrepen zijn, ondanks dat de produc-ten zelf al duizenden jaren worden geëxploiteerd. Dat heeft sommigen ertoe verleid om te opperen dat het evolutionaire toeval dat ertoe leidde dat verschillende organismen sterk vergelijkbare verbin-dingen maken in feite helemaal geen toeval is. Binnen in de slakkenklier waar-uit kleurstofleveranciers het Tyrrheense purper halen, bevindt zich een andere klier propvol bacteriën. Het is niet meer dan een theorie, maar wellicht hebben purperen bacteriën die lijken op de soorten die in de Koreaanse bossen leven ooit een leefgebied gevonden in de klieren van zeeslakken?

Tyrrheens purper

De kleurstof Tyrrheens purper werd eeuwenlang gebruikt voor het kleuren van de kleding van vorsten en anderen die het konden betalen, voordat de chemische identiteit eindelijk werd onthuld. In 1909 legde de Duitse scheikundige Paul Friedländer zijn handen op 12.000 stekelhoorns (*Bolinus brandaris*) en uit de hypobranchiale kliertjes daarvan kon hij 1,4 gram van het purperen pigment halen. Hij filtreerde, zuiverde en kristalliseerde de kleurstof en voerde daarna de elementen-analyse uit, waarbij hij de scheikundige formule vond: $C_{16}H_8Br_2N_2O_2$.

Het idee in een notendop
De productielijn van de natuur

37 Fotosynthese

Planten pasten een slim trucje toe toen ze uitvonden hoe ze energie uit licht konden halen. Fotosynthese is niet alleen de bron van de energie die we met ons voedsel consumeren. Zij is ook de bron van het leven-gevende luchtmolecuul dat we inademen: zuurstof.

Miljarden jaren geleden was de atmosfeer van onze planeet een verstikkend mengsel van gassen dat we, als we er toen waren geweest, niet hadden kunnen inademen. Ze bevatte veel meer koolstofdioxide dan tegenwoordig, en nauwelijks zuurstof. Hoe veranderde die situatie?

Het antwoord luidt: planten en bacteriën. In feite denkt men dat de eerste organismen die zuurstof aan de atmosfeer afleverden, voorouders van de cyanobacteriën zijn geweest, vrij drijvend plankton dat vaak blauwalgen wordt genoemd. De theorie luidt dat het plankton dat zuurstof via de fotosynthese vormde, tijdens de evolutie door planten werd onderworpen. De cyanobacteriën veranderden uiteindelijk in chloroplasten, de kleine organellen in de plantencel waarin de reacties van de fotosynthese plaatsvinden. Terwijl planten de planeet gingen overheersen, met de hulp van hun cyanobacterieslaven, pompten ze enorme hoeveelheden zuurstof in de atmosfeer. Al snel veranderde die atmosfeer dusdanig dat zich onze voorouders konden ontwikkelen die dit konden inademen. Planten schiepen een omgeving waarin mensen zouden kunnen leven.

CHEMISCHE ENERGIE
Planten hielden de cyanobacteriën echter niet als slaaf vanwege hun vermogen om zuurstof te vormen. Het belangrijke product van de fotosynthese was, zover het die planten betrof, suiker, een molecuul dat ze konden gebruiken als

brandstof, een manier om energie in chemische vorm op te slaan. Voor elke zes in het chloroplast gevormde moleculen zuurstof wordt er één molecuul glucose gemaakt.

$$6CO_2 + 6H_2O \rightarrow C6H_{12}O_6 + 6O_2$$

koolstofdioxide + water (+ energie) → glucose + zuurstof

Deze vergelijking is in feite een verkorte weergave van de fotosynthese, een brutoreactie, want wat er zich binnen de chloroplast afspeelt is vele malen ingewikkelder. Het groene pigment chlorofyl, waaraan de bladeren van planten en cyanobacteriën hun kleur te danken hebben, staat centraal in dat proces. Het absorbeert licht en geeft daarmee het startsein voor de overdracht van energie van het ene molecuul op het andere. Planten zijn groen omdat chlorofyl alleen maar licht in andere delen van het lichtspectrum absorbeert. Het groene licht wordt weerkaatst, en dat is daarom de kleur die we zien.

KETTINGREACTIE

Als licht de chlorofylpigmenten treft, draagt het energie over. Die lichtenergie wordt overgedragen van veel met antennes aangeduide chlorofylmoleculen naar meer gespecialiseerde chlorofylmoleculen binnen in de fotosynthetische reactiecentra in de chloroplasten. Elektronen die worden losgeslagen uit die gespecialiseerde chlorofylmoleculen brengen een reeks van reacties op gang waarbij een elektron wordt overgedragen. De elektronen verspringen daarbij van het ene op het andere molecuul. Deze keten van redoxreacties (zie pagina 52) leidt er uiteindelijk toe dat chemische energie ontstaat in de vorm van moleculen die bekendstaan als NADPH en ATP. Die verstrekken energie aan de reacties waarbij suikers ontstaan. Tijdens dat proces wordt water gesplitst, waarna de zuurstof die we inademen vrijkomt.

Het is niet eenvoudig – of zeer nuttig – om te onthouden welke moleculen allemaal zijn betrokken bij het doorgeven van een

> **De natuur heeft zichzelf voor het probleem gesteld hoe ze het naar de aarde stromende licht kan vangen en de meest ongrijpbare van alle krachten in vaste vorm kan opslaan.**
> Julius Robert von Mayer

1955
Melvin Calvin en zijn collega's brengen in kaart welke route koolstof tijdens de fotosynthese volgt

1971
Eerste ontledingen van fotosystemen – de eiwitcomplexen die zijn betrokken bij de fotosynthese

2000
Eerste plantengenoom gepubliceerd

Fotosystemen I en II

Er komen in planten twee typen eiwit-complexen betrokken bij de fotosynthese voor. Het ene systeem levert zuurstof, en het andere vormt de energierijke moleculen NADPH en ATP. Deze complexen, in feite grote enzymen, worden fotosystemen I en II genoemd. Hoewel dat onlogisch lijkt, is het gemakkelijker om allereerst fotosysteem II uit te leggen. In dat fotosysteem wordt een gespecialiseerd paar chlorofylpigmenten, dat bekendstaat als P680, aangeslagen en werpt dat een elektron uit, zodat het een positieve lading krijgt. Als P680 zo is aangeslagen, kan het elektronen van elders accepteren, en dat doet het door die uit water op te nemen, waarbij zuurstof ontstaat. Ondertussen accepteert fotosysteem I elektronen die via via van fotosysteem II afkomstig zijn, en van zijn eigen licht-oogstende chlorofylmoleculen. Het gespecialiseerde paar chlorofylpigmenten in fotosysteem I wordt

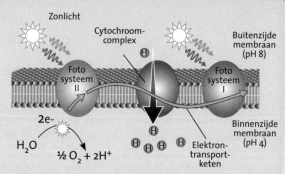

P700 genoemd, en dat staat ook elektronen af om daarmee een andere kettingreactie van elektronenoverdracht op gang te brengen. Uiteindelijk belanden die elektronen bij een eiwit genaamd ferredoxine, dat NADP+ reduceert en zo een eenheid van chemische energie, NADPH, vormt.

elektron. Waar ze dat doen, is cruciaal. De reacties vinden plaats in groepen moleculen die fotosystemen worden genoemd (zie Fotosystemen) en die zich bevinden in de membranen van de chloroplasten, de voormalige cyanobacterie-slaven. Tijdens het proces ontstaan waterstofionen (protonen) en die hopen zich aan de ene zijde van de membraan op. Zij worden door de membraan gepompt door een eiwit dat, zeer praktisch, met dat pompen van protonen de ATP-productie aandrijft.

KOOLSTOFFIXATIE

Dankzij de chemische energie (ATP en NADPH) die ontstaat in de chloroplasten, kan een reactiecyclus plaatsvinden die koolstofdioxide uit de lucht inbouwt in suikers. Koolstof uit koolstofdioxide wordt gebruikt voor het skelet van suikermoleculen. Dat koolstof-fixerende proces voorkomt dat onze atmosfeer volledig wordt volgepropt met koolstofdioxide. Het verschaft de planten bovendien een suikerbrandstof die ze kunnen gebruiken voor energie in de cellen, of kunnen omzetten naar zetmeel, als energievoorraad.

Het ligt voor de hand dat planten best wel gelukkig zijn met wat extra koolstofdioxide in de atmosfeer, en dat zou het geval zijn als het koolstofdioxidegehalte de enige verandering in de atmosfeer was. Het huidige probleem is echter dat er nog meer zaken veranderen, zoals de temperatuur op aarde. Alles bijeengenomen vermoeden wetenschappers dat plantengroei eerder afneemt dan toeneemt.

BETER DAN EVOLUTIE

Planten zijn behoorlijk goed in het verkrijgen van energie uit licht en het vormen van glucose met een snelheid van miljoenen moleculen per seconde. Als je bedenkt dat ze miljoenen jaren van evolutie nodig hadden om het proces te verfijnen, dan doen ze dat echter niet erg efficiënt. Als je de totale hoeveelheid energie geleverd door lichtfotonen aan de fotosynthese vergelijkt met de hoeveelheid die uiteindelijk belandt in glucose, dan zit daar een groot verschil tussen. Als rekening wordt gehouden met alle energie die onderweg verloren gaat of wordt gebruikt voor de reacties die moeten plaatsvinden, dan daalt de efficiëntie tot minder dan vijf procent. Bovendien is dat slechts een maximum – meestal bedraagt de efficiëntie van het proces minder.

Kunnen mensen, die nog geen miljoen jaar op de planeet verblijven, het beter doen? Kunnen we nog efficiënter dan planten energie uit zonlicht halen en die omzetten in brandstof? Dat is precies wat wetenschappers proberen voor elkaar te krijgen om onze energieproblemen op te lossen. Naast zonnecellen (zie pagina 172) is er ook het idee van 'kunstmatige fotosynthese' (zie pagina 201) – een methode om net als planten water te splitsen, maar waarbij waterstof ontstaat dat als brandstof kan worden gebruikt of dat kan worden toegepast in reacties waarbij andere brandstoffen ontstaan.

Energie zonder zonlicht

Algemeen gesproken stamt alle energie op de planeet aarde af van de zon en wordt het vastgelegd door planten, die de basis van voedselketens vormen. Planten en bacteriën zijn autotroof, wat inhoudt dat ze hun eigen voedsel (suiker) produceren en dat gebruiken als energiebron. In de diepten van de oceanen is er echter geen licht beschikbaar voor fotosynthese. Andere typen autotrofen – chemosynthetische bacteriën – halen daar hun energie uit scheikundige verbindingen, zoals waterstofsulfide.

Het idee in een notendop
Planten zetten licht om in chemische energie

Chemische boodschappers

Mensen hebben taal ontwikkeld om met elkaar te communiceren, maar lang voordat we konden praten, communiceerden onze eigen cellen al met elkaar. Ze verzenden boodschappen van het ene deel van het lichaam naar het andere en dragen zenuwimpulsen over die ervoor zorgen dat je kunt bewegen en denken. Hoe doen ze dat?

De cellen in je lichaam werken niet afzonderlijk. Continu communiceren ze, werken ze samen en coördineren ze hun taken zodat je alles kunt doen wat je gewoonlijk doet. Zij doen dat met scheikundige verbindingen.

Hormonen regelen de manier waarop je lichaam zich ontwikkelt, je eetlust, je stemming en je reactie op gevaar – dat kunnen steroïdehormonen zijn (zie Sekshormonen, rechts) zoals testosteron en oestrogeen, of eiwithormonen, zoals insuline. Signaalmoleculen die deel uitmaken van het immuunsysteem rekruteren cellen die helpen bij de bestrijding van een verkoudheid of de griep, maar misschien het meest indrukwekkende voorbeeld van hoe het menselijk lichaam chemische boodschappers gebruikt, zijn elke gedachte en beweging, van het knipperen met de ogen tot de fysieke overwinning van het lopen van een marathon. Dat is allemaal het gevolg van chemische boodschappen die bekendstaan als zenuwimpulsen.

ZENUWACHTIGE START
Het is nog niet eens zo erg lang geleden dat wetenschappers volop kibbelden

TIJDLIJN

1877	1913	1934
Emil du Bois-Reymond vraagt zich af of zenuwpulsen elektrisch of chemisch zijn	Henry Dale ontdekt acetylcholine, de eerste neurotransmitter	Etheen wordt in verband gebracht met het rijpen van appels en peren, en baant de weg voor onderzoek aan plantenhormonen

over de aard van zenuwimpulsen. In de jaren twintig van de twintigste eeuw luidde de populairste theorie dat ze elektrisch waren, en niet chemisch. De zenuwen van doorsnee laboratoriumdieren zijn lastig om te bestuderen, omdat ze zeer teer zijn. Twee Britse wetenschappers, Alan Hodgkin en Andrew Huxley, besloten hun aandacht te richten op iets groters – pijlinktviszenuwen. Al is de diameter daarvan slechts een millimeter, toch zijn de zenuwen in de zwemspieren van een pijlinktvis nog altijd honderdmaal dikker dan die van kikkers, waarmee ze tot dan toe werkten. In 1939 begonnen Hodgkin en Huxley hun onderzoek naar 'actiepotentialen', ladingsverschillen tussen de binnenzijde en de buitenzijde van zenuwcellen. Daartoe plaatsten ze voorzichtig een elektrode in de zenuwvezel van een pijlinktvis. Ze ontdekten dat als een zenuw vuurde, de potentiaal vele malen groter was dan bij rust.

Het duurde tot na de Tweede Wereldoorlog, die hun onderzoek verscheidene jaren dwarszat, dat Hodgkin en Huxley eindelijk hun werk aan actiepotentialen konden voortzetten. Hun inzichten hebben bijdragen aan ons begrip dat de 'elektrische impulsen' die zich langs een zenuw verplaatsen het gevolg zijn van geladen ionen die bewegen van de binnenzijde naar de buitenzijde van de cel. Dankzij ionenkanalen

Sekshormonen

Testosteron en oestrogeen zijn allebei steroïdehormonen, moleculen met een uitgebreid scala aan uitwerkingen op het lichaam, van invloed op de stofwisseling tot gevolgen voor de seksuele ontwikkeling. Als je in aanmerking neemt dat zoals bekend testosteron en oestrogeen een rol spelen in het verschil tussen mannelijke en vrouwelijke verschijningsvorm en fysiologie, dan hebben de twee moleculen toch wel een opmerkelijk vergelijkbare structuur. Ze hebben allebei een structuur bestaande uit vier ringen, en geringe verschillen in de groepen die aan één ring zijn gebonden. Hoewel testosteron wordt beschouwd als het 'mannelijke hormoon', maken mannen er gewoon meer van, en vrouwen hebben feitelijk testosteron nodig om oestrogeen te maken. Dat verklaart waarom de structuren zo gelijkvormig zijn. Interessant is dat testosteronniveaus bij vrouwen in de ochtend het hoogst zijn en gedurende de dag en gedurende de maand schommelen, net zoals de traditionele 'vrouwelijke' hormonen.

Testosteron

Oestrogeen

Eccles bewijst dat de dracht van impulsen t centrale zenuw- el chemisch is

Aan John Eccles, Alan Hodgkin en Andrew Huxley wordt de Nobelprijs toegekend voor hun werk aan de ionische aard van zenuwimpulsen

Eerste quorumsensingmolecuul geïsoleerd uit een mariene bacterie

Roderick MacKinnon levert een driedimensionale structuur van ionenkanalen in zenuwen (zie Ionenkanalen, rechts) in de membraan van de zenuwcel kunnen natrium-ionen naar binnen stromen als een impuls aankomt, en kunnen kaliumionen wegstromen als de impuls voorbij is.

Hoe belanden die impulsen van de ene zenuwcel op de andere, zodat ze een keten kunnen vormen die 'boodschappen' doorgeeft? De 'boodschap' is in dit geval een keten van scheikundige gebeurtenissen, waarbij elk daarvan de volgende in gang zet, zoals bij het spel fluisterpost waarbij een bericht fluisterend wordt doorgegeven, met de lichtsnelheid. De overdracht van een zenuwimpuls aan de volgende cel vereist een molecuul, aangeduid als neurotransmitter, dat snel de spleet overbrugt en vastkleeft aan de membraan van de ontvangende cel, waar dan een nieuwe impuls wordt afgevuurd. Die scheikundige overdrachtsketens vervoeren signalen van onze hersenen naar de uiteinden van onze tenen en naar wat zich daar maar tussen bevindt.

> **Hitler marcheerde Polen binnen, de oorlog werd verklaard en ik moest de techniek acht jaar laten voor wat die was totdat ik in 1947 kon terugkeren naar Plymouth.**
> Alan Hodgkin over het bestuderen van impulsen in pijlinktviszenuwen

Sinds de ontdekking van neurotransmitters, beginnend met acetylcholine in 1913, zijn we ons bewust geworden van de sleutelrol die dergelijke boodschappermoleculen vervullen in onze hersenen, waar ze zijn betrokken bij het vuren van honderd miljard zenuwcellen. Behandelingen van geestelijke aandoeningen zijn gebaseerd op de aanname dat dergelijke problemen een chemische basis hebben. In het geval van depressie legt die aanname verband met de neurotransmitter serotonine – het antidepressiemiddel Prozac, op de markt gekomen in 1987, zou werken doordat het serotoninegehalten verhoogt, maar dat idee is nog steeds omstreden.

Niet alleen mensen en andere dieren gebruiken chemische boodschappers. In alle meercellige organismen hebben cellen manieren nodig om met elkaar te 'praten'. Planten hebben bijvoorbeeld geen zenuwen, maar ze produceren wel hormonen. Rond dezelfde tijd dat fysiologen hun baanbrekende werk aan zenuwimpulsen uitvoerden, ontdekten plantenwetenschappers dat etheen van wezenlijk belang is bij het rijpen van fruit. Het blijkt dat etheen – hetzelfde molecuul waarmee we polyetheen maken (zie pagina 160) – niet alleen fruit laat rijpen, maar ook een grote rol speelt bij plantengroei. Het hormoon wordt door de meeste plantencellen gemaakt en, net zoals veel dierlijke hormonen, geeft het een signaal door via het activeren van receptormoleculen in celmembranen. Wetenschappers zijn nog steeds bezig met het ontrafelen van de complexe invloed van etheen op de ontwikkeling van een plant en hebben ontdekt dat een enkel hormoon duizenden verschillende genen kan inschakelen.

Zelfs bij organismen zoals bacteriën, waarvan lang werd gedacht dat die erg op zichzelf staan, moeten cellen samenwerken. Omdat microben geen beschikking hebben over taal of gedrag om te communiceren, praten ze met behulp van scheikundige verbindingen. Pas in de laatste decennia hebben wetenschappers ontdekt dat dit naar alle schijn een universeel vermogen onder bacteriën is. Beschouw bijvoorbeeld wat er gebeurt als je ziek wordt. Een kleine bacterie zal niet veel kunnen uitrichten. Duizenden of miljoenen bacteriën die een gecoördineerde aanval uitvoeren, scheppen een andere situatie. Hoe

Ionenkanalen

De scheikundige Roderick MacKinnon werd in 2003 de Nobelprijs toegekend voor de opheldering met röntgenkristallografie (zie pagina 88) van de driedimensionale structuren van ionenkanalen. Dankzij die structuren kunnen wetenschappers de selectiviteit van ionenkanalen begrijpen – waarom laat een bepaald type kanaal het ene ion (kalium) wel door en het andere (natrium) niet.

kunnen ze hun strijdplan opstellen en hun krachten bundelen? Daarvoor gebruiken ze scheikundige verbindingen, en dan met name via een mechanisme genaamd quorumsensing. Signaalmoleculen en hun receptoren zorgen ervoor dat bacteriën van dezelfde soort kunnen communiceren. Breder herkende moleculen werken als een soort van 'chemisch esperanto' (een universele taal) waardoor microben zelfs met andere soorten kunnen praten.

De duizelingwekkende hoeveelheid manieren waarop cellen dankzij chemische verbindingen kunnen communiceren, is een grondslag van het leven. Zonder signaalmoleculen zouden zowel meercellige als eencellige organismen niet als samenhangende eenheden kunnen fungeren. Elke cel zou een eiland zijn, gedoemd om in eenzaamheid te leven en te sterven.

Het idee in een notendop
Cellen communiceren door middel van chemische verbindingen

39 Benzine

Autorijden geeft ons de vrijheid om te leven en te werken waar we willen. Waar zouden we zijn zonder aardolie en de scheikundige vooruitgang in aardolieraffinage die ons benzine gaf? Benzine is ook de brandstof die wellicht het meest heeft bijgedragen aan klimaatverandering en de verontreiniging van onze atmosfeer.

O p een doorsnee dag in 2013 verbruikten de inwoners van de VS negen miljoen vaten benzine. Laten we zeggen dat dat 1 januari was. Dan consumeerde de VS de daaropvolgende dag, 2 januari, nog eens negen miljoen vaten, evenals op 3 januari. Dat ging zo 365 dagen door, en uiteindelijk waren er in dat jaar alleen al in de VS meer dan drie miljard vaten verbruikt.

Het overgrote deel van die verbijsterende hoeveelheid benzine werd verbrand in mengselmotoren (Ottomotoren) in voertuigen, die gezamenlijk bijna 4,8 biljoen kilometer aflegden. Bedenk nu dat nog geen 150 jaar geleden er geen auto's waren (behalve met stoomaandrijving), verbrandingsmotoren nog niet waren uitgevonden en de eerste aardoliebron nauwelijks vijf jaar aardolie had geleverd. De opkomst van het autoverkeer, met als brandstof benzine, is werkelijk razendsnel verlopen.

DORST NAAR BRANDSTOF

Aan het begin van de twintigste eeuw waren er in de gehele VS slechts achtduizend geregistreerde auto's. Die rolden vooruit met een slakkengangetje van nog geen 32 kilometer per uur. Tegen die tijd had de oliekoorts toegeslagen en olietycoons zoals Edward Doheny – die naar verluidt een inspiratiebron was voor

TIJDLIJN

1854	1859	1880	1900
Oprichting van Pennsylvania Rock Oil Company die olie opgraaft	Boring van eerste oliebron	Eerste door benzine aangedreven inwendige verbrandingsmotor	Aantal geregistreerde auto's in de VS bereik 8000

de rol van Daniel Day Lewis in de film *There Will Be Blood* – verdienden miljoenen. Doheny's Pan American Petroleum & Transport Company boorde in 1892 de eerste stromende oliebron. In 1897 waren er al vijfhonderd meer.

De vraag naar benzine groeide sneller dan de kennis die scheikundigen van aardolie hadden. In 1923 beklaagde Carl Johns, van de Standard Oil Company in New Jersey, zich in *Industrial and Engineering Chemistry* over het gebrek aan scheikundig onderzoek op dat gebied. Ondertussen reden Hollywoodsterren en oliemiljonairs, inclusief Doheny, rond in dure auto's. De zoon van Edward, Ned, kocht voor zijn echtgenote een auto die was ontworpen door Earl Automobile Works. Die was grijs als een oorlogsschip, met roodleren bekleding en Tiffany-lampen. De hoofdontwerper van Earl Automobile, Harley Earl, ging uiteindelijk aan de slag bij General Motors waar hij de leiding had over de afdeling Art & Colour die tal van Cadillacs, Buicks, Pontiacs en Chevrolets uitrustte.

> Ik had goud gevonden en ik had zilver gevonden... maar ik voelde dat deze lelijk ogende substantie de sleutel vormde tot iets waardevollers dan... deze metalen.
>
> Edward Doheny

VURIGE AMBITIE

Dankzij de groeiende vraag naar auto's en Henry Fords initiatief om daaraan tegemoet te komen met een lopende band voor massaproductie, verschenen er langs de wegen steeds meer benzinestations. Vooruitgang in aardolieraffinage-processen, waaronder kraken (zie pagina 60) leidde ertoe dat al gauw de benzineproducenten kwalitatief goede benzinemengsels konden verkrijgen die zeer gelijkmatig verbrandden.

Het mengsel dat tegenwoordig de benzinetank vult, bevat honderden scheikundige verbindingen, waaronder een mengsel van koolwaterstoffen en toevoegingen die kloppen, roesten en bevriezen moeten tegengaan. 'Koolwaterstoffen' verwijst naar een enorme verscheidenheid aan niet-vertakte, vertakte, cyclische (ringvormige) en aromatische (zie Benzeen, pagina 158) verbindingen. De chemische identiteit van de bestanddelen hangt deels af van waar de aardolie oorspronkelijk vandaan kwam. Ruwe aardolie uit verschillende gebieden op aarde, met verschillende eigenschappen, wordt vaak gemengd.

1913	1993	2000	2014
De Ford Motor Company begint als eerste met assemblage van auto's aan de lopende band	Euro-1-emissie-standaarden voor passagiersauto's worden van kracht	Het aantal geregistreerde verkeersvoertuigen in de VS bereikt 226.000.000	Euro-6-emissie-standaarden worden van kracht

Benzeen

Benzeen is een ringvormige koolwaterstof die ontstaat tijdens de aardolieraffinage en die van nature aanwezig is in aardolie. Het is voor de industrie een belangrijke chemische verbinding, bij de productie van kunststoffen en van geneesmiddelen. De benzeenring gevormd door zes koolstofatomen is stabiel en wordt ook gevonden in een ruime verscheidenheid aan natuurlijke en synthetische verbindingen. Paracetamol en aspirine zijn twee voorbeelden van aromatische benzeenderivaten, evenals de zoetgeurende verbindingen in kaneelschors en vanille. Benzeen zelf is kankerverwekkend en het gehalte ervan in benzine wordt strikt geregeld om gevaarlijke uitstoot naar de atmosfeer te voorkomen. Verbeteringen aan driewegkatalysatoren hebben een belangrijke rol gespeeld bij het beperken van de benzeenuitstoot.

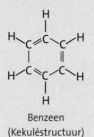

Benzeen
(Kekuléstructuur)

Benzeenring
(vereenvoudigde
weergave)

In de verbrandingsmotor van een auto verbrandt de benzine met lucht, die de vereiste zuurstof voor de verbranding levert, en daarbij ontstaan koolstofdioxide en water. Bijvoorbeeld:

$$C_7H_{16} + 11O_2 \rightarrow 7CO_2 + 8H_2O$$

heptaan + zuurstof → koolstofdioxide + water

Dit is een voorbeeld van een redoxreactie (zie pagina 52) omdat de koolstofatomen in heptaan worden geoxideerd, terwijl zuurstof wordt gereduceerd.

MILIEUPROBLEMEN

Tot een paar decennia geleden zorgde het antiklopmiddel tetra-ethyllood in gelode benzine ervoor dat benzine niet vroegtijdig in de cilinder ontplofte, zodat er een efficiëntere verbranding optrad. Door de toevoeging van tetra-ethyllood spuwden auto-uitlaten echter ook het giftige loodbromide in de atmosfeer. Die verbinding ontstond door de reactie van tetra-ethyllood met een andere toevoeging, 1,2-dibroomethaan, die moest voorkomen dat lood zich in de motor ophoopte. In de jaren zeventig werd overgeschakeld van gelode benzine naar loodvrije benzine. Benzineproducenten moesten snel nieuwe manieren bedenken voor het produceren van brandstoffen met een hoog octaangehalte (zie Octaangetallen, rechts), zodat de automotoren niet klopten bij verbranding daarvan en die brandstof meer kilometers per liter opleverde.

Dat probleem was spoedig opgelost, maar naarmate de auto-industrie groeide in de twintigste eeuw steeg het gehalte aan koolstofdioxide in de atmosfeer tot grote hoogte. De gehalten aan andere verontreinigingen namen ook toe, omdat de energie geleverd door de automotor ervoor zorgde dat andere luchtbestanddelen reageerden. Stikstof reageert met zuurstof en vormt dan stikstofoxide (NO_x), dat smog vormt en longkwalen kan veroorzaken. Ongeveer de helft van alle NO_x-uitstoot lijkt afkomstig van wegtransport.

CHEMISCHE OPLOSSINGEN

Het beperken van de uitstoot van uitlaatgassen is nu een belangrijk doel voor autoproducenten, aangezien er steeds strengere grenswaarden worden opgelegd. Terwijl autoproducenten de mogelijkheden van elektrische en hybride voertuigen verkennen, zijn er nog steeds oplossingen nodig voor gewone benzine- en dieselauto's. Met de drie miljard vaten benzine die jaarlijks worden verbrand in de VS kunnen tweehonderdduizend olympische zwembaden worden gevuld. Al die benzine komt neer op ongeveer vier liter per dag per inwoner van de VS. Driewegkatalysatoren, NO_x-vallen en andere technologieën voor terugdringen van de uitstoot van uitlaatgassen zijn nu actieve onderzoeksgebieden voor scheikundigen.

De scheikundige vooruitgang heeft geleid tot de productie van meer efficiënte brandstoffen. Die heeft ertoe geleid dat massa's weggebruikers het zich kunnen veroorloven om verder te reizen. De scheikunde moet nu omgaan met de gevolgen: een atmosfeer die verstikt raakt door uitlaatgassen en het slinken van de bronnen die ons voor onze dagelijkse ritjes van brandstof voorzien.

Octaangetallen

Het octaangetal van een benzinemengsel, of van een bepaald bestanddeel van benzine, is een maat voor hoe regelmatig en efficiënt het verbrandt. Octaangehalten worden gemeten ten opzichte van 2,2,4-trimethylpentaan (of iso-octaan), dat een octaangetal van 100 heeft, en ten opzichte van heptaan, waarvan het octaangetal 0 bedraagt. Benzinebestanddelen met lage octaangetallen maken het waarschijnlijker dat de motor gaat kloppen.

Het idee in een notendop
De brandstof die de wereld veranderde

40 Kunststoffen

Wat deden we eigenlijk allemaal voor de uitvinding van kunststoffen? Waarin droegen we onze boodschappen naar huis? Waarin zaten onze zoutjes? Waar was alles van gemaakt? Het klinkt raar, maar die tijd ligt nog niet zo ver achter ons.

De eerste massa-geproduceerde aardappelchips werden verkocht in blikjes, pakketjes van met waslaag bedekt papier of soms grote vaten waaruit ze werden geschept. Tegenwoordig is het kopen van chips gemakkelijker en hygiënischer. Ze worden verkocht in plastic verpakking, net als het meeste andere voedsel dat we kopen.

De eerste aardappelchipsproducent van de VS werd opgericht in 1908, een jaar nadat de eerste volledig synthetische kunststof, bakeliet, was uitgevonden. Bakeliet is een amberkleurige hars die ontstaat bij de reactie tussen twee organische verbindingen, fenol en methanal (formaldehyde). Die kunststof werd toegepast in allerlei producten, van radio's tot biljartballen. Het Bakelite Museum, in het Britse Somerset, is zelfs trots op een lijkkist van bakeliet. Bakeliet is een thermoharder, wat betekent dat het na stolling niet meer door verwarming kan worden vervormd.

> **Het materiaal met een duizend toepassingen.**
> Reclameleus van het bedrijf Bakelite

Binnen een paar decennia was er een scala aan andere kunststoffen beschikbaar gekomen, waaronder verscheidene herbruikbare (thermoplastische) kunststoffen. Enige tijd dacht men dat deze nieuwe, onvergankelijke materialen bestonden uit ophopingen van moleculen met korte ketens, maar in de jaren twintig bedacht de Duitse scheikundige Hermann Staudinger het concept van 'macromoleculen' en hij stelde voor dat kunststoffen in feite bestonden uit lange polymeerketens (zie pagina 16).

TIJDLIJN

3500 v.Chr	1900	1907	1922
'Natuurlijk plastic', schild van de zeeschildpad, gebruikt door Egyptenaren om kammen en armbanden te maken	Herkenning van polymeren	Het plastictijdperk begin met bakeliet, de eerste volledig synthetische kunststof	Hermann Staudinger oppert dat kunststoffen bestaan uit lange ketens van moleculen

HET PLASTICTIJDPERK

In de jaren vijftig verscheen de polyetheen-zak – het meest alom aanwezige kunststof-product – op het toneel. Het plastictijdperk was in alle hevigheid losgebarsten. Al snel werden chips en andere voedingsmidde-len verpakt in plastic, zodat alle wekelijkse boodschappen uitgedost in plastic thuis konden worden gebracht.

Het proces om polyetheen te maken, werd in 1931 bij toeval ontdekt door Britse weten-schappers bij ICI. Het omvatte de verwar-ming van etheengas bij hoge druk waarbij een polymeer van etheen ontstond, soms met de verouderde term polyethyleen aan-geduid. Etheen is een product van het che-misch kraken van aardolie (zie pagina 60), zodat de oorsprong van polyetheen in de aardolie-industrie ligt. Etheen, en daardoor ook polyetheen, kan echter ook worden ver-vaardigd uit duurzame bronnen, zoals via een chemische omzetting uit alcohol dat wordt gevormd uit planten zoals suikerriet.

De meeste polyetheenzakken zijn gemaakt van lagedichtheidpolyetheen (LDPE), dat ontstaat bij hoge druk zoals bij het ICI-pro-ces. De polymeerketens in LDPE zijn niet-vertakt, terwijl hogedichtheidpolyetheen (HDPE), dat bij lage druk wordt gevormd, vaak vertakte moleculen bevat waardoor het materiaal stijver is.

Natuurlijke plastics

Natuurstoffen die zich een beetje gedragen als kunststoffen worden soms natuurlijke plastics genoemd. Zo kunnen dierlijke horens en het schild van de zeeschildpad worden verwarmd waarna ze in de gewenste vorm kunnen worden geperst. In feite zijn deze materialen niet werkelijk wat we als plastics zouden zien. Ze bestaan grotendeels uit een eiwit genaamd keratine, hetzelfde eiwit dat voorkomt in onze haren en onze nagels. Net als plastic is keratine echter een polymeer die veel zich herhalende eenheden bevat. Omdat de handel in tal van dergelijke materialen nu illegaal is, heeft het schild van de zeeschildpad dat ooit voor kammen en andere haarversiering werd gebruikt, vrijwel volledig plaatsgemaakt voor kunststoffen. Het eerste materiaal waarmee het schild van de zeeschildpad werd nagebootst, was celluloid. Dit half-synthetische materiaal was uitgevonden in 1870 en vormde een goed vervangingsmiddel voor het ivoor waaruit biljartballen werden gemaakt. Het vatte echter gemakkelijk vlam, zodat het al snel werd verdrongen door het iets minder ontvlambare 'safety celluloid'. Tegenwoordig gebruiken we kunststoffen zoals polyester als surrogaat voor het schild van de zeeschildpad.

1931	**1937**	**1940**	**Jaren '50**	**2009**
Toevallige ontdekking van polyetheen	Commerciële productie van polystyreen	Pvc-productie start in het Verenigd Koninkrijk	Polyetheenzakken	De Boeing 787 bestaat voor de helft uit kunststof

DE KEERZIJDE VAN DE KUNSTSTOF

Aanvankelijk stond men niet stil bij de milieugevolgen van de snel groeiende kunststofproductie. Kunststoffen waren immers chemisch inert. Ze hadden een lange levensduur en leken in het milieu nergens mee te reageren. Door die houding nam het volume aan kunststofafval dat belandde op stortplaatsen en in de oceanen enorm toe. In de noordelijke Stille Oceaan is er een draaiende 'afvalwervel' van ongekende schaal die vooral uit kunststof bestaat. Vermoedelijk bevat elke vierkante kilometer water in dat gebied ongeveer driekwart miljoen brokjes microplastic, kleine kunststofdeeltjes die vissen gemakkelijk voor plankton kunnen aanzien.

Veel kunststoffen zijn biologisch niet afbreekbaar. Ze verkruimelen tot alsmaar kleinere deeltjes of microplastic. Op het land kunnen die kleine deeltjes zorgen voor verstoppingen van de spijsverteringskanalen van vogels en zoogdieren. Polyetheen is zo'n beetje de minst biologisch afbreekbare kunststof die er bestaat. Dat geldt ook voor 'groen polyetheen', gemaakt uit suikerriet (zie Biokunststof, rechts). De gezichtspunten van scheikundigen en microbiologen over bioafbreekbaarheid verschuiven nu langzaam maar zeker.

KUNSTSTOFETENDE MICROBEN

De reden dat polyetheen zo lang in het milieu verblijft, is dat het niet door microben wordt afgebroken. Dat komt doordat de chemische structuur, volledig samengesteld uit ketens van koolstof en waterstof, geen scheikundige groepen bevat die de organismen willen gebruiken. Microben vallen aan op zuurstofhoudende groepen zoals carbonyl ($C=O$). Oxidatie, met warmte en katalysatoren of zelfs zonlicht via foto-oxidatie, is een manier om polyetheen om te zetten naar een vorm die microben gemakkelijker kunnen verteren. Een andere optie is het om eenvoudig uit te kijken naar specifieke eencelligen die zich niet zo druk maken om het gebrek aan geoxideerde stukjes.

Microbiologen hebben nu bacteriën en schimmels ontdekt die enzymen maken die kunststoffen kunnen afbreken of 'opeten'. Sommige kunnen zelfs dunne lagen op het polyetheenoppervlak vormen en dat gebruiken als een bron van koolstof voor stofwisselingsreacties. In 2013 meldden Indiase wetenschappers dat ze in de Arabische Zee drie bacteriesoorten hadden gevonden die polyetheen konden afbreken zonder dat het eerst was geoxideerd. Het best presteerde een ondersoort van *Bacillus subtilis*, een micro-organisme dat doorgaans voorkomt in de bodem en in het menselijke spijsverteringskanaal. Ondertussen verbruikt alleen al India jaarlijks twaalf miljoen ton aan kunststoffen en produceert het dagelijks tienduizenden tonnen aan kunststofafval.

De reden dat de chipsverpakking niet kan worden hergebruikt, is dat daarop een metaallaagje zit dat geen zuurstof doorlaat. Dat zorgt ervoor dat de chips extra vers blijven. Je kunt de verpakkingen natuurlijk zelf kapotscheuren en er designerkleding van maken, maar anders rest slechts verbranden of storten als afval. De meest gebruikte kunststof voor de verpakking van chips en andere zoutjes is echter polypropeen. In 1993 ontdekten Italiaanse scheikundigen dat ze bacteriën op polypropeen konden laten groeien door toevoeging van natriumlactaat en glucose. In theorie kunnen we misschien eencelligen zo ver krijgen dat ze onze chipsverpakkingen en ander kunststofafval opeten. Verreweg het grootste effect op de afvalberg bereiken we waarschijnlijk door simpelweg minder kunststofverpakkingen te gebruiken.

Biokunststof

De term bioplastic is zeer verwarrend. Het kan betekenen dat de kunststof is vervaardigd uit duurzame materialen, zoals het plantaardige cellulose. Juister is het om het materiaal dan als biogebaseerd plastic aan te duiden. Bioplastic kan ook biologisch afbreekbaar plastic betekenen. Polymelkzuur (PLA) wordt gemaakt uit plantaardig materiaal en is biologisch afbreekbaar. Lang niet alle biogebaseerde plastics zijn biologisch afbreekbaar. Polyetheen kan uit plantaardig materiaal worden gemaakt, maar het is uitermate bestand tegen biologische afbraak.

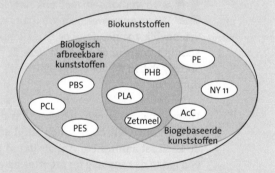

PBS: polybuteensuccinaat
PCL: polycaprolacton
PES: polyethersulfon
PHB: polyhydroxyboterzuur

PLA: polymelkzuur
PE: polyetheen
NY11: nylon 11
AcC: celluloseacetaat

Het idee in een notendop
Veelzijdige kunststoffen veroorzaken een milieuprobleem

41 Cfk's

Jarenlang zag men cfk's als veilige alternatieven voor de giftige gassen die oorspronkelijk in koelkasten werden gebruikt. Er was echter een probleem: zij vernietigden de ozonlaag. Voordat dat probleem volledig herkend en geaccepteerd werd, had het gat in de ozonlaag al het formaat van een continent. Het commerciële gebruik van cfk's werd uiteindelijk in 1987 verboden.

De koelkast maakt nog geen eeuw deel uit van het huishouden, maar zij is zo verbonden met ons dagelijks leven dat we daar niet bij stilstaan. We kunnen wanneer we maar willen een glas koude melk drinken en de vriendelijk zoemende doos in de keukenhoek heeft geleid tot culinaire hoogstandjes, zoals in de koelkast bereide chocoladecake. In 2012 bepaalde de Royal Society dat in de voedselgeschiedenis de koelkast de allerbelangrijkste uitvinding was.

Hoewel het zeker een opluchting is dat we niet om de dag de keukenkastjes moeten bijvullen, blijft er nog altijd de kans dat we iets onsmakelijks achter in de koelkast aantreffen. Wat als dat in plaats van een paar rottende slabladeren een gat in de ozonlaag ter grootte van een continent was?

We weten nu dat de gassen die voor het gat in de ozonlaag zorgden de cfk's waren – koelgassen die waren ontwikkeld ter vervanging van de giftige gassen die begin twintigste eeuw werden gebruikt in koelkasten. De chloorhoudende verbindingen vallen onder invloed van zonlicht uiteen en daarbij komen schadelijke chloorradicalen vrij in de atmosfeer (zie Hoe vernietigden cfk's de ozonlaag?, hiervoor). Voordat er cfk's waren, gebruikten koelkastfabrikanten methylchlori-

TIJDLIJN

1748	1844	1928	1939
Eerste demonstratie van koeling	John Gorrie bouwt een 'ijsmachine'	Cfk's voor koelkasten ontwikkeld	Eerste koelvriescombinatie in de VS

Hoe vernietigden cfk's de ozonlaag?

Zonlicht breekt cfk's af waarbij chloor-radicalen vrijkomen. Dat zijn vrije chloor-atomen die zeer reactief zijn doordat ze een ongepaard of 'loshangend' elektron hebben. Dat chloorradicaal zet een kettingreactie op gang waarbij zuurstofatomen uit moleculen ozon (O_3) worden weggehaald. Tijdelijk vormen ze met zuurstof chloorzuurstofverbindingen, maar daarna komen de chloorradicalen weer vrij, zodat ze nog meer ozonmoleculen kunnen vernietigen. Vergelijkbare reacties treden op met broom. Tijdens de antarctische winter is er weinig of geen zonlicht, maar als de lente arriveert en het daglicht terugkeert, vinden de reacties weer plaats.

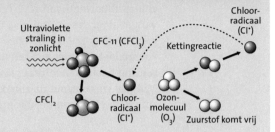

De rest van het jaar blijft het chloor uit cfk's opgesloten in stabiele verbindingen in ijzige wolken. Ozon kan van nature ook door zonlicht worden afgebroken, maar doorgaans ontstaat het in hetzelfde tempo opnieuw. Als er chloorradicalen aanwezig zijn, slaat de balans uit naar ozonvernietiging.

den, ammoniak en zwaveldioxide, allemaal gassen die erg gevaarlijk zijn als ze in een gesloten ruimte worden ingeademd. Een koelmiddellekkage kon dodelijk zijn.

KOELE OPLOSSING
Naar verluidt vormde een dodelijke ontploffing in 1929 in een ziekenhuis in Cleveland, Ohio, waarbij methylchloride was betrokken, de aanleiding voor de ontwikkeling van niet-giftige gasvormige koelmiddelen. In feite lijkt het erop dat de 120 mensen die omkwamen bij de ramp, stierven aan vergiftiging met koolstofmonoxide, dat naast stikstofoxiden ontstond toen röntgenfilms vlam vatten, en niet door methylchloride. In ieder geval was de chemische industrie al goed op de hoogte van de gevaren die waren verbonden aan het gebruik van giftige gassen als koelmiddelen en werkte zij aan een oplossing.

1974

Ontdekking van een mechanisme waarmee cfk's de ozonlaag aantasten

1985

Gat in de ozonlaag boven Antarctica gevonden

1987

Afspraak in het Montrealprotocol over beperking van het gebruik van ozonlaag-aantastende chemicaliën

Een jaar voor de Clevelandramp had Thomas Midgley jr., een onderzoeker bij General Motors, een niet-giftige, halogeenhoudende verbinding genaamd dichloordifluormethaan (CCl_2F_2) gemaakt, een omslachtige term die werd vervangen door 'freon'. Dat was het eerste cfk, hoewel het pas in 1930 publiek bekend werd gemaakt. De chef van Midgley, Charles Kettering, zocht een nieuw koelmiddel dat 'niet kon ontvlammen en dat geen schadelijke effecten op mensen zou hebben'. Achteraf was het misschien een slecht voorteken dat het juist Midgley was die, net na zijn ontdekking van het antiklopmiddel in gelode benzine tetra-ethyllood, de klus kreeg toebedeeld.

In 1947, drie jaar nadat Midgley om het leven was gekomen, schreef Kettering dat freon precies de vereiste eigenschappen had. Het kon niet branden en was 'al met al zonder schadelijke effecten op mens en dier'. Dat was waar, in die zin dat het geen directe schade toebracht als mensen of dieren eraan werden blootgesteld. Kettering stelde vast dat geen van de bij de testen gebruikte laboratoriumdieren enige tekenen van ziekte vertoonden als ze het gas inademden. Midgley had zelfs laten zien hoe veilig cfk's waren door ze zelf in te ademen, door een flinke teug van het gas te nemen tijdens een presentatie. En zo werden de cfk's aanvaard als de nieuwe koelmiddelen. Door zijn vroegtijdig overlijden heeft Midgley nooit geweten wat de invloed van zijn onderzoek was.

> **Rondkomen van zes dollar per dag betekent dat je een koelkast, een televisie en een mobiele telefoon hebt en dat je kinderen naar school kunnen gaan.**
>
> Bill Gates

EEN GAT STOPPEN

In 1974, in een tijd dat koelkasten en vriezers volop werden gevuld met schwarzwalderkirschtorte en in cake gehuld vanille-ijs, publiceerden de scheikundigen Sherry Rowland en Mario Molina, van de University of California, een artikel met het eerste bewijs voor de effecten van cfk's. Ze schreven dat de ozonlaag, die als een filter de meest schadelijke ultraviolette straling uit het zonlicht haalt, tegen het midden van de eenentwintigste eeuw gehalveerd kon zijn, tenzij cfk's werden verboden.

Uiteraard zorgden die beweringen voor flinke consternatie bij de chemiebedrijven die geld verdienden aan de koelmiddelen. Op dat moment was er nog steeds geen bewijs dat cfk's daadwerkelijk enige schade aan de ozonlaag hadden toegebracht – Rowland en Molina hadden slechts een mechanisme beschreven. Er waren veel mensen sceptisch over dat idee en ze waarschuwden voor de zware economische gevolgen van een verbod op cfk's.

Het duurde nog een decennium voordat er sluitend bewijs voor het gat in de ozonlaag was geleverd. De British Antarctic Survey had sinds eind jaren vijftig het ozongehalte in de atmosfeer boven Antarctica gevolgd, en in 1985 hadden de wetenschappers voldoende gegevens om te weten dat het gehalte daalde. Satellietgegevens lieten zien dat het gat zich uitstrekte over het gehele antarctische continent. Een paar jaar later bekrachtigden landen van over de hele wereld het Montrealprotocol, voluit het Montreal Protocol on Substances that Deplete the Ozone Layer, waarin werd afgesproken hoe snel cfk's moesten worden uitgefaseerd.

Wat schuilt er tegenwoordig dan achter in je koelkast? Sommige fabrikanten hebben cfk's vervangen door hfk's (fluorkoolwaterstoffen). Omdat chloor de ozonlaag beschadigt, zijn dat voor de hand liggende vervangingsmiddelen. In 2012 was Mario Molina echter een van de auteurs van een artikel dat een ander probleem aan het licht bracht: hfk's beschadigen misschien niet de ozonlaag, maar sommige daarvan zijn als broeikasgas meer dan duizendmaal zo krachtig als koolstofdioxide. In juli 2014 hebben de deelnemers aan het Montrealprotocol voor het vijfde opeenvolgende jaar gesproken over uitbreiding ervan naar hfk's.

Hoe zit het nu?

Het gat in de ozonlaag nam tussen eind jaren zeventig en begin jaren negentig drastisch toe. Sindsdien, na het ondertekenen van het Montrealprotocol, vlakte de gemiddelde grootte af en begon die zelfs iets te minderen. Het gat was het grootst in september 2006, ongeveer 27 miljoen vierkante kilometer. Aangezien ozonvernietigende chemicaliën lang in de atmosfeer verblijven, duurt het volgens NASA-wetenschappers tot 2065 vooraleer het gat is gekrompen tot het formaat in de jaren tachtig.

Het idee in een notendop
Een waarschuwend verhaal over chemicaliën

42 Composieten

Waarom één materiaal gebruiken als twee beter zijn?
De combinatie van verschillende materialen kan hybride
materialen met buitengewone eigenschappen opleveren,
zoals het vermogen om temperaturen van duizenden graden
Celsius te weerstaan of het absorberen van een kogelinslag.
Geavanceerde composieten beschermen astronauten,
soldaten, politiemensen en zelfs je tere smartphone.

Op 7 oktober 1968 vertrok het eerste bemande Apollo-ruimtevaartuig, Apollo 7, van Cape Kennedy Air Force Station in Florida. Gedurende een spannende vlucht van elf dagen lang werd de communicatie tussen de bemanning en mission control getest. Een jaar eerder waren tijdens een oefening drie bemanningsleden in een Apollomodule omgekomen. De latere Apollomissies waren echter succesvol, niet alleen omdat ze als eerste mensen op de maan zetten, maar ook omdat ze hun bemanningen veilig terug naar de aarde brachten.

Een belangrijk veiligheidskenmerk van de Apollomodule vormde het hitteschild. Toen door een ontploffing de Apollo-13 schipbreuk leed, was de bemanning gedwongen om met beperkt vermogen naar de aarde terug te keren. Hun lot hing af van het hitteschild. Voordat ze terugkeerden in de aardatmosfeer was niemand er zeker van of het hitteschild nog wel intact was. Zonder de bescherming die het bood, zouden Jim Lovell, Jack Swigert en Fred Haise zijn geroosterd.

TIJDLIJN

1879	1958	1964	1968
Thomas Edison bakt katoendraden om koolstofvezels te maken	Roger Bacon toont de eerste hoogwaardige koolstofvezels	Stephanie Kwolek ontwikkelt aramidevezels	In de bemande ruimtevaart bevat de Apollomodule composieten

Kevlar®

Er bestaan verscheidene typen of soorten Kevlarvezels, de een nog sterker dan de ander. Doorgaans horen we over de typen die worden toegepast als versterking in lichtgewicht kogelwerende materialen, maar de vezels worden ook gebruikt in scheepsrompen, windturbines en zelfs de behuizingen van sommige smartphones. Chemisch gezien verschillen de polymeerketens in Kevlar niet veel van nylon. Beide materialen bevatten de herhaalde amidegroep, aangegeven in de scheikundige structuur hier rechts. Stephanie Kowlek werkte aan nylon toen ze bij DuPont kevlar uitvond. In nylon zijn de ketens gedraaid zodat ze geen stabiele vellen kunnen vormen. Elke amidegroep in een Kevlarpolymeer kan met twee sterke waterstofbruggen aan twee andere waterstofketens worden gebonden. Doordat zich dat langs elke keten keer op keer herhaalt, ontstaat er een

Structuur van kevlar

regelmatige rangschikking met hoge sterkte. Een nadeel is echter dat de structuur het materiaal ook stijf maakt, zodat een kogelwerend vest je leven kan redden, maar waarschijnlijk niet zo comfortabel zit.

IN DE MATRIX

De hitteschilden op de Apollomodules waren vervaardigd uit composietmaterialen die ablatie vertonen – ze verbranden zeer langzaam terwijl ze het ruimtevaartuig voor schade behoeden. De betreffende composiet werd Avcoat genoemd, en hoewel die niet meer in de ruimtevaart is gebruikt sinds de Apollomissies, heeft NASA aangekondigd dat het materiaal zal worden gebruikt in het hitteschild van Orion, het volgende bemande ruimtevaartuig dat de maan zal bezoeken.

1969

F4-straalvliegtuig bevat richtingsroer van boor-epoxy

1971

De aramidevezel Kevlar® wordt door DuPont op de markt gebracht

2015

Het ruimtevaartuig Orion wordt uitgerust met een hitteschild gemaakt van de composiet Avcoat

Net zoals bij andere composieten ontstaan de speciale eigenschappen van Avcoat, zoals het kunnen weerstaan van temperaturen van duizenden graden Celsius, door de combinatie van materialen. Samen vormen de verschillende materialen een nieuw supermateriaal dat beter is dan de som der delen. Veel composieten bestaan uit twee hoofdbestanddelen. Een daarvan is de 'matrix', vaak een hars waarin het andere bestanddeel is ingebed. Het tweede hoofdbestanddeel is vaak een vezel of een fragment dat de matrix versterkt, en structuur en weerstandsvermogen geeft. Avcoat is gemaakt van silicavezels ingebed in een hars en aangebracht in een honingraatstructuur van glasvezels. Bij de Apollomodules bestond die honingraat uit 300.000 gaten en die werden handmatig gevuld.

GANGBARE COMPOSIETEN

Je verwacht misschien dat je geen andere materialen zoals Avcoat kent. Composieten worden echter niet alleen in de ruimtevaart gebruikt en ze komen veel meer voor dan je misschien denkt. Beton is een goed voorbeeld van een composietmateriaal. Het wordt gevormd door het combineren van zand, grint en cement. Er zijn ook natuurlijke composieten zoals bot, dat bestaat uit het mineraal hydroxyapatiet en het eiwit collageen. Materiaalscheikundigen proberen de botstructuur na te bootsen bij de ontwikkeling van nieuwe composieten, zoals geavanceerde materialen met een nanostructuur bedoeld voor mogelijke medische toepassingen.

> **Ik dacht, er is hier wat anders mee. Het kan zeer nuttig zijn.**
>
> Stephanie Kwolek over de uitvinding van Kevlar®

Misschien de meest bekende composieten zijn koolstofvezel en Kevlar. De naam koolstofvezel verwijst naar de stijve koolstofdraden die aan golfclubs, Formule-1-bolides en kunstledematen hun kracht verlenen. Het is in de jaren vijftig ontdekt door Roger Bacon en vormde het eerste hoogwaardige composietmateriaal. (Toepassing van beton was een eeuw eerder op gang gekomen.) Bacon noemde zijn koolstofdraden 'whiskers', naar de snorharen van een kat, en liet zien dat ze tien- tot twintigmaal sterker dan staal waren. Als we koolstofvezel zeggen, bedoelen we doorgaans een met koolstofvezel versterkte polymeer, een composiet die ontstaat als de whiskers zijn ingebed in een hars zoals epoxy of een ander bindmateriaal.

Een paar jaar later werden aramiden ontdekt door de scheikundige Stephanie Kwolek bij het Amerikaanse bedrijf DuPont. Het bedrijf verkreeg patenten en bracht het materiaal in de jaren zeventig onder de naam Kevlar® op de markt (zie Kevlar®, pagina 169), Kwolek ontdekte de kogelvrije vezels terwijl ze werkte aan materialen voor autobanden. Ze ontdekte dat ze een vezel kon maken die sterker was dan nylon en die niet zou breken tijdens het spinnen. Kevlar dankt zijn sterkte aan een zeer regelmatige, volmaakte chemische structuur, die ertoe bijdraagt dat er gewone waterstofbruggen (zie pagina 20) tussen de polymeerketens kunnen ontstaan.

Hoogwaardige composieten zoals koolstofvezel komen niet alleen in ruimtevaartuigen voor. Een modern vliegtuig is een lappendeken van allerlei composieten. De romp van de Boeing 787 Dreamliner bestaat voor vijftig procent uit hoogwaardige composieten, vooral met koolstofvezel versterkte kunststof. De lichtgewichtmaterialen kunnen bijdragen tot wel 20 procent gewichtsbesparing vergeleken met een traditioneel uit aluminium vervaardigd vliegtuig.

Zelfhelende materialen

Stel je voor dat een vliegtuigvleugel zelf barsten kon repareren. Een veelbesproken toepassing van composieten betreft de zelfhelende materialen. Onderzoekers aan de University of Illinois in Urbana-Champaign, VS, hebben gewerkt aan vezelversterkte composietmaterialen met daarin kanalen met reparatieverbindingen. Als een materiaal beschadigd raakt, stromen er uit de kanalen hars en verharder. Als die bij elkaar komen, dichten ze de scheur. In 2014 meldden de onderzoekers een systeem dat zichzelf zo meerdere malen kon herstellen.

Gewichtsbesparingen bieden ook voordelen aan het aardoppervlak. In 2013 onthulden ingenieurs van het Amerikaanse bedrijf Edison2 in Lynchburg, Virginia, de vierde editie van hun VLC, de Very Light Car. De VLC 4.0 weegt circa 500 kilogram, minder dan een Formule-1-bolide en ongeveer half zo zwaar als een doorsnee gezinsauto, hoewel die meer lijkt op een zeer klein wit vliegtuig. Net zoals de Dreamliner bevat de VLC een combinatie van staal, aluminium en koolstofvezel.

Na tien jaar ontwikkeling is het Orionruimtevaartuig van NASA bijna klaar voor de eerste onbemande testvluchten. De veiligheid van latere bemande vluchten zal, net zoals bij het vroegere Apollo-ruimtevaartuig, afhangen van het Avcoat-hitteschild van de module. Met een diameter van vijf meter is het hitteschild van Orion waarschijnlijk het grootste dat ooit is gemaakt. Het fabricageproces moest worden herontdekt. Sommige van de oorspronkelijke ingrediënten zijn zelfs niet meer verkrijgbaar. Na zo'n vijftig jaar beschouwt men Avcoat nog steeds als het beste materiaal voor de klus.

Het idee in een notendop
Materialen die beter zijn dan de som van hun bestanddelen

43 Zonnecellen

Hoewel de meeste moderne zonnepanelen zijn vervaardigd uit silicium en veel daarvan composietmaterialen bevatten, zijn wetenschappers bezig dat te veranderen. Ze willen iets goedkopers, en dan liefst doorzichtig. Nog mooier zou het zijn als je een goedkoop zonnepaneel kunt spuiten, zodat je het op ruiten kunt aanbrengen. Stel je eens voor dat je ramen je computer voeden.

Het is De Toekomst. Je koopt een gloednieuw huis en je moet allerlei moeilijke beslissingen nemen. Welke tegels wil je in de badkamer? Standaard kranen of een geavanceerd model? Welke kleur tapijt? Er zijn ook opties voor de ruiten: je kunt kiezen voor dubbele beglazing, maar je twijfelt over zonneramen. De makelaar vertelt je dat als je kiest voor zonneramen een werknemer van de glashandel een volledig doorzichtige lichtabsorberende stof zal spuiten op de ruiten die je hebt besteld. Je zonneramen zullen elektriciteit opwekken die aan het elektriciteitsnet kan worden geleverd en waarmee je tot wel de helft op je energierekening kunt besparen. En ze zullen er doodgewoon uitzien.

Dat is nog een droom. Heden ten dage worstelen we nog met moeilijke zaken zoals efficiëntie – hoe haal je de maximale hoeveelheid energie uit zonlicht – en de kosten om die materialen te maken. Zo vergezocht is het echter niet, dat idee om vensters en andere oppervlakken van een huis te bespuiten met materialen die zonlicht oogsten. Veel werk daaraan is in ieder geval in het laboratorium uitgevoerd.

BEGINNEN MET SILICIUM

Tegenwoordig zijn de meeste zonnepanelen die je ziet op gebouwen en in zonne-energieparken gemaakt van silicium. Omdat silicium alom aanwezig is in

TIJDLIJN

1839	1839	1954	1958
Fotovoltaïsch effect waargenomen door Edmond Becquerel	'PN-barrière' waargenomen door Edmond Becquerel	Onderzoekers van Bell Labs vinden de siliciumzonnecel uit	Lancering van de eerste satelliet (Explorer VI) uitgerust met een groep fotovoltaïsche zonnepanelen

Zonnecellen met een kleurtje

Bij de fotosynthese neemt het natuurlijke pigment chlorofyl lichtenergie op, en het raakt daarbij aangeslagen, het komt in een energierijke toestand. Het geeft die energie door in de vorm van elektronen via een reeks chemische reacties waarbij uiteindelijk chemische energie ontstaat (zie pagina 148). De Zwitserse scheikundige Michael Grätzel vond in 1991 zonnecellen uit waarin pigmentmoleculen uit kleurstoffen iets vergelijkbaars doen. Die kleurstoffen maken de zo genoemde Grätzelcellen gevoelig voor licht. Een laagje kleurstof is aangebracht op een halfgeleider in de zonnecel – de twee zijn chemisch met elkaar verbonden – en als licht de kleurstof treft, raken enkele elektronen aangeslagen en die springen dan over naar de halfgeleiderlaag, die ze wegvoert als een elektrische stroom. Tot de kleurstoffen die wetenschappers hebben uitgeprobeerd, behoren porfyrinen, vergelijkbaar met de chlorofylpigmenten in planten. Als de beste lichtgevoelige kleurstoffen beschouwt

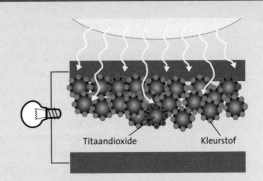

Titaandioxide — Kleurstof

men kleurstoffen die overgangsmetalen zoals ruthenium bevatten. Ruthenium is echter een zeldzaam metaal en daardoor leent het zich niet goed voor de duurzame productie van zonnepanelen. De efficiëntie is ook doorgaans beperkt. In 2013 gebruikte Grätzels eigen team aan het Zwitserse École Polytechnique Fédérale perovskietmaterialen en verhoogde daarmee de efficiëntie van de omzetting van licht naar energie in de Grätzelcellen naar vijftien procent.

computerchips, weten we al veel van de scheikundige en elektronische eigenschappen van dat materiaal. De eerste siliciumzonnecel, of zonnebatterij zoals die door de uitvinders werd genoemd, is gemaakt in Bell Labs, het halfgeleiderbedrijf dat de transistor ontwikkelde alsmede de technieken voor het aanbrengen van patronen op silicium dat doorslaggevend was voor de fabricage van siliciumchips (zie pagina 96). Deze zonnebatterij werd aangekondigd in 1954 en

1960
Silicon Sensors begint met de productie van siliciumzonnecellen

1982
Eerste zonnekrachtcentrale op megawattschaal

1991
Michael Grätzel en Brian O'Regan beschrijven de eerste op kleurstof gebaseerde zonnecellen

2009
Eerste meldingen van perovskieten in zonnecellen

hij kon energie uit zonlicht omzetten met een efficiëntie van ongeveer zes procent. Al snel leverde die stroom aan ruimtesatellieten.

Het onderzoek naar het fotovoltaïsche effect, dat in 1839 was ontdekt door de Franse natuurkundige Alexander-Edmond Becquerel, is diep geworteld in de geschiedenis van Bell Labs en de scheikundige Russell Ohl. In 1939 zocht Ohl naar materialen waarmee hij kortegolf-radiosignalen kon waarnemen. Terwijl hij elektrische metingen aan silicium verrichte, zette hij een koelventilator in het laboratorium aan. Die stond tussen het raam en de siliciumcilinders. Vreemd genoeg leek het erop dat de spanningspieken die hij mat, overeenstemden met de draaiing van de ventilatorbladen en het licht dat ze doorlieten. Ohl en zijn collega's krabden zich even op het hoofd, maar beseften toen dat silicium een stroom geleidt als het aan licht staat blootgesteld.

Hoewel de allerbeste silicium-fotovoltaïsche technologie langzaam maar zeker een efficiëntie van twintig procent nadert, is die nog steeds vrij kostbaar en is het uitgesloten dat je die op de vensters plaatst. De droom van efficiënte geïntegreerde fotovoltaïsche toepassingen in gebouwen is echter dichterbij gekomen met de ontwikkeling van organische zonnecellen die, net zoals planten, met organische moleculen (zie pagina 148) de energie van het zonlicht vangen.

Perovskieten

Perovskieten zijn hybride materialen, zowel organisch als anorganisch, die halogenen, zoals broom en jood, en metalen bevatten. De perovskiet die tot dusverre het meeste succes heeft geboekt in zonnecellen, heeft de chemische formule $CH_3NH_3PbI_3$ – hij bevat ook lood. Dat is een probleem want lood is giftig en er bestaat al decennia milieuwetgeving gericht op het beperken van loodgebruik in producten zoals verf. Aan de andere kant lieten onderzoekers recent zien dat ze lood uit oude accu's konden hergebruiken bij het maken van perovskietzonnecellen.

Deze organische zonnecellen kunnen worden vervaardigd als grote, dunne, buigzame vellen die kunnen worden opgerold of om een gekromd oppervlak kunnen worden gebogen. Het enige probleem is dat ze momenteel niet zo efficiënt zijn als anorganische siliciumzonnecellen.

DE ORGANISCHE WEG

De basisarchitectuur van een organische zonnecel is een sandwich, waarbij de twee sneetjes brood elektrodelagen zijn en het beleg daartussen bestaat uit lagen organische materialen die worden geactiveerd door zonlicht. Ultraviolet licht slaat elektronen in het materiaal aan en zorgt voor een elektrische stroom. Verbetering van de materialen in de binnenste en de buitenste lagen van de sandwich kan leiden tot een meer efficiënte zonnecel. Grafeen (zie pagina 184) is bijvoorbeeld getest als een alternatief voor de doorgaans gebruikte elektroden van indiumtinoxide, en werkt net zo goed, zo blijkt uit een onder zoek dat in 2010 in de VS is gepubliceerd. Beide zijn transparant, maar het uit koolstof bestaande grafeen zou de voorkeur krijgen omdat indiumtinoxide maar beperkt beschikbaar is.

Het chemische bedrijf BASF heeft onlangs de krachten gebundeld met Daimler, een onderdeel van autofabrikant Jaguar. Het doel is om het dak van een nieuwe elektrische auto, de Smart Forvision, uit te rusten met organische, doorzichtige, licht-omzettende zonnecellen. Helaas absorbeert het dak onvoldoende energie voor de elektrische aandrijving, maar het kan in ieder geval de koeling van energie voorzien. De beperkte efficiëntie van organische zonnecellen frustreert nog steeds de ontwikkeling en de praktische toepasbaarheid ervan. Ze komen nog niet veel verder dan twaalf procent. Bovendien heeft een siliciumzonnepaneel een levensduur van wellicht 25 jaar, en een organische variant bereikt maar met moeite de helft van die leeftijd. Aan de andere kant kunnen ze in vrijwel elke kleur worden vervaardigd en zijn ze buigzaam. Ben je geïnteresseerd in paarse, buigzame door zonne-energie aangedreven apparaten die je na een paar jaar kunt wegwerpen, dan zijn organische zonnecellen de eerste keus.

> Ik zou mijn geld inzetten op zon en zonne-energie, wat een bron van vermogen! Ik hoop dat we niet hoeven te wachten tot de aardolie en de steenkool opraken voordat we dat aanpakken.
>
> Thomas Edison

GESPOTEN ZONNECELLEN

Terwijl het onderzoek aan organische materialen zich richt op betere efficiëntie en hogere levensduur, is er een nieuw materiaal op het toneel verschenen. Perovskieten (zie Perovskieten, linkers) kwamen in 2013 voor in de top tien van wetenschappelijke doorbraken van het internationaal vermaarde vakblad *Science*. Die hybriden van organische én anorganische materialen hebben al vrij snel efficiëntieniveaus van 16 procent bereikt en blijkbaar is 50 procent het doel. Ze zijn gemakkelijk te maken en technieken voor het spuiten ervan op oppervlakken zijn al in ontwikkeling. Misschien zijn de ruiten van 'De Toekomst' niet eens zo ver van ons verwijderd. Dat die de elektriciteitsrekening halveren, is waarschijnlijk te veel gevraagd.

Het idee in een notendop
Materialen die zonlicht omzetten in elektriciteit

44 Geneesmiddelen

Hoe gaan scheikundigen aan de slag bij het maken van een geneesmiddel? Waar komt het idee vandaan, en hoe wordt dat omgezet naar een werkende chemische verbinding of mengsel? Veel producten van de farmaceutische industrie zijn gebaseerd op natuurlijke scheikundige verbindingen, terwijl andere de treffers zijn die opduiken bij het nagaan van duizenden en miljoenen verschillende verbindingen op diegene die de vereiste klus klaren.

E r zijn veel chemische verbindingen die invloed op het lichaam uitoefenen, van de geneesmiddelen die de arts voorschrijft tot de drugs die louche personen in steegjes verhandelen. In het Engels worden beide groepen als drugs aangeduid en het onderscheid is dan ook niet altijd zo duidelijk. Er zijn stoffen die dodelijk zijn. Er zijn opwekkende middelen, er zijn kalmerings-middelen, er zijn middelen die afkomstig zijn van schimmels, giftige slakken, papaver of wilgenschors. Er zijn volledig synthetische middelen die door schei-kundigen zijn ontworpen en gemaakt. En dan zijn er nog de unieke middelen gebaseerd op verbindingen die voorkomen in sponsdieren. Er bestaan daarvan een half miljoen verschillende chemische vormen, er zijn 62 afzonderlijke che-mische reacties vereist om ze te maken en ze worden gebruikt voor het behan-delen van borstkanker in een vergevorderd stadium.

ALLEMAAL UIT DE ZEE
Begin jaren tachtig verzamelden Japanse onderzoekers van de Meijo-universi-teit en de Shizuoka-universiteit sponzen nabij Miura, een schiereiland ten zui-den van Tokio. Sponzen zijn waterdieren. Ze vormen koloniën bestaande uit

TIJDLIJN

1806	1928	1942	1963
Morfine geïsoleerd uit de slaapbol, een papaverplant	Ontdekking van penicilline	Een aan het chemische wapen mosterdgas verwante ver-binding gebruikt als eerste chemotherapie tegen kanker	Benzodiazepine (Valium) komt op de markt

honderden of duizenden individuen die meer op planten of paddenstoelen lijken. Een bepaald dier, een zwarte spons waarvan de onderzoekers voor hun experimenten zo'n 600 kilogram hadden verzameld, leverde een verbinding die hun interesse wekte. In 1986 meldden ze in een scheikundig tijdschrift dat de verbinding 'een opmerkelijke... antitumorwerking vertoonde'.

In het verleden zouden er schaarse opties zijn voor het aanwenden van de mogelijkheden van een dergelijke verbinding, afgezien van het oogsten van nog meer sponzen. En dat laatste is wat mensen aanvankelijk trachtten te doen. Nadat bleek dat een andere, minder zeldzame diepzeespons dezelfde kankerbestrijdende verbinding vormde, staken het Amerikaanse National Cancer Institute (NCI) en het Nieuw-Zeelandse National Institute of Water and Atmospheric Research een half miljoen dollar in een project om duizend kilo van die spons van de zeebodem nabij de Nieuw-Zeelandse kust te halen. Dat leverde hun nog geen halve gram op van de verbinding die ze zochten – halichondrine B.

Erger nog, het was vrijwel onmogelijk om halichondrine B synthetisch te kopiëren. Het was een groot, ingewikkeld molecuul dat voorkomt in miljarden verschillende vormen – stereoisomeren (zie pagina 137) waarbij dezelfde atomen onderling zijn verbonden maar met sommige chemische groepen in verschillende oriëntaties.

Viagra

Sildenafil, beter bekend als Viagra, is een geneesmiddel dat wordt omschreven als een fosfodiesterase-type-5-remmer. Het zorgt ervoor dat het enzym fosfodiesterase-type-5 (PDE5) zijn taak niet kan uitvoeren. In de jaren tachtig wisten wetenschappers van Pfizer al dat PDE5 zorgde voor de afbraak van een chemische verbinding die de gladde spieren in bloedvaten liet ontspannen. Het Pfizer-team werkte oorspronkelijk aan een behandeling voor hartziekten. In 1992 begonnen ze sildenafil op hartpatiënten te testen. Daarbij werden al snel twee dingen duidelijk: het geneesmiddel was niet bijzonder effectief bij de behandeling van bloeddruk of angina, en er was sprake van ongewone bijwerkingen bij mannelijke patiënten.

Het Viagra-molecuul

1972	1987	1998	2006
Ontdekking van fluoxetine (Prozac)	Eerste statine, lovastatine, op recept verkrijgbaar	Viagra komt op de markt	De omzet van Pfizers cholesterolverlagende geneesmiddel Lipitor bedraagt 13,7 miljard dollar

Gemakkelijk doelwit?

De meeste populaire geneesmiddelen zijn scheikundige verbindingen die als doelwit receptoren op het celoppervlak hebben, zoals bijvoorbeeld de GPCR's, G-proteïnegekoppelde receptoren. De GPCR's vormen een enorme groep van receptoren die zich bevinden in de celmembranen, waar ze chemische boodschappen doorgeven. Meer dan een derde van alle slechts op recept verkrijgbare geneesmiddelen – zoals het middel tegen schizofrenie olanzapine (Zyprexa) en bijvoorbeeld ook ranitidine (Zantac) dat de productie van maagzuur en pepsine remt – hebben GPCR's als doelwit. Daarom blijven geneesmiddelenontwikkelaars keer op keer duizenden mogelijke geneesmiddelen testen op zoek naar een die invloed op GPCR's heeft.

IN DE BIBLIOTHEEK

In de jaren negentig hadden scheikundigen inmiddels een nieuwe strategie voor het maken van geneesmiddelen ontwikkeld. In plaats van te vertrouwen op de natuurlijke biosynthese (zie pagina 144) of de omslachtige chemische synthese (zie pagina 64) van een bepaald molecuul, creëerden ze uitvoerige 'bibliotheken' van allerlei verschillende moleculen en testten ze die allemaal op interessante activiteiten. Die methode kan nuttig zijn als je bijvoorbeeld een molecuul zoekt dat hecht aan een bepaalde receptor op een cel (zie Gemakkelijk doelwit?). Met een chemische bibliotheek kun je een en dezelfde test met veel verschillende moleculen uitvoeren en een lijst verkrijgen van die moleculen die op de receptor werken. Vervolgens kun je de paar succesvolle moleculen een voor een zorgvuldiger bestuderen.

Ondertussen was er eindelijk een volledig chemische synthese van halichondrine B gepubliceerd, maar die ging zeer moeizaam en leverde onvoldoende van de verbinding op. Een Japans bedrijf genaamd Eisai Pharmaceuticals begon allerlei verbindingen te maken die leken op halichondrine B maar minder ingewikkeld waren, in de hoop dat ze er een vonden die net zo goed werkte. Dat moesten analogen van het natuurlijke goedje zijn, ofwel verbindingen met hetzelfde werkingsmechanisme, zelfs als de structuren verschilden. De Eisai-wetenschappers wisten van het werk van NCI dat de oorspronkelijke verbinding inwerkte op tubuline, een eiwit dat de celstructuur intact houdt en dat nodig is voor tumorgroei. Een effectief analoog middel zou hetzelfde eiwit als doel moeten hebben.

Hoewel hun methode misschien wat ouderwets was, werkte het. Ze ontdekten eribuline, een product dat nu wordt voorgeschreven voor de behandeling van vergevorderde borstkanker, ondanks dat er een half miljoen mogelijke stereo-isomeren van bestaan en er 62 stappen nodig zijn om het te maken. Inspiratie opdoen uit de natuur is nog steeds de beste manier om in de geneesmiddelenindustrie succesvol te zijn, want de natuur heeft de meeste arbeid al uitgevoerd. Ongeveer 64 procent van alle nieuwe geneesmiddelen die tussen 1981 en 2010 op de markt verschenen, was op een of andere manier door de natuur geïnspireerd. De meeste worden uit levende organismen verkregen, worden gemodelleerd naar of aangepast uit chemische verbindingen gemaakt door levende organismen of ontworpen zodat ze specifiek wisselwerken met bepaalde moleculen in levende organismen. Soms vergt het slechts een beetje (of een heleboel) slimme scheikunde om goed gebruik te maken van die inspiratie.

GENEESMIDDELEN OP MAAT

Zelfs dan nog zijn er volop succesvolle geneesmiddelen die op een andere manier worden ontdekt. Neem Viagra (zie Viagra, pagina 177), een mislukt middel tegen hoge bloeddruk dat niettemin het bestverkochte geneesmiddel aller tijden werd. Als je een beginpunt voor een speurtocht nodig hebt, dan ligt het echter voor de hand om te kijken naar de natuurlijke moleculen die een ziekte veroorzaken. Dat kunnen virusdeeltjes zijn, of verkeerd werkende moleculen in het menselijk lichaam. Als je zoekt naar een geneesmiddel voor een specifieke klus, vormt rationeel ontwerp een mogelijke strategie. Met technieken zoals röntgenkristallografie (zie pagina 88) kan zo veel informatie over een ziektemolecuul worden verkregen dat daarop geneesmiddelmoleculen kunnen worden ontworpen die daarmee wisselwerken, en het wellicht blokkeren zodat het geen schade in het lichaam kan veroorzaken. Een deel van het beginwerk kan met computersimulaties worden uitgevoerd, nog voordat er ook maar één molecuul van de geneesmiddelkandidaat in het laboratorium is gemaakt.

Rationeel ontwerp is een strategie die scheikundigen nu toepassen bij het aanpakken van een van de grootste problemen waarvoor de farmaceutische industrie zich gesteld ziet: geneesmiddelenresistentie. Terwijl microben en virussen zich met angstaanjagende snelheid aanpassen zodat ze onze chemische wapens kunnen ontwijken, is de enige manier om ze in toom te houden het bedenken van nieuwe aanvalsstrategieën – volledig nieuwe klassen van geneesmiddelen. Ondertussen ontwikkelt de scheikunde op een ander front moleculen die geneesmiddelen op specifieke plekken in het lichaam kunnen afleveren – een aspect van het nieuwe vakgebied nanotechnologie.

> ❝ We [hopen] dat ondernemende en excellente organisch-scheikundigen in hun speurtocht naar nieuwe middelen en nieuwe richtingen in geneesmiddelenonderzoek niet voorbijgaan aan de unieke voorsprong die natuurlijke producten leveren. ❞
>
> Rebecca Wilson en Samuel Danishefsky in Accounts of Chemical Research

Het idee in een notendop
Natuurlijke en synthetische wegen naar chemische verbindingen die ziekten verslaan

45 Nanotechnologie

Een paar decennia geleden bedacht een van de grootste wetenschappers van de twintigste eeuw maffe ideeën over het hanteren van moleculen en miniatuurmachines. Achteraf gezien waren die helemaal niet zo krankjorum. Ze lijken accurate voorspellingen van wat nanotechnologie te bieden heeft.

De natuurkundige Richard Feynman, een wetenschapper die was betrokken bij de ontwikkeling van de atoombom en bij het onderzoek van de ramp met de spaceshuttle Challenger, gaf een beroemde lezing over 'het probleem van hanteren en beheersen van dingen op een kleine schaal'. Het was 1959, en zijn ideeën leken zo vergezocht dat ze wel een sprookje leken. Hij gebruikte de term nanotechnologie niet. Dat woord werd pas in 1974 voor het eerst gebruikt door een Japanse ingenieur. Feynman sprak echter over het bewegen van afzonderlijke atomen, het bouwen van nanomachines die zouden fungeren als minuscule mechanische chirurgen en het schrijven van een complete encyclopedie op een speldenknop.

Hoeveel is er een paar decennia na Feynmans fantasievolle mijmeringen daarvan werkelijkheid geworden? Kunnen we bijvoorbeeld afzonderlijke atomen manipuleren? Absoluut – in 1981 werd de scanningtunnelingmicroscoop uitgevonden en die schonk wetenschappers een eerste glimp van de wereld van atomen en moleculen. Acht jaar later besefte Don Eigler bij IBM dat hij met de naald van de machine atomen kon verplaatsen, en hij spelde IBM met 35 xenonatomen. Inmiddels beschikten nanowetenschappers over nog een ander krachtig gereedschap, de atoomkrachtmicroscoop, en Eric Drexler had *Engines of*

Creation geschreven, zijn omstreden boek over nanotechnologie. De nanotechnologie was daadwerkelijk gearriveerd.

MINUSCULE KLASSIEKERS

Duizenden producten, van poedercosmetica tot telefoon, bevatten tegenwoordig materialen op nanoschaal. De mogelijke toepassingen bestrijken elke industrie, van gezondheidszorg tot duurzame energie tot bouwkunde. Nanospul is echter geen menselijke uitvinding. Dingen van nanoformaat bestaan al veel langer dan de mens.

Nanodeeltjes zijn precies wat de naam aangeeft – zeer kleine deeltjes, doorgaans met een formaat van 1 tot 100 nanometer, of een miljoenste tot honderd miljoenste van een millimeter. Dat is op de schaal van atomen en moleculen, een schaal waarmee scheikundigen redelijk vertrouwd zouden moeten zijn, want het grootste deel van hun tijd besteden ze aan het denken over atomen en moleculen en hoe die zich gedragen bij scheikundige reacties. In de meeste stoffen klonteren atomen samen, maar bijvoorbeeld een goudatoom in een goudklomp heeft volledig andere eigenschappen dan een gouden nanodeeltje, dat uit misschien een paar van de metaalatomen bestaat. We kunnen in het laboratorium goud omzetten in gouden nanodeeltjes, maar er zijn volop stoffen die van nature in nanoformaat voorkomen.

De ontdekking van de buckyballs (zie pagina 112), ballen bestaande uit zestig koolstofatomen en met een doorsnede van een nanometer, wordt vaak gezien als een mijlpaal in de geschiedenis van de nanowetenschap, maar ze zijn volledig natuurlijk. Uiteraard kun je buckyballs in het laboratorium maken, maar ze ontstaan ook in het roet van een kaarsvlam. Wetenschappers hebben onbewust al eeuwen nanodeeltjes gemaakt. De negentiende-eeuwse scheikundige Michael Faraday experimenteerde met goudcolloïden, die in gebrandschilderde ramen worden gebruikt, zonder dat hij wist dat de gouden deeltjes een nanoformaat hadden. Dat bleek pas in de jaren tachtig van de twintigste eeuw, toen

> **Ik ben niet bang om de laatste vraag te beschouwen over of we uiteindelijk... atomen net zo kunnen rangschikken als we willen; niets minder dan de atomen, op atomaire schaal!**
> Richard Feynman (1959)

1986	1989	1991	2012
Eric Drexler publiceert *Engines of Creation: The Coming Era of Nanotechnology*	Don Eigler manipuleert afzonderlijke xenon- moleculen en spelt 'IBM'	Ontdekking van koolstofnanobuizen	Melding van een transistor bestaande uit een enkel fosforatoom

Nanobuiselektronica

Nanobuizen zijn kleine koolstofbuizen die ongelooflijk sterk zijn en elektriciteit kunnen geleiden. Ze zouden silicium in elektronicatoepassingen kunnen vervangen en er zijn al transistoren in geïntegreerde schakelingen mee gemaakt. In 2013 bouwden onderzoekers aan Stanford University een eenvoudige computer met een processor die bestond uit 178 nanobuis-bevattende transistoren. Die kon slechts twee programma's tegelijkertijd draaien en had de rekenkracht van de allereerste microprocessor van Intel. Een probleem met het gebruik van nanobuizen in transistoren is dat ze geen perfecte halfgeleidende materialen zijn. Sommige vormen metallische nanobuizen die stroom 'lekken'. Een Amerikaanse groep ontdekte dat het afzetten van koperoxidenanodeeltjes op nanobuizen de halfgeleidereigenschappen verbetert.

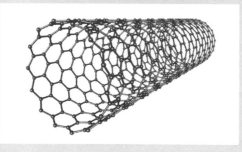

de nanotechnologie op het toneel verscheen.

FORMAAT MAAKT UIT

Dat betekent echter niet dat nanotechnologie niets nieuws is, of niet spannend. En we kunnen niet aannemen dat materialen hetzelfde zijn, zij het wat kleiner, want dat zijn ze niet. Op nanoschaal gebeuren dingen anders dan op grote schaal. Wat misschien het meest voor de hand ligt, is dat kleine deeltjes en materialen met structuren op nanoschaal een veel groter oppervlak (per volume-eenheid) hebben, en met name dat is belangrijk als je er scheikunde mee wilt bedrijven. Nog vreemder is het als dingen er niet hetzelfde uitzien, en zich anders gedragen. De kleur van goudnanodeeltjes bijvoorbeeld is afhankelijk van hun grootte. De goudcolloïden van Faraday waren niet goudkleurig. Ze waren robijnrood.

Die vreemdheid kan nuttig zijn – goudcolloïden zijn sinds de oudheid gebruikt in gebrandschilderde ramen – maar kan ook problemen opleveren. Zilvernanodeeltjes worden in toenemende mate gebruikt als antimicrobieel middel, zonder dat er veel kennis is over hoe de kleine deeltjes zich zullen gedragen in het milieu, nadat ze via het afvoerputje in het riool en de waterzuivering belanden. Wat zal het effect zijn van groeiende hoeveelheden van die deeltjes?

HET RIJK DER FANTASIE

Ondertussen gaan wetenschappers door met het bottom-up (zie pagina 100) creëren van voorwerpen en apparaten op nanoformaat. Er strekt zich een eindeloos rijk van mogelijkheden uit, niet alleen voor nanodeeltjes maar ook voor nanomachines. Kunnen minuscule machines een revolutie in de geneeskunde veroorzaken, zoals Feynman zich voorstelde? '[Het] zou in de chirurgie interessant zijn als je de chirurg kon inslikken,' zei hij tijdens zijn lezing in 1959. 'Je stopt de mechanische chirurg in je bloedvat en die reist naar het hart en kijkt daar om zich heen.' Feynmans nanochirurg is nog geen werkelijkheid, maar dat betekent niet dat we het idee als fantasie kunnen afdoen. Onderzoekers werken al aan nanomachines die geneesmiddelen vervoeren en hun lading afleveren aan zieke cellen terwijl ze gezonde cellen negeren.

We hoeven echt niet het rijk van de sciencefiction te betreden om praktische toepassingen van nanotechnologie te vinden. Samsung verwerkt al materialen met een nanostructuur in de elektronische beeldschermpjes van smartphones. Nanotechnologie levert betere katalysatoren voor het verwerken van brandstoffen en het beperken van de uitstoot van schadelijke stoffen via de uitlaat. Zonnecrèmes bevatten al jaren nanodeeltjes titaandioxide, al rijzen er recent zorgen over hun veiligheid.

En hoe zit het met het schrijven van een complete encyclopedie op een speldenknop? Geen probleem. In 1986 etste Thomas Newman van het California Institute of Technology een pagina van Charles Dickens' *A Tale of Two Cities* op een stukje kunststof van zesduizendste vierkante millimeter. Dat toont aan dat het volledig haalbaar is om de *Encyclopædia Brittanica* af te drukken op een speldenknop met een doorsnee van twee millimeter.

DNA-pakketten

Bouwmaterialen op nanoschaal kunnen volledig door mensen zijn samengesteld of door de natuur. Natuurlijke materialen hebben het voordeel dat ze meer biocompatibel zijn – het lichaam herkent ze en is daardoor minder geneigd ze af te stoten. Dat is waarom sommige wetenschappers werken aan DNA als een middel voor het afleveren van geneesmiddelen. Zo kunnen onderzoekers geneesmiddelmoleculen vangen in DNA-kooien, die zijn uitgerust met 'sloten' die alleen maar kunnen worden geopend door de juiste 'sleutels' – en dat kunnen receptormoleculen op het oppervlak van kankercellen zijn.

Het idee in een notendop
Kleine dingen, grote gevolgen

46 Grafeen

Wie kon er vermoeden dat een klomp grafiet, zoals de grauwe vulling van een potlood, een supermateriaal bevatte dat zo sterk, zo dun, zo buigzaam en zo elektrisch geleidend was dat het elk ander materiaal op de planeet in de schaduw stelt? Wie wist dat het zo gemakkelijk zou zijn om het eruit te halen? En wie kon bedenken dat het mogelijk voor altijd onze mobiele telefoons zal veranderen?

Andre Geim, een van de winnaars van de Nobelprijs voor natuurkunde in 2010, gaf zijn Nobellezing als titel 'A Random Walk to Graphene'. Hij gaf daarin toe dat hij in de loop der tijd betrokken was bij tal van onsuccesvolle projecten, waarbij er een zekere mate van willekeur was met welke hij stopte. Aan de universiteit van Stockholm zei Geim: 'Er waren gedurende een periode van vijftien jaar een paar dozijn experimenten en, zoals verwacht, mislukten de meeste volkomen. Maar er waren drie voltreffers: levitatie, gekkotape en grafeen.' Van die drie klinken levitatie en gekkotape misschien het interessantste, maar het is grafeen dat de wetenschappelijke wereld stormenderhand veroverde.

Grafeen, dat vaak een supermateriaal wordt genoemd, is het eerste en meest spannende van een nieuwe generatie van zo genoemde 'nanomaterialen'. Het is de enige stof waarvan we weten dat die bestaat uit een enkele laag atomen. Het bestaat volledig uit koolstof, het is het dunste en lichtste materiaal op de planeet, maar ook het sterkste. Er wordt van gezegd dat je met een vierkante meter grafeen – en zoals we al zagen is dat een koolstoflaag met een dikte van een atoom – een hangmat kunt maken die zo sterk en buigzaam is dat een kat

TIJDLIJN

1859	1962	1986
Benjamin Brodie ontdekt 'grafon', dat we nu kennen als grafeenoxide	Ulrich Hofmann en Hanns-Peter Boehm ontdekken zeer dunne grafeenoxidefragmenten onder een transmissie-elektronenmicroscoop	Boehm introduceert de term 'grafeen'

erin kan rusten, ondanks dat die hangmat ongeveer net zoveel weegt als een kattensnorhaar. Een kattenhangmat van grafeen zou ook doorzichtig zijn, en de indruk wekken dat de kat in de lucht zweeft, en elektriciteit nog beter geleiden dan koper. Als je de hype gelooft, zullen dankzij grafeen batterijen worden vervangen door ultrasnel-opladende supercondensatoren, waarmee er een einde zou komen aan alle telefoonbatterijperikelen en we onze elektrische auto's binnen minuten zouden kunnen opladen.

> Grafeen heeft zich letterlijk eeuwenlang voor onze ogen en onder onze neuzen bevonden, maar niemand heeft ooit ingezien wat het daadwerkelijk was.
>
> Andre Geim

DE TOEKOMST VAN DE ELEKTRONICA

Hoewel Geim er niet helemaal aanspraak op kan maken dat hij het supermateriaal heeft ontdekt – andere wetenschappers wisten van het bestaan ervan en kwamen vrij dicht bij het verkrijgen ervan – vonden hij en zijn mede-Nobelprijswinnaar Konstantin Novoselov een betrouwbare, zij het commercieel niet zo haalbare, methode voor het produceren van grafeen uit grafiet. Ze namen een brok grafiet (zie pagina 112) en trokken met plakband een laag grafeen van het oppervlak. Grafiet is het materiaal waaruit een potloodvulling bestaat. Het is in wezen een stapel van honderdduizenden grafeenvellen met een zwakke aantrekkingskracht tussen de vellen. Met niet meer dan wat plakband is het mogelijk enkele van de bovenste vellen ervanaf te trekken. Geim en Novoselov beseften dat niet, totdat zij het plakband waarmee ze een stuk grafiet hadden schoongemaakt aan een nadere inspectie onderwierpen.

Hoewel er enige discussie is over wie wanneer nu precies voor het eerst grafeen isoleerde, leidt het geen twijfel dat de artikelen die de twee wetenschappers publiceerden in 2004 en 2005 bij veel wetenschappers de gedachten over het materiaal veranderden. Tot dan konden sommige wetenschappers niet geloven dat een koolstofvel van een atoom dik stabiel zou zijn. Bij het onderzoek uit 2005 werden de buitengewone elektronische eigenschappen van grafeen getoetst, en die hebben sindsdien veel aandacht getrokken. Er wordt volop gesproken over grafeentransistoren en buigzame elektronica, inclusief buigzame telefoons en zonnecellen.

1995

Thomas Ebbesen en Hidefumi Hiura stellen zich op grafeen gebaseerde elektronica voor

2004

Andre Geim en Konstantin Novoselov publiceren een methode voor isolatie van grafeen vanaf grafiet

2013

Maher El-Kady en Richard Kaner publiceren een methode voor het maken van op grafeen gebaseerde supercondensatoren met een dvd-brander

Grafeen tennisrackets

Het draait niet allemaal om elektronische eigenschappen – iets dat driehonderdmaal sterker dan staal is terwijl het minder dan een milligram per vierkante meter weegt, moet ook andere toepassingen hebben. Dat is vermoedelijk waarom in 2013 een fabrikant van sportuitrusting, HEAD, aankondigde dat grafeen in de greep van een nieuw tennisracket werd verwerkt. Dat racket werd gebruikt door Novak Djokovic toen hij later dat jaar de Australian Open won. Niemand kan zeggen of grafeen van invloed was op zijn overwinning, maar het is een goede manier om tennisrackets te verkopen.

In 2012 meldden twee onderzoekers van de University of California in Los Angeles dat ze met grafeen microsupercondensatoren hadden gemaakt. Dat komt overeen met zeer kleine, langlevende batterijen die binnen seconden opladen. De promovendus Maher El-Kady besefte dat hij een gloeilamp gedurende zeker vijf minuten kon laten branden nadat hij die enkele seconden met een stuk grafeen had geladen. Met zijn begeleider Richard Kaner ontdekte hij al gauw een manier om kleine condensatoren te maken met een laser uit een dvd-brander. Ze willen het productieproces opschalen zodat de kleine krachtbronnen kunnen worden ingebouwd in van alles en nog wat, van microchips tot medische implantaten zoals pacemakers.

GRAFEENSANDWICH

Het feit dat grafeen een goede elektrische geleider is, komt doordat elk koolstofatoom in de platte kippengaasachtige structuur een vrij elektron heeft. De vrije elektronen schieten over het oppervlak heen, en fungeren als ladingdragers. Als er een probleem is, dan is het dat grafeen in feite te goed geleidt. De halfgeleidermaterialen waarmee chipproducenten computerchips maken, zoals silicium, zijn nuttig omdat ze soms wel elektriciteit geleiden en soms niet – het geleidingsvermogen kan aan- en uitgeschakeld worden. Daarom werken materiaalwetenschappers aan het toevoegen van onzuiverheden aan grafeen, of zelfs het plaatsen van grafeen tussen andere superdunne materialen, zodat ze materialen krijgen waarvan de elektrische eigenschappen beter instelbaar zijn.

Het andere probleem is dat het produceren van grafeen op een grote schaal niet zo eenvoudig of goedkoop is. Het is natuurlijk niet praktisch om het alsmaar met plakband van klompen grafiet te trekken. Materiaalwetenschappers zouden het liefst beschikken over grotere vellen. Een van de meer succesvolle methoden is het afzetten met chemische damp, een techniek om gasvormige koolstofatomen neer te laten slaan op een vlak en een laag te vormen. Dat vereist echter zeer hoge temperaturen. Andere goedkopere methoden zijn uitgeprobeerd, waarbij industriële hakmolens of ultrageluid de lagen grafeen van grafietklompen moeten afsplitsen.

Kippengaasstructuur

De structuur van grafeen wordt vaak vergeleken met kippengaas. Net zoals bij grafiet liggen de koolstofatomen in een enkele, platte laag en zijn ze onderling verbonden met moeilijk verbreekbare, sterke bindingen. Elk koolstofatoom is verbonden met drie andere koolstofatomen, zodat er een zich herhalend patroon van zeshoeken ontstaat. Daardoor is een van de vier elektronen in de buitenste schil van elk koolstofatoom vrij om te dolen. De kippengaasstructuur verleent aan grafeen zijn sterkte, terwijl de vrije elektronen zorgen voor de geleidbaarheid van het materiaal. Een koolstofnanobuis (zie pagina 180) heeft een zeer vergelijkbare structuur – alsof een stuk kippengaas cilindervormig is opgerold. Omdat grafeen een atoom dik is en volledig plat, wordt het beschouwd als een tweedimensionaal materiaal, in tegenstelling tot driedimensionaal, wat voor vrijwel alle andere materialen opgaat. Het feit dat het volledig uit koolstof bestaat, het op drie na meest voorkomende element op aarde, maakt het zeer aantrekkelijk omdat het vrij onwaarschijnlijk is dat daar ooit tekorten van ontstaan.

NOEMDE IEMAND LEVITATIE?

Dat is dus grafeen. Hoe zit het met Geims andere experimenten? Hij leviteerde water toen hij het, in een bevlieging, goot in de enorme elektromagneet van zijn laboratorium. Hij leviteerde zelfs ooit een kleine kikker in een bal water. De gekkotape moest de kleverige huid op een gekkopoot nabootsen, maar die werkte niet zo goed als bij een echte gekko, dus dat idee is nooit aangeslagen.

Het idee in een notendop
Supermateriaal
gemaakt uit zuivere koolstof

47 3D-printen

Printen lijkt misschien geen onderwerp om zeer opgewonden van te raken, maar dan worden de buitengewone mogelijkheden van 3D-printing vergeten. Van kunststofauto's tot bionische oren vervaardigd uit hydrogel – de mogelijkheden van de nieuwe technologie kennen vrijwel geen grenzen. Luchtvaartingenieurs printen zelfs metalen onderdelen voor raketten en vliegtuigen.

In de twintigste eeuw draaide fabriceren om massaproductie. Je ontwierp een product waarvan je dacht dat het, gemiddeld, vrijwel iedereen van pas kon komen, en dan vond je een manier om het product in grote aantallen te maken. Massaproductie van auto's. Massaproductie van kersenvlaaien. Massaproductie van computerchips.

Wat heeft de eenentwintigste eeuw voor ons in petto? Massamaatwerk – consumentenproducten op aanvraag, op maat gemaakt naar de individuele behoefte en in grote aantallen geleverd. Niet langer zijn we gedwongen genoegen te nemen met standaardproducten die passen bij de 'gemiddelde persoon' (niemand in het bijzonder). Je wilt de chauffeursstoel in je auto aanpassen zodat je zeer comfortabel zit zonder dat je die met hendels moet instellen? Massamaatwerk maakt dat mogelijk. Het antwoord op hoe fabricage zich kan aanpassen zodat iedereen precies krijgt wat hij wil, is 3D-printen.

DE BELOFTE VAN PRINTEN
Printen en drukken waren lange tijd het domein van scheikundigen. Duizenden jaren geleden werden drukinkten gemaakt van natuurlijke materialen en gewoonlijk bevatten ze koolstof als kleurstof. De huidige printerinkten zijn com-

TIJDLIJN

1986	1988	1990
Charles Hull richt 3-D Systems op en verkrijgt een patent op stereolithografie	Eerste commercieel verkrijgbare stereolithografie-apparaat, de SLA-250, op de markt gebracht door 3-D Systems	Patent verleend aan Scott Crump voor *fused deposition modeling*

plexe mengsels van scheikundige verbindingen, waaronder gekleurde pigmenten, harsen, antischuimmiddelen en verdikkingsmiddelen. Ondertussen kunnen 3D-printers met van alles printen, van kunststof tot metaal. Sommige 3D-printers werken slechts met een enkel materiaaltype – zoals een zwartwitprinter – terwijl andere verschillende materialen in hetzelfde voorwerp kunnen combineren, zoals een gewone printer inkten met verschillende kleuren combineert.

> **Stel je voor dat je printer een koelkast is vol ingrediënten die je wellicht nodig hebt om elk gerecht in Jamie Olivers nieuwe (recepten)boek te maken.**
> Lee Cronin

Een kenmerk dat alle 3D-printtechnieken gemeen hebben, is dat ze structuren laag voor laag opbouwen, gebaseerd op informatie in een digitaal bestand dat driedimensionale voorwerpen vertaalt naar tweedimensionale doorsneden. Met CAD-programma's (computer-aided design) kunnen ontwerpers ingewikkelde ontwerpen maken en die vervolgens snel printen, in plaats van dat ze die moeizaam uit een triljoen verschillende onderdelen opbouwen. De ultieme droom van luchtvaartingenieurs is het printen van een satelliet. Ondertussen zijn sommige structuren die al met 3D-printers zijn gemaakt, werkelijk ongelooflijk – bionische oren, schedelimplantaten (zie 3D-printing van lichaamsonderdelen, pagina 191), raketmotoronderdelen en nanomachines, om nog maar niet te spreken van autoprototypen op ware grootte.

3D-PRINT-INKTEN

Het degelijk printen van voorwerpen zoals auto's en raketmotoren vereist vooruitgang in technieken voor het printen met metalen. Dat is een vakgebied dat de mensen bij zowel NASA als de Europese ruimtevaartorganisatie ESA interesseert. Die hebben een project opgezet, Amaze, voor het printen van onderdelen van raketten en vliegtuigen. De voordelen zijn een duurzamer productieproces zonder afval en het vermogen om meer ingewikkelde metaalonderdelen te printen, omdat ze laag voor laag kunnen worden opgebouwd.

Het 3D-printproces en de 'inkt' hangen af van de gekozen techniek. Er worden uiteenlopende 3D-printtechnieken ontwikkeld. Het proces dat het meest lijkt op ouderwets drukken is 3D-inkjet-printen, dat afwisselend poeders en bindmate-

1993	**2001**	**2013**	**2014**
MIT-onderzoekers zijn de eersten die hun apparaat een 3D-printer noemen	3D-structuren geprint met inkjet-printers	NASA kondigt aan dat het een 3D-geprint raketmotorspuitstuk heeft getest	Patiënt met botaandoening ontvangt een 3D-geprint schedelimplantaat

Printchemicaliën

Een team aan de University of Glasgow heeft gewerkt aan het aanpassen van 3D-printers zodat ze minuscule scheikunde-opstellingen kunnen printen, waarin ze door middel van injectie 'inkten' met uitgangsstoffen kunnen brengen voor het maken van ingewikkelde moleculen. Een mogelijke toepassing van het systeem is het op aanvraag maken van geneesmiddelen, en goedkoop, volgens de instructies geleverd door de 'software' van een geneesmiddelenmaker.

rialen in lagen afzet waarbij een uitgebreide keuze aan materialen ontstaat, waaronder kunststof en keramiek. Stereolithografie gebruikt daarentegen een bundel ultravioletlicht om een hars te activeren. De bundel tekent het ontwerp in de vloeibare hars, laag voor laag, waarbij die uithardt in de vorm van de gewenste structuur. In 2014 gebruikten onderzoekers van de University of California in San Diego deze benadering om een biocompatibel apparaat te printen dat bestond uit hydrogels en werkt als een lever, doordat het giftige stoffen in bloed kan opsporen en vangen.

Wellicht de meest gebruikte 3D-printtechniek is echter fused deposition modeling, waarbij lagen half gesmolten materialen worden afgezet. Kunststoffen komen van een rol, worden verhit zodat ze smelten en gaan dan naar de spuitmond. Het Duitse ingenieursbedrijf EDAG maakte het frame van de futuristisch ogende conceptauto 'Genesis' met thermoplasten, met een aangepaste vorm van fused deposition modeling. Het bedrijf beweerde dat het hetzelfde kan doen met koolstofvezels om zo een ultralichte en ultrasterke carrosserie te maken. Aangezien de Dreamliner van Boeing al voor een groot deel van koolstofvezel is gemaakt, waarom dan niet een 3D-print van een vliegtuig?

SCHAALVERKLEINING

Van het zeer grote tot het uiterst kleine verandert 3D-printen de manier waarop we ontwerpen en creëren. Microfabricage van elektronische apparaten (zie pagina 96) is een veelbelovend gebied. Het is al mogelijk om elektronische schakelingen en microschaalstructuren op lithiumionbatterijen te drukken. Elektronicaenthousiastelingen kunnen ook snel elektronische schakelingen op maat ontwerpen en maken. Met kickstarterfondsen heeft het bedrijf Cartesian een printer ontwikkeld waarmee de gebruiker schakelingen kan printen met verscheidene materialen, waaronder textiel, en zo draagbare elektronica kan maken.

Nanotechnologen verkennen al de mogelijkheden voor het printen van nanomachines. Eén techniek gebruikt de naald van een atoomkrachtmicroscoop om moleculen op een oppervlak te printen. Het is echter moeilijk op die schaal om de stroming van de 'inkt' te regelen. Een mogelijke oplossing is elektrospinnen, waarbij een geladen polymeer op een tegengesteld geladen oppervlak belandt. Patronen kunnen worden opgenomen in het oppervlak en zo regelen waar de materialen vastplakken.

Het is niet verbazingwekkend dat iedereen opgewonden raakt over het 3D-printen. De creatieve mogelijkheden zijn onuitputtelijk. Vanuit het gezichtspunt van de klant zijn er duidelijk ook voordelen. Geen massaproductie maar een koolstofvezelauto met op maat gemaakte stoelen, en zelfs perfect passende prothesen.

3D-lichaamsonderdelen

In september 2014 meldde een artikel in het tijdschrift *Applied Materials & Interfaces* dat een groep Australische scheikundigen en ingenieurs met 3D-printen op menselijk kraakbeen lijkende materialen had geprint. Ze maakten ze uit hydrogels met een hoog watergehalte die werden versterkt met kunststofvezels. De twee bestanddelen werden simultaan als vloeibare inkten geprint en dan met ultraviolet licht bestraald om ze te laten uitharden. Het resultaat was een stevige maar buigzame composiet (zie pagina 168) die sterk op kraakbeen lijkt. Als dat indruk op je maakt, heb je kennelijk nog niet vernomen van de patiënten die onlangs 3D-geprinte schedelimplantaten kregen. In 2014 meldde het UMC Utrecht dat het dankzij 3D-printen een groot stuk schedel kon vervangen bij een vrouw waarbij door een botaandoening de schedel alsmaar dikker wordt en zo hersenbeschadigingen veroorzaakt. Een Chinese man die bij een

ongeluk op een bouwplaats de helft van zijn schedel was kwijtgeraakt, ontving een 3D-geprinte vervanging daarvoor gemaakt van titaan. 3D-printen kan op maat gemaakte, passende implantaten voor elke patiënt maken.

Het idee in een notendop
Laag voor laag op maat maken

48 Kunstspieren

Hoe krijg je een enorme hoeveelheid vermogen uit iets dat er nogal zwak uitziet? Denk maar eens aan de magere wielrenners die de Franse bergen in de Tour de France bedwingen. Het draait allemaal om de verhouding tussen vermogen en gewicht, maar hoe doe je dat kunstmatig? Het vakgebied van onderzoek aan kunstspieren levert al materialen met veel indrukwekkender prestaties.

Als je ooit een gesprek bent aangegaan met een redelijk fanatieke wielrenner, dan weet je dat die sporters gek zijn op hun statistieken. Ze houden continu hun gemiddelde snelheid bij en berekenen de afgelegde afstand en geklommen hoogte. Ze delen onderling hun gegevens van de gps-apps en strijden om eretitels zoals bergkoning, door de tijden van hun beklimmingen vast te leggen. Vooral zijn ze geobsedeerd door de verhouding tussen vermogen en gewicht. Elke wielrenner die verdienstelijk zijn toeclips kan gebruiken, weet dat je om de Tour de France te winnen een verhouding tussen vermogen en gewicht moet hebben van ongeveer 6,7 watt per kilogram (W/kg).

Voor de anderen onder ons betekent het dat je als een razende Roeland de pedalen moet laten rondgaan, terwijl het zo mager zijn doet vermoeden dat je bij de eerste flinke windvlaag van je fiets zal vallen. Een goed voorbeeld is de viervoudig winnaar van olympisch goud Bradley Wiggins, die in 2011 de Tour de France won. Destijds woog de uitgemergelde Wiggins ongeveer zeventig kilogram en hij kon een vermogen van 460 watt produceren. (Dat lijkt misschien indrukwekkend, maar het betekent dat er op zijn minst twee Bradleys Wiggins nodig zijn om een haardroger te laten werken). Dat houdt in dat hij een vermogen van

TIJDLIJN

1931	1957	2009
Ontdekking van polyetheen	Gewichtheffer Paul Anderson, 163 kilogram, tilt met de schouders 2844 kilogram	Spiergel 'loopt' zelfstandig dankzij chemische reactie

6,6 watt per kilogram lichaamsgewicht produceerde, ofwel een verhouding tussen vermogen en gewicht van 6,6 W/kg.

VERMOGEN TOT GEWICHT

Er is een vergelijkbare obsessie met de verhouding tussen vermogen en gewicht in de auto-industrie – een Porsche 911 uit 2007 kan ongeveer 271 W/kg leveren – en ook in het wetenschappelijke vakgebied van kunstspieren. Decennialang hebben materiaalwetenschappers getracht om materialen en apparaten te maken die net als de menselijke spieren kunnen samentrekken, maar in het ideale geval met zeer hoge verhoudingen tussen vermogen en gewicht. Dat opent de aanlokkelijke mogelijkheid van superkrachtige robots die gekke bekken kunnen trekken.

Met de huidige technologie moet een robot die werkelijk zware gewichten kan heffen of bergop fietst met bijna de snelheid van het geluid, nogal lijvig zijn om voldoende vermogen te leveren. Het zou ideaal zijn als een robot niet te veel ruimte inneemt maar een karrevracht aan vermogen kan leveren. (En als je inspanningen hebben geleid tot het maken van zo'n robot uitgerust met spieren, kun je enkele daarvan wel gebruiken om de robot een grijns of glimlach te laten maken!)

> **Hoewel de gel volledig uit synthetisch polymeer bestaat, vertoont hij autonome beweging alsof hij leeft.**
>
> Shingo Maeda en collega's in het blad *International Journal of Molecular Sciences* (2010)

KRIMPEN EN GROEIEN

De volgende vraag is natuurlijk hoe je kleine, supersterke spieren maakt. Het zal niet verrassen dat dat niet gemakkelijk is. Ten eerste moet er een materiaal worden gevonden dat snel kan uitzetten en samentrekken, net zoals echte spieren – het moet ook sterker dan staal zijn en niet te stijf. Vervolgens moet je een manier vinden om energie aan het materiaal te leveren. Het voordeel van Bradley Wiggins is dat zijn beenspieren al volledig zijn uitgerust met cellen die chemische energie produceren, die hij voorziet van brandstof en zuurstof door eenvoudigweg te eten en te ademen. Helaas werkt dat voortreffelijke systeem niet bij een robot.

2011	**2012**	**2014**
De verhouding van vermogen tot gewicht van Bradley Wiggins bedraagt 6,6 W/kg	Kunstspieren gemaakt van nanobuisgaren	Polyetheenspieren met een verhouding tussen vermogen en gewicht van 5300 W/kg

Polyetheenvermogen

Kunstspieren die in 2014 zijn gemaakt door scheikundige Ray Baughman en zijn groep, bestaan uit vier polyetheen vislijnen die om elkaar zijn gewikkeld en zo een draad met een doorsnede van 0,8 millimeter vormen. Bij samentrekken tot de helft van zijn lengte kon deze dunne draad – die niet uit futuristische materialen bestond maar uit een tachtig jaar eerder uitgevonden polymeer die vijf dollar per kilogram kost – een massa overeenkomend met een doorsnee hond optillen. Hoe kan een nauwelijks zichtbare bundel vislijnen een gewicht van zeven kilogram optillen? Het antwoord daarop schuilt in het verdraaien en dan oprollen van het polyetheen, waardoor dat verandert in een gewrongen materiaal dat een veel grotere spanning kan weerstaan. Veel kunstspieren verkrijgen hun energie uit elektriciteit, maar de polyetheendraden reageren op eenvoudige temperatuurveranderingen. Om ze te laten samentrekken, maak je ze warmer, en als ze afkoelen ontspannen ze. De 'spieren' kunnen in buizen worden gevat zodat ze snel met water kunnen worden gekoeld. Het enige probleem is het snel genoeg veranderen van de temperatuur om het ultrasnelle trillen van spieren na te bootsen.

De meeste kunstspieren, ook wel actuatoren genoemd, zijn gebaseerd op kunststoffen. Op het gebied van elektro-actieve polymeren werken wetenschappers aan zachte materialen die van vorm en grootte veranderen als ze met een elektrische stroom worden verbonden. Siliconen en acrylmaterialen die bekendstaan als elastomeren vormen goede actuatoren en sommige zijn al commercieel verkrijgbaar. Er zijn ionische polymeergels die zwellen of krimpen als reactie op een elektrische stroom of een verandering in chemische omstandigheden. Elke kunstspier heeft een energiebron nodig, maar materialen die van elektriciteit afhankelijk zijn hebben soms een constante vermogensbron nodig willen ze blijven samentrekken.

In 2009 lieten Japanse onderzoekers echter een stuk polymeergel zelfstandig 'lopen' op basis van zuivere scheikunde – een klassieke chemische reactie die bekendstaat als de Belousov-Zhabotinsky-reactie. Bij die reactie schommelt alsmaar de hoeveelheid rutheniumpipyride-ionen, en dat beïnvloedt de polymeren door ze te laten krimpen en zwellen. In een gekromde reep van de gel vertaalt zich dat naar een autonome beweging – zoals de onderzoekers het zelf beschreven, 'alsof die leefde'. Net als een rups die traag zijn weg over een oppervlak vindt, was de gel niet erg snel maar het was uitermate boeiend om te zien.

DRAAI EENS ROND

Meer geavanceerde en veel duurdere materialen zijn gemaakt met koolstofnanobuizen (zie pagina 180). De laatste jaren benaderen die materialen steeds meer de toppunten van superkracht, supersnelheid en superlichtheid die eerlijk gezegd Wiggins in de schaduw zouden stellen. In 2012 maakte een internationale groep, onder wie onderzoekers van het NanoTech Institute aan de University of Texas in Dallas, bekend dat ze kunstspieren hadden gemaakt met koolstofnanobuizen die waren gedraaid tot garen en daarna met was waren gevuld. Dat nanobuisgaren kon honderdduizendmaal zijn eigen gewicht optillen, en trok binnen een veertigste seconde samen als het met een stroom werd verbonden. Met dergelijke verbluffende prestaties bereikt dat met was gevuld garen een verhouding tussen vermogen en gewicht van 4200 W/kg. Dat is enkele orden van grootte meer dan de vermogensdichtheid van menselijk spierweefsel.

Nanobuizen behoren tot de sterkste materialen die de mensheid kent, maar met een prijskaartje van enkele duizenden dollars per kilogram zijn ze niet goedkoop. Ervan overtuigd dat ze het met een krapper budget voor elkaar konden krijgen, togen de Texaanse onderzoekers terug naar de tekentafel. Twee jaar later meldden ze dat ze hun prestatie hadden herhaald met gewonden polyetheen vislijnen (zie Polyetheenvermogen, links). De goedkope kunstspieren die ze hadden gemaakt, verkregen hun energie uit warmte en konden een gewicht van 7,2 kilogram heffen ondanks dat hun doorsnede nog geen millimeter bedroeg. De vermogensdichtheid van dat staaltje kunst-en-vliegwerk was een ongelooflijke 5300 W/kg. Probeer daar maar eens aan te tippen, Bradley Wiggins.

Niet alleen voor robots

Waarvoor kun je kunstspieren nog meer gebruiken, afgezien van gezichtsuitdrukkingen voor robots (en het heffen van zware gewichten)? Andere ideeën zijn bijvoorbeeld uitwendige skeletten voor mensen, precieze besturing bij microchirurgie, het richten van zonnecellen en kleding met poriën die naar gelang de weersomstandigheden krimpen en uitzetten. Met geweven polymeerspieren die samentrekken of ontspannen als reactie op temperatuurveranderingen moet het mogelijk zijn om textiel te maken dat letterlijk ademt. Vergelijkbare concepten schuilen achter ontwerpen voor automatisch werkende luiken en jaloezieën.

Het idee in een notendop
Materialen die als echte spieren werken

49 Synthetische biologie

Voortgang in de scheikundige synthese van DNA betekent dat wetenschappers nu zelfontworpen genenverzamelingen kunnen samenstellen en organismen kunnen scheppen die niet in de natuur voorkomen. Dat klinkt nogal ambitieus, nietwaar? Het bouwen van synthetische organismen van begin af aan kan mogelijk ooit net zo eenvoudig zijn als het op elkaar plaatsen van bouwsteentjes.

Synthetisch-biologen volgen geen recepten. In plaats van dat ze improviseren in de keuken, zoals je bijvoorbeeld doet als je chili con carne bereidt, improviseren ze in het laboratorium met het leven zelf. Hoewel hun scheppingen tot dusverre trouw bleven aan het receptenboek van de natuur, hebben ze ambitieuze plannen. In de toekomst willen ze het synthetisch-biologische equivalent maken van chili con carne met krokodillenvlees en jonge sojabonen – niet iets wat jij of ik chili zou noemen.

> We zullen in staat zijn om DNA te schrijven, wat willen we zeggen?
> Synthetisch-bioloog Drew Endy

DE NATUUR HERUITVINDEN

Het ontluikende gebied van de synthetische biologie komt voort uit het verlangen van biologen naar verbetering van de natuur door het aanpassen van de genomen van levende organismen. Het begon allemaal met genetische modificatie – een techniek die werkelijk nuttig is gebleken bij proefdieronderzoek dat de rol van bepaalde genen bij ziekte moest ophelderen. Met de vooruitgang in het sequensen en de synthese van DNA heeft dat geleid tot projecten die complete genomen beslaan.

TIJDLIJN

1983	1996	2003	2004
PCR – een snel nieuw chemisch proces voor het kopiëren van DNA ontwikkeld	Gistgenoom in kaart gebracht	Oprichting van Registry of Standard Biological Parts	Eerste internationale bijeenkomst over synthetische biologie vindt plaats aan het MIT

De traditionele genetische modificatie beperkte zich veelal tot de verandering van een enkel gen en nagaan wat voor effect dat had op een dier, plant of bacterie. Bij synthetische biologie strekt het zich uit tot duizenden 'letters' (basen) van de DNA-code en het inbrengen van genen die coderen voor complete stofwisselingsprocessen voor moleculen die een organisme nog nooit tevoren heeft gevormd. Een van de eerste projecten die als een triomf van de synthetische biologie werden gezien, was het aanpassen van gist zodat het een chemische uitgangsstof van het malariamedicijn artemisinine produceerde. Het Franse

DNA vanuit het niets maken

Een van de voordelen bij DNA-synthese die zorgde voor grote kostenbesparingen was de ontwikkeling van een chemisch syntheseproces dat moleculen genaamd fosforamidietmonomeren gebruikt. Elk monomeer is een nucleotide (zie DNA, pagina 140) zoals in gewoon DNA, maar er zitten beschermende kapsels op de reactieve delen. Die chemische kapsels kunnen alleen worden verwijderd (deprotectie) met zuur, net voordat er nieuwe nucleotiden worden gehecht aan de groeiende DNA-ketens. De eerste nucleotide, met de juiste base (A, T, C of G), is verankerd aan een glazen kraaltje. Nieuwe nucleotiden worden dan toegevoegd tijdens cycli van deprotectie en koppeling, in de volgorde die de gewenste code oplevert. In de meeste gevallen worden slechts korte ketens gemaakt, waarna vele korte stukken aan elkaar worden gehecht. In het geval van de synthetisch-bioloog komt de

code niet voor in enig natuurlijk organisme – het kan een volledig nieuw ontwerp zijn. Fosforamidietchemie domineert de huidige DNA-synthese-industrie. Naar verwachting zal een verdere aanzienlijke afname van zowel kosten als snelheid van de synthese een nieuw type scheikunde vereisen. Andere chemische routes zijn mogelijk, maar geen daarvan is nog commercieel bruikbaar.

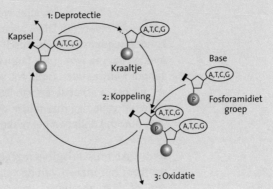

2006
De kosten voor het synthetiseren van DNA dalen tot minder dan een dollar per base

2010
Het team van Craig Venter stopt een synthetisch genoom in een cel

2013
Productie start van half-synthetisch malariamedicijn artemisinine met gist

2014
Vorming van het eerste synthetische chromosoom van een complex (eukaryoot) organisme – gist

Gevaarlijke puzzel

In 2006 slaagden journalisten van de krant *The Guardian* erin om online DNA van het pokkenvirus te kopen. Het flesje dat ze ontvingen, bevatte slechts een deel van het pokkengenoom, maar de krant beweerde dat als een terroristische organisatie met voldoende financiële middelen 'opeenvolgende DNA-sequenties zou bestellen en die aan elkaar zou plakken', die een dodelijk virus kon maken. Bedrijven die DNA synthetiseren, controleren bestellingen nu op gevaarlijke sequenties daarin. Sommige wetenschappers vinden dat DNA-monsters van dergelijke organismen die dood en verderf kunnen zaaien, moeten worden vernietigd.

farmaceutische bedrijf Sanofi startte in 2013 uiteindelijk met de productie van de half-synthetische versie van het geneesmiddel, met als doel 150 miljoen behandelingen in 2014. Zelfs dan nog beschouwden sommige wetenschappers dat eerder als een geavanceerd genetische-modificatieproject met slechts een handvol genen – indrukwekkend, maar nog lang niet een herontwerp van het niveau krokodillenvlees met jonge sojabonen.

DNA OP BESTELLING

Ondertussen werkte Craig Venter, de geneticaspecialist die faam verwierf met zijn bijdrage aan het sequensen van het menselijk genoom, aan een compleet synthetisch genoom. Zijn team aan het J. Craig Venter Institute kondigde aan dat het, met enkele kleine aanpassingen, het genoom had samengesteld van de geitenparasiet *Mycoplasma mycoides* en dat had ingebracht in een levende cel. Hoewel dat synthetische genoom van Venter in wezen een kopie van het echte genoom was, toonde dat aan dat leven kon worden geschapen met uitsluitend synthetisch vervaardigd DNA.

Dat alles werd pas mogelijk door de vooruitgang in het lezen en schrijven van DNA, waardoor onderzoekers de basenvolgorden van DNA konden sequensen en chemisch konden synthetiseren (zie DNA vanuit het niets maken, pagina 197). In de jaren dat Venter en zijn concurrenten het menselijke genoom ontrafelden (1984 tot 2003) daalden de kosten van zowel het sequensen als het synthetiseren van DNA drastisch. Volgens sommige schattingen kun je nu het volledige menselijke genoom van drie miljoen basenparen sequensen voor duizend dollar en het maken van DNA kost slechts tien cent per base.

Dergelijke prijsverlagingen geven synthetisch-biologen toegang tot de instructies voor het maken van de vele organismen die ze zouden willen herontwerpen, of daarvan stelen, waarop ze hun ontwerpen voor nieuwe organismen kunnen uittesten. Ze hoeven het DNA niet eens zelf te maken. Ze kunnen hun sequentie-ontwerpen opsturen naar een gespecialiseerd synthesebedrijf en krijgen dan het DNA per post teruggestuurd. Dat klinkt als bedrog maar, als we terugkeren naar de chili-con-carne-vergelijking, komt dat overeen met het kopen van een kant-en-klaar specerijenmengsel voor je Mexicaanse topgerecht, in plaats van dat je de moeite neemt om zelf chilipepers fijn te hakken en komijnzaden te vermalen.

BIOLOGISCHE STANDAARDONDERDELEN

Een andere manier waarop synthetisch-biologen de hoeveelheid werk willen beperken, is door het aanleggen van een database van standaardonderdelen voor de assemblage van synthetische organismen. Daaraan wordt al gewerkt sinds 2003, in de vorm van de Registry of Standard Biological Parts. Dat is minder gruwelijk dan het klinkt. Het is een verzameling van duizenden door gebruikers geteste genetische sequenties die worden gedeeld binnen de synthetisch-biologische gemeenschap. Het idee is dat daarin onderdelen zitten die bij elkaar passen en waarvan de functies bekend zijn. Die kunnen als bouwsteentjes worden gecombineerd zodat dat een werkend organisme oplevert. Een van die bouwsteentjes kan bijvoorbeeld de code voor een kleurrijk pigment bevatten, terwijl een ander kan coderen voor een genetische hoofdschakelaar die een reeks van enzymen activeert zodra een specifieke chemische verbinding wordt waargenomen.

Het ultieme doel van de synthetische biologie is het samenstellen van genomen door mensen waarna de ontworpen organismen nieuwe geneesmiddelen, biobrandstoffen, voedingsingrediënten en andere nuttige scheikundige verbindingen kunnen maken. Voordat we te hard van stapel lopen, loont het de moeite om vast te stellen dat we nog lang niet bijvoorbeeld synthetische krokodillen voor onze krokodillenchili kunnen maken. Wat complexe organismen betreft, zijn we nog niet verder dan schimmels gekomen.

Hoewel je misschien biergist niet als een erg geavanceerd organisme ziet, hebben we op cellulair niveau veel meer gemeen met gist dan met bacteriën. Het SC2.0-project is gericht op het herontwerp en de bouw van een synthetische versie van de gist *Saccharomyces cerevisiae* (zie pagina 56), chromosoom voor chromosoom. Volgens de strategie 'verwijder onderdelen totdat het kapot is' heeft een internationale groep het genoom gestroomlijnd door eerst alle niet-essentiële genen te verwijderen, en daarna kleine stukjes van hun synthetische code aan natuurlijke gist toe te voegen om te kijken of die nog steeds werkt. Tot dusverre hebben ze al één chromosoom af. De resultaten kunnen rampzalig zijn (in ieder geval voor de gist) of ze kunnen een openbaring betekenen, maar het team hoopt dat het kan achterhalen wat er precies voor nodig is om een levend organisme te maken.

Het idee in een notendop
Het leven herontwerpen

50 Toekomstige brandstoffen

Wat gebeurt er als de fossiele brandstoffen opraken? Kunnen we met zonnepanelen en windturbines alle energie opwekken? Dat is niet noodzakelijk. Scheikundigen werken aan nieuwe manieren om brandstoffen te maken die geen koolstofdioxide in de atmosfeer pompen. Het is een uitdaging om die te maken zonder nog meer van de kostbare bronnen op aarde te verbruiken.

Twee van de grootste technologische uitdagingen waarvoor de wereld zich tegenwoordig gesteld ziet, houden verband met brandstoffen. Een: fossiele brandstoffen raken op. Twee: verbranden van fossiele brandstoffen vult de atmosfeer met broeikasgassen, waardoor de natuur van onze planeet achteruitgaat. De oplossing ligt voor de hand: stop met het gebruik van fossiele brandstoffen.

Beperken van onze afhankelijkheid van fossiele brandstoffen betekent het vinden van een andere manier om op de planeet energie te winnen. Hoewel zonne-energie en windenergie grote bijdragen aan onze energiebehoefte kunnen leveren, zijn zij geen brandstoffen. Je kunt energie in het elektriciteitsnet stoppen, maar je kunt het niet in je tank stoppen en dan wegrijden. Daarin schuilt het voordeel van fossiele brandstoffen: de energie is opgeslagen in een vloeibare, vervoerbare chemische vorm.

TIJDLIJN

1800	1842	Rond 1920
De elektrolyse van water levert waterstof en zuurstof	Matthias Schleiden oppert dat fotosynthese water splitst	Fischer-Tropsch-proces levert brandstoffen uit waterstof en koolstofmonoxide

Kunstbladeren

Kunstbladeren of 'watersplitsers' zijn doorgaans gebaseerd op een basisschema waarin elke helft van de watersplitsende reactie afzonderlijk plaatsvindt. Aan elke zijde bevindt zich een elektrode en de twee zijden zijn gescheiden door een dun membraan dat de meeste moleculen tegenhoudt. De elektroden aan beide zijden zijn gemaakt van een halfgeleidend materiaal dat, net als het silicium in een zonnecel, de lichtenergie absorbeert. Aan de ene zijde haalt een katalysator aangebracht op de elektrode zuurstof uit water en aan de andere zijde vormt een andere katalysator het o zo belangrijke waterstof door waterstofionen met elektronen te verenigen. Sommige apparaten gebruiken zeldzame, dure metalen zoals platina en andere katalysatoren. De zoektocht is begonnen naar goedkopere materialen die op de lange duur in gebruik duurzamer zijn. Bij de grootschalige aanpak daarvan worden miljoenen mogelijke katalysatoren getest teneinde de beste materialen te vinden. Scheikundigen moeten daarbij niet alleen rekening houden met de katalytische eigenschappen, maar ook met duurzaamheid, de kosten en de beschikbaarheid van de materialen waarmee ze kunnen worden gemaakt. Sommige onderzoekers gebruiken zelfs organische moleculen die planten bij de natuurlijke fotosynthese gebruiken als voorbeeld voor hun katalysatoren.

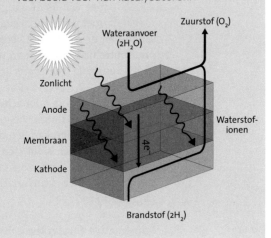

Hebben elektrische voertuigen dat probleem dan niet opgelost? Waarom kunnen we ze niet simpelweg opladen met zonne-energie uit het elektriciteitsnet? Op het moment zijn fossiele brandstoffen een veel efficiëntere manier om energie te transporteren. Je kunt in aardolieproducten veel meer energie per gewichtseenheid stoppen, en dat maakt ze een vrijwel onmisbare energiebron voor voertuigen, zoals vliegtuigen. Tenzij er aanzienlijke vooruitgang en drasti-

1998

Onstabiel kunstblad gemaakt door wetenschappers van het National Renewable Energy Laboratory

2011

Laagvermogen kunstblad aangekondigd, met kostprijs van nog geen 50 dollar

2014

Solar-Jet-project toont proces voor het maken van vliegtuigbrandstof met koolstofmonoxide, water en licht

> **Herstel de menselijke benen in ere als vervoersmethode. Voetgangers gebruiken voedsel als brandstof en vereisen geen speciale parkeergelegenheden.**
>
> Geschiedkundige en filosoof Lewis Mumford

sche gewichtsbesparingen in batterijtechnologie worden behaald, zullen we, zelfs als we zo veel zonnecentrales en windturbines bouwen als we maar zouden willen, nog steeds brandstoffen nodig hebben. Bovendien zijn onze energiesystemen al gebaseerd op brandstof, wat inhoudt dat als we schoon geproduceerde alternatieven zouden ontwikkelen, er niet zo'n enorme omwenteling nodig is.

WATERSTOFHOOFDPIJN

Een mogelijke oplossing schuilt in het kleinste, eenvoudigste element, dat linksboven in het periodiek systeem prijkt: waterstof. Het wordt al gebruikt als raketbrandstof en het lijkt de perfecte oplossing. In een met waterstof aangedreven auto kan in een brandstofcel waterstof reageren met zuurstof, waarbij energie vrijkomt en water ontstaat. Het is schoon en er komt geen koolstofatoom aan te pas, maar waar verkrijg je een onuitputtelijke aanvoer van waterstof en hoe vervoer je dat veilig? Slechts een beetje zuurstof en een vonk en je hebt een serieus grote ontploffing.

De eerste uitdaging voor scheikundigen is het vinden van een onuitputtelijke waterstofbron. William Nicholson en Anthony Carlisle maakten in 1800 waterstof door de draden van een primitieve batterij in een buis water te steken (zie pagina 92). In feite is dat splitsen van water datgene wat planten tijdens de fotosynthese doen. Zoals zo vaak proberen scheikundigen de natuur na te bootsen en proberen ze kunstmatige bladeren te maken (zie Kunstmatige bladeren, pagina 201).

Kunstmatige fotosynthese is uitgegroeid tot een episch wetenschapsproject, waarbij overheden honderden miljoenen dollars uitgeven aan pogingen om een werkzame watersplitser te maken. Het is vooral een jacht naar materialen die zonlicht oogsten (zoals een zonnepaneel) en materialen die de vorming van waterstof en zuurstof katalyseren. De focus ligt nu op het vinden van gewone materialen die planeet aarde niet zal missen en die niet na slechts een paar dagen uiteenvallen.

OUD PROBLEEM, NIEUWE OPLOSSING

Aangenomen dat we het op een praktische wijze willen aanpakken, kunnen we zelfs waterstof gebruiken om meer traditionele brandstoffen te maken. Bij het Fischer-Tropsch-proces wordt syngas, een mengsel van waterstof en koolstofmonoxide (CO), gebruikt om koolwaterstofbrandstoffen te maken (zie pagina 64). Dat zou het idee dat we een geheel nieuwe infrastructuur van waterstoftankstations moeten aanleggen, overbodig maken.

Je kunt syngas ook op een andere manier maken: verhit koolstofdioxide en water tot 2200 °C en dan wordt dat omgezet in waterstof, koolstofmonoxide en zuurstof. Er kleven enkele nadelen aan deze benadering: allereerst vereist het veel energie om dergelijke hoge temperaturen te bereiken, en ten tweede zorgt zuurstof voor een ernstig ontploffingsgevaar als het ook maar in de buurt van waterstof komt. Sommige recente praktische watersplitsende apparaten kampen met hetzelfde probleem, omdat ze maar moeilijk waterstof en zuurstof die ontstaan bij de splitsing van water kunnen scheiden.

In 2014 leverden scheikundigen die werken aan het European Solar-Jet-project een indrukwekkende prestatie. Ze zetten syngas om in vliegtuigbrandstof via het Fischer-Tropsch-proces. Hoewel ze slechts een kleine hoeveelheid maakten, was dat een symbolische mijlpaal. Ze gebruikten een 'solaire simulator' die de aanvoer van geconcentreerd zonlicht nabootste door een zonneconcentrator. Zo'n concentrator bestaat uit enorme gekromde spiegels die licht bundelen op een kleine plek zodat daar zeer hoge temperaturen ontstaan. De onderzoekers willen met van de zon afkomstige warmte syngas maken en zo het energieprobleem oplossen. Een materiaal dat zuurstof absorbeert (ceriumoxide) beperkt het ontploffingsgevaar.

In zekere zin hebben scheikundigen het probleem opgelost. Ze kunnen al schone brandstoffen maken, en zelfs vliegtuigbrandstof, dankzij het eindeloze aanbod van zonne-energie. Dat betekent niet dat nu alles van een leien dakje zal verlopen. De moeilijkheid is, zoals zo vaak, om het schoon en betrouwbaar te doen en zonder daarbij alle natuurlijke bronnen op aarde te verbruiken. Tegenwoordig is slimme scheikunde niet alleen het maken wat je nodig hebt, maar ook dat op zo'n manier doen dat je voor eeuwig daarmee kunt doorgaan.

Waterstofslaven

Een idee voor het produceren van waterstof is gebaseerd op de inzet van groene algen die fotosynthetiseren en planten. Sommige algen splitsen water en vormen daarbij zuurstof, waterstofionen en elektronen. Ze gebruiken enzymen genaamd hydrogenasen om waterstofionen en elektronen te combineren zodat er waterstofgas (H_2) ontstaat. Wellicht kunnen enkele van de reacties in die algen worden aangepast, met genetische modificatie, zodat ze meer waterstof vormen. Wetenschappers hebben al een paar belangrijke genen daarvoor opgespoord.

Het idee in een notendop
Schone, vervoerbare energie

Het periodiek systeem

Elementen in het periodiek systeem zijn gerangschikt naar toenemend atoomgetal, en ook door zich herhalende tendensen van hun scheikundige eigenschappen. Ze belanden op natuurlijke wijze in verticale kolommen die scheikundige eigenschappen delen, en horizontale rijen (perioden) met doorgaans toenemende massa.

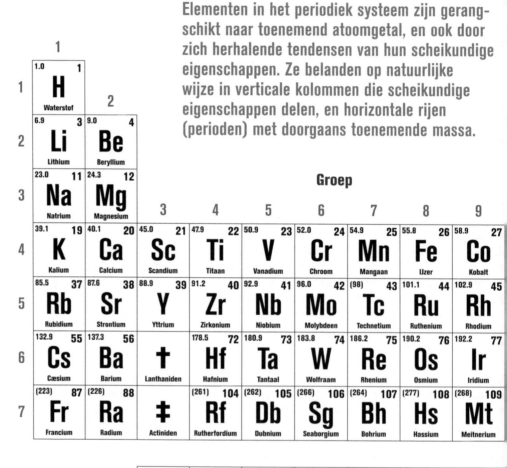

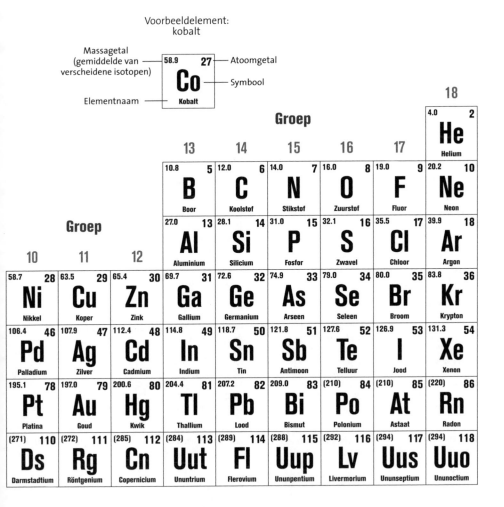

Voorbeeldelement:
kobalt

Massagetal
(gemiddelde van — verscheidene isotopen)

Elementnaam

58.9	27
Co	
Kobalt	

— Atoomgetal

— Symbool

Groep

18

4.0	2
He	
Helium	

Groep

13 14 15 16 17

10.8	5
B	
Boor	

12.0	6
C	
Koolstof	

14.0	7
N	
Stikstof	

16.0	8
O	
Zuurstof	

19.0	9
F	
Fluor	

20.2	10
Ne	
Neon	

10 11 12

27.0	13
Al	
Aluminium	

28.1	14
Si	
Silicium	

31.0	15
P	
Fosfor	

32.1	16
S	
Zwavel	

35.5	17
Cl	
Chloor	

39.9	18
Ar	
Argon	

58.7	28
Ni	
Nikkel	

63.5	29
Cu	
Koper	

65.4	30
Zn	
Zink	

69.7	31
Ga	
Gallium	

72.6	32
Ge	
Germanium	

74.9	33
As	
Arseen	

79.0	34
Se	
Seleen	

80.0	35
Br	
Broom	

83.8	36
Kr	
Krypton	

106.4	46
Pd	
Palladium	

107.9	47
Ag	
Zilver	

112.4	48
Cd	
Cadmium	

114.8	49
In	
Indium	

118.7	50
Sn	
Tin	

121.8	51
Sb	
Antimoon	

127.6	52
Te	
Telluur	

126.9	53
I	
Jood	

131.3	54
Xe	
Xenon	

195.1	78
Pt	
Platina	

197.0	79
Au	
Goud	

200.6	80
Hg	
Kwik	

204.4	81
Tl	
Thallium	

207.2	82
Pb	
Lood	

209.0	83
Bi	
Bismut	

(210)	84
Po	
Polonium	

(210)	85
At	
Astaat	

(220)	86
Rn	
Radon	

(271)	110
Ds	
Darmstadtium	

(272)	111
Rg	
Röntgenium	

(285)	112
Cn	
Copernicium	

(284)	113
Uut	
Ununtrium	

(289)	114
Fl	
Flerovium	

(288)	115
Uup	
Ununpentium	

(292)	116
Lv	
Livermorium	

(294)	117
Uus	
Ununseptium	

(294)	118
Uuo	
Ununoctium	

157.3	64
Gd	
Gadolinium	

158.9	65
Tb	
Terbium	

162.5	66
Dy	
Dysprosium	

164.9	67
Ho	
Holmium	

167.3	68
Er	
Erbium	

168.9	69
Tm	
Thulium	

173.0	70
Yb	
Ytterbium	

175.0	71
Lu	
Lutetium	

(247)	96
Cm	
Curium	

(247)	97
Bk	
Berkelium	

(251)	98
Cf	
Californium	

(252)	99
Es	
Einsteinium	

(257)	100
Fm	
Fermium	

(258)	101
Md	
Mendelevium	

(259)	102
No	
Nobelium	

(262)	103
Lr	
Lawrencium	

Register

Veen Media
Postbus 57191
1040 BB Amsterdam

www.veenmedia.nl

Copyright © 2015 Hayley Birch
Oorspronkelijke titel: *50 Chemistry Ideas You Really Need to Know*

Oorspronkelijke uitgave en productie:
Quercus Publishing Plc
50 Victoria Embankment
London EC4Y 0DZ

Copyright © 2015 Nederlandse uitgave:
Veen Media

Titel	50 inzichten scheikunde Onmisbare basiskennis
Vertaling	Erick Vermeulen
Redactie	Marian van Eekelen
Vormgeving	t4design
Druk	Koninklijke Wöhrmann, Zutphen
ISBN	9789085715030
NUR	913

Eerder verschenen in deze reeks:
50 inzichten filosofie
50 inzichten wiskunde
50 inzichten natuurkunde
50 inzichten psychologie
50 inzichten genetica
50 inzichten economie
50 inzichten stromingen en ideeën
50 inzichten management
50 inzichten religie
50 inzichten architectuur
50 inzichten geschiedenis
50 inzichten universum
50 inzichten aarde
50 inzichten toekomst
50 inzichten quantumfysica
50 inzichten brein
Deze titels zijn verkrijgbaar in de boekhandel of op www.veenmedia.nl

Veel dank aan alle leden van het Chemistry Super-Panel voor hun ideeën en advies bij de ontwikkeling van dit boek: Raychelle Burks (@DrRubidium), Declan Fleming (@declanfleming), Suze Kundu (@FunSizeSuze) en David Lindsay (@ DavidMLindsay). De redactie van het tijdschrift *Chemistry World* verleende ook waardevolle hulp en ondersteuning: dank aan Phillip Broadwith (@broadwithp), Ben Valsler (@BenValsler) en Patrick Walter (@vinceonoir). Speciale dank gaat uit naar Liz Bell (@liznewtonbell) voor het letten op de gezondheid en de spreadsheethilariteit in de laatste twee weken, en zoals altijd naar Jonny Bennett, voor voeden en water geven, om maar niet te zwijgen over al het andere. Tenslotte een dankjewel aan James Wills en Kerry Enzor voor hun begrip bij een paar lastige dagen aan het begin van het project en aan Richard Green, Giles Sparrow en Dan Green voor begeleiding tot het einde.

Illustratieverantwoording:
109: Emw2012 via Wikimedia; 191: Universiteit Hasselt; 194: NASA. Alle andere afbeeldingen: Tim Brown.